D1413452

**10|18**
12, avenue d'Italie — Paris XIIIᵉ

## Sur l'auteur

Anne Perry, née en 1938, à Londres, est aujourd'hui célébrée dans de nombreux pays comme une « reine » du polar victorien. C'est en 1979 qu'elle publie la première enquête du couple de détectives Charlotte et Thomas Pitt, *L'Étrangleur de Cater Street*, une série qui compte aujourd'hui vingt-trois romans, dont le dernier, *The Ghosts of Guildford Street*, a paru en 2003 en Angleterre. Forte de ses premiers succès, elle publie en 1990 *Un étranger dans le miroir*, premier de cette seconde série victorienne, qui compte aujourd'hui douze titres, menée par l'inspecteur William Monk. Anne Perry a par ailleurs écrit plusieurs romans fantastiques – *Tathea, Shadow Mountain*. Elle a également publié aux États-Unis *The One Thing More*, un roman qui a pour cadre, cette fois, le Paris de la Révolution française. Anne Perry vit au nord d'Inverness, en Écosse.

# LE BOURREAU
# DE HYDE PARK

PAR

ANNE PERRY

Traduit de l'anglais
par Anne-Marie CARRIÈRE

## 10|18

INÉDIT

« *Grands Détectives* »
*dirigé par Jean-Claude Zylberstein*

*Du même auteur*
*aux Éditions 10/18*

SÉRIE « Charlotte et Thomas Pitt »

SÉRIE « William Monk »

Titre original :
*The Hyde Park Headsman*

© Anne Perry, 1994.
© Éditions 10/18, Département d'Univers Poche, 2003,
pour la traduction française.
ISBN 2-264-03518-8

# 1

— Oh George ! s'exclama Millicent avec un soupir d'extase. N'est-ce pas merveilleux ? Je ne m'étais jamais promenée dans le parc si tôt le matin. L'aube est si romantique...

George, qui marchait dans l'herbe mouillée sur la pointe des pieds, ne répondit pas.

— Regarde la lumière qui se reflète à la surface de l'eau. On dirait un grand plateau d'argent !

— Drôle de plateau, marmonna le dénommé George, beaucoup moins enthousiaste devant le cours sinueux de la Serpentine[1].

— Tu verras, une fois sur le lac, nous aurons l'impression de nous promener dans un conte de fées, gazouilla Millicent, qui remonta le bas de sa robe pour lui éviter d'être trempée par la rosée.

Elle était entrée dans le parc au petit matin dans l'espoir de canoter sur la Serpentine, seule avec son amoureux.

— Zut, il y a déjà quelqu'un ! bougonna ce dernier.

En effet, dans la lumière naissante, on distinguait un canot à environ trois mètres du bord. La silhouette de son

---

1. The Serpentine : grande pièce d'eau artificielle située dans Hyde Park. (N.d.T.)

occupant était curieusement penchée en avant, comme si l'homme cherchait quelque chose à ses pieds.

Millicent ne put cacher sa déception. Son aventure romantique s'envolait. Elle qui s'imaginait marchant dans une sombre forêt perdue de quelque archiduché, au bras d'un beau prince, ou d'un preux chevalier, voilà qu'un vulgaire rameur lui gâchait son plaisir ! D'autant plus qu'elle n'aurait jamais dû sortir sans chaperon et qu'elle ne tenait pas du tout à être aperçue à Hyde Park en galante compagnie.

— Il va peut-être s'en aller, chuchota-t-elle.

— Non, il n'a pas bougé d'un pouce, répondit George. Ohé, monsieur ! Excusez-moi, vous ne vous sentez pas bien ?

Il fronça les sourcils.

— C'est curieux, je ne vois pas son visage. Attends-moi là, ajouta-t-il à l'adresse de Millicent, je vais lui demander de bien vouloir déplacer son embarcation.

Il partit d'un pas décidé vers la berge, sans craindre de mouiller ses souliers, mais il trébucha, tomba à genoux et chut dans l'eau avec bruit.

Millicent, horrifiée et gênée, se précipita à la rescousse, se retenant toutefois de pouffer de rire. Le pauvre George se débattait dans l'eau boueuse, incapable, semblait-il, de se remettre sur ses pieds. Curieusement, l'homme assis dans la barque ne s'était rendu compte de rien.

Millicent comprit bientôt pourquoi.

Elle avait cru, comme George, que le rameur était penché en avant. Que nenni !

Il n'avait plus de chef.

Il ne restait sur ses épaules ensanglantées que l'amorce du cou.

Millicent perdit connaissance et s'effondra tête la première dans l'herbe mouillée.

— Oui, monsieur, fit l'agent Grover. L'honorable[1] capitaine Oakley Winthrop, de la marine royale. Retrouvé à l'aube, dans Hyde Park, décapité. Un jeune couple qui voulait faire une promenade en canot sur la Serpentine a découvert le corps, dans une embarcation. Ils se sont évanouis tous les deux ! Ils avaient pas le cœur bien accroché.

— C'est normal, voyons, répliqua le commissaire Pitt. J'aurais trouvé curieux qu'ils ne s'évanouissent point.

— Le garçon est revenu à lui, puis il est sorti de l'eau, poursuivit l'agent, sans relever la remarque. Le choc avait dû le faire tomber, j'imagine. Il a cherché un policier. L'agent Withers, qui faisait sa ronde dans le parc, a jeté un coup d'œil sur le cadavre et aussitôt a fait prévenir un sergent...

Il n'acheva pas sa phrase, guettant la réaction de Pitt.

— Oui ? fit celui-ci.

— Ils ont découvert l'identité du mort. Un gradé de la marine royale. Alors, ils ont pensé que l'affaire relevait de votre compétence, monsieur.

Pitt venait d'être récemment promu au grade de commissaire. Longtemps, il avait refusé cet avancement, car il aimait avant tout travailler sur le terrain, au contact des hommes, qu'ils soient habitants des taudis, criminels, domestiques, ou occupants des immeubles des beaux quartiers. Et puis, à l'automne précédent, son supérieur, Micah Drummond, avait pris une retraite anticipée afin de pouvoir épouser la femme qu'il aimait, dont le nom était malheureusement lié au scandale qui avait causé la ruine — et la mort — de son premier époux.

Drummond avait insisté pour que Thomas Pitt lui succédât, faisant valoir que ce dernier, bien que n'étant pas

---

1. Titre donné aux enfants des comtes, vicomtes et barons, ainsi qu'aux députés, membres du gouvernement et à certains juges. (N.d.T.)

issu de la bonne société, avait une très grande expérience professionnelle et avait fait preuve de ses capacités en résolvant les affaires les plus délicates, tant du point de vue politique que social.

Après le fiasco de l'enquête sur les meurtres de Whitechapel — Jack l'Éventreur courait toujours — l'impopularité de la police était grande dans l'opinion publique. Il était donc temps de changer les hommes qui occupaient les postes clés. C'est ainsi qu'en ce printemps 1890, à l'aube d'une nouvelle décennie, Thomas Pitt avait été nommé à la tête du commissariat de Bow Street[1], avec la responsabilité toute particulière des affaires sensibles, susceptibles de devenir explosives si elles n'étaient pas traitées avec doigté et promptitude. Voilà pourquoi l'agent Grover se tenait devant lui dans le magnifique bureau précédemment occupé par Micah Drummond, et lui parlait de la décapitation de l'honorable capitaine Oakley Winthrop.

Pitt se cala dans son fauteuil, ou plutôt dans le fauteuil qu'il considérait encore comme étant celui de son prédécesseur.

— Eh bien ? demanda-t-il.

Grover haussa un sourcil.

— Monsieur ?

— Les conclusions du médecin légiste ?

— Mort par décapitation, répondit l'agent en relevant le menton.

Pitt faillit lui dire de ne pas se montrer insolent, mais se contint. Il n'était pas encore habitué à commander à des hommes qu'il connaissait par ailleurs fort peu. Jusqu'à présent, il avait toujours mené ses enquêtes en solitaire, ou avec l'aide d'un sergent. On le considérait ici davantage comme un rival que comme un collègue.

1. Le premier et le plus connu des commissariats de police de Londres, situé dans Bow Street depuis la création de la police métropolitaine, en 1829. *(N.d.T.)*

Les hommes avaient obéi sans rechigner à Micah Drummond, gentleman fortuné ayant une longue carrière militaire derrière lui. L'itinéraire de Thomas Pitt était tout à fait différent : fils d'un garde-chasse, il ne devait sa bonne éducation et son élocution parfaite qu'au fait d'avoir été élevé en compagnie du fils du hobereau du comté. Il ne possédait ni les manières ni l'apparence d'un homme né pour commander. Maigre, dégingandé, le cheveu en bataille, il donnait souvent l'impression d'avoir traversé une tempête. Toujours habillé comme l'as de pique, il conservait dans ses poches un assortiment d'objets hétéroclites qui, selon lui, « pouvaient toujours servir à quelque chose ».

Les hommes de Bow Street s'habituaient difficilement à lui ; le commandement n'était pas dans sa nature. Il avait coutume de ne pas obéir aux ordres ; on tolérait ses manières car ses méthodes d'investigation donnaient des bons résultats. Mais le fait d'occuper le poste de commissaire lui créait de nouvelles obligations et il se devait d'être un modèle pour les hommes placés sous ses ordres. Il était désormais responsable de leurs succès comme de leurs échecs et, aussi, de leur sécurité.

Il fixa Grover avec froideur.

— Il serait intéressant de connaître l'heure du décès, remarqua-t-il d'un ton neutre, et de savoir s'il a été tué dans l'embarcation ou déposé là après le meurtre.

La mine de Grover s'allongea.

— Nous ne le savons pas encore, monsieur. Mais à mon avis, il était risqué de lui couper la tête au milieu du parc. Il aurait pu être aperçu par n'importe quel promeneur.

— Combien y avait-il de promeneurs à cette heure de la nuit, agent Grover ?

Celui-ci se mit à danser d'un pied sur l'autre.

— Eh bien, personne, à part les deux tourtereaux. Mais le meurtrier ne pouvait pas le savoir. Il aurait pu y avoir des cavaliers matinaux ou des couche-tard rentrant à pied chez eux.

— Le meurtre a peut-être eu lieu en pleine nuit, remarqua Pitt. D'autres témoins ?

— Pas encore, monsieur. Nous sommes venus tout de suite au rapport, vu qu'il avait l'air de quelqu'un d'important.

— Bien. Au fait, a-t-on trouvé la tête ?

Grover cligna des yeux.

— Oui, monsieur. Dans le canot, à côté de lui.

— Très bien. je vous remercie. Faites monter Mr. Tellman, je vous prie.

Quelques instants plus tard, l'inspecteur Tellman frappait à la porte. C'était un homme au visage long, aux joues creuses et à la moue désabusée. Il avait gravi les échelons de la police avec application et détermination. Six mois plus tôt, il avait encore le même grade que Pitt et, aujourd'hui, se retrouvait sous ses ordres. Il ressentait la promotion de son collègue comme une injustice.

Il s'avança vers le grand bureau recouvert de cuir derrière lequel Pitt était assis dans un confortable fauteuil.

— Monsieur ?

Pitt fit mine de ne pas avoir entendu l'ironie agressive contenue dans sa voix.

— Il y a eu un meurtre à Hyde Park. La victime est l'honorable Oakley Winthrop, capitaine de la marine royale. On l'a trouvé dans un canot sur la Serpentine. Décapité.

— Désagréable, fit Tellman, laconique. Un personnage important, ce Winthrop ?

— Honnêtement, je ne sais. Famille aristocratique.

Tellman fit la grimace. Il méprisait ceux qu'il considérait comme des poids morts pour la société. L'évocation des privilèges remuait en lui une colère amère qui remontait à son enfance, lui rappelant la misère, la faim, le froid, l'angoisse, un père vaincu, humilié, une mère silencieuse, épuisée par le travail.

— Je suppose que nous allons tous user nos semelles pour retrouver ce misérable, dit-il d'un ton amer. À mon avis, c'est un malade. Comment une personne normale pourrait-elle faire une chose...

Il s'interrompit brusquement.

— Et la tête ? Où était-elle ?

— À côté du corps. On n'a pas cherché à cacher l'identité de la victime.

— Un malade, il n'y a pas de doute, répéta Tellman. Mais, dites-moi, que faisait un capitaine de vaisseau dans une barque sur la Serpentine ? Quelle déchéance, pour un homme habitué à commander un navire de guerre ! ironisa-t-il. Était-il en galante compagnie ? Une femme mariée, peut-être ?

— C'est possible, acquiesça Pitt. Mais pour l'instant, gardez vos spéculations pour vous. Il nous faut d'abord des preuves tangibles.

Il vit Tellman grimacer en entendant une injonction qui lui paraissait évidente, mais poursuivit néanmoins :

— Je veux tout savoir : l'heure du décès, l'arme du crime, le nombre de coups portés, s'il a été frappé par-derrière ou par le côté, s'il était conscient...

Tellman haussa un sourcil dubitatif.

— Et comment comptez-vous savoir tout cela, monsieur ?

— Le médecin légiste a la tête — il saura déterminer s'il a été assommé avant d'être décapité — et le corps : il nous dira si l'homme avait été drogué ou empoisonné.

— Il ne nous dira pas s'il a été tué pendant son sommeil, remarqua Tellman.

Pitt ignora la remarque.

— Je veux aussi la description de son costume, l'état de ses souliers. A-t-il marché jusqu'à l'embarcation, ou l'y a-t-on porté ? Et vous devriez pouvoir déterminer si la tête a été décollée dans le bateau, ou ailleurs. Ensuite vous draguerez la Serpentine, pour essayer de retrouver l'arme du crime.

La physionomie de Tellman s'assombrit.

— Bien, monsieur. Ce sera tout ?

— Non, mais c'est déjà un début.

— Désirez-vous que je mette un agent en particulier sur cette enquête, monsieur? L'affaire est délicate.

— Oui. Prenez Le Grange avec vous. Il saura se débrouiller pour interroger les témoins.

Le dénommé Le Grange était une jeune recrue à la parole facile, dont la flagornerie exaspérait Tellman encore plus que Pitt.

Furieux, l'inspecteur resta muet. Il se redressa, puis tourna les talons et quitta le bureau.

Pitt se cala dans son fauteuil et réfléchit. C'était la première affaire importante qu'il avait à traiter depuis sa nomination à ce poste. Bien sûr, il y avait eu d'autres enquêtes criminelles, mais aucune ne relevait du domaine pour lequel on l'avait mis à la tête de cette division, les crimes de sang qui menaçaient de déclencher une crise politique.

Le nom de Winthrop ne lui disait rien; Pitt fréquentait peu la haute société et n'entretenait aucun rapport de familiarité avec la hiérarchie militaire. Il connaissait en revanche un certain nombre de députés à la Chambre des communes, mais l'honorable capitaine Winthrop n'était pas parlementaire; et si son père avait autrefois siégé à la Chambre des lords, son nom n'était pas passé à la postérité.

Pitt pivota dans son fauteuil et suivit des yeux les rangées de livres alignés sur les étagères de la bibliothèque. Il était déjà familiarisé avec la plupart des titres. Le Bottin mondain était là, en bonne place. Il le prit à deux mains et l'ouvrit sur le bureau. Oakley Winthrop n'y était pas mentionné, mais il y avait un article sur Lord Marlborough Winthrop. On y parlait plus de sa fortune que de ses activités politiques et mondaines. Il avait occupé plusieurs postes dans différents ministères; lié à certains membres des familles les plus prestigieuses du pays, il était marié depuis quarante ans à Evelyn Hurst, benjamine d'un amiral anobli.

Pitt referma le Bottin avec un pressentiment. Il se doutait que Lord et Lady Winthrop ne s'en laisseraient pas conter, si l'enquête piétinait ou si ses résultats ne les satisfaisaient pas.

Tellman avait-il raison de croire qu'il s'agissait de l'œuvre d'un malade mental ? Oakley Winthrop ne s'était-il pas plutôt attiré la vengeance d'un mari jaloux ou d'un prêteur qu'il n'aurait pas remboursé ? Ou bien était-il au courant de quelque terrible secret ? Il faudrait à Pitt beaucoup de tact et de subtilité pour arracher des réponses à l'entourage de la victime.

Pitt se serait volontiers rendu à Hyde Park pour chercher des preuves concrètes, mais cette tâche incombait à Tellman ; il aurait été de mauvaise politique de surveiller son enquête.

De son côté, Charlotte Pitt était très occupée. La promotion de son époux s'était accompagnée d'une importante augmentation de ses revenus ; aussi avaient-ils décidé, tout en restant dans le quartier de Bloomsbury, d'emménager dans une maison plus vaste, agrémentée d'une grande pelouse, de parterres fleuris et, bonheur suprême, d'un jardin potager où poussaient trois beaux pommiers, qui, en cette saison, étaient couverts de bourgeons prêts à éclater.

À peine avait-elle franchi la porte-fenêtre du salon donnant sur la grande terrasse dallée que Charlotte était tombée amoureuse de cette demeure. Bien sûr, elle avait grand besoin de réparations avant d'être habitable. Charlotte ne cessait, en pensée, de la décorer, d'accrocher des rideaux, d'étaler des tapis et de changer les meubles de place.

Les tapisseries étaient arrachées par endroits et les plâtres avaient besoin d'être refaits. Des longueurs de corniches, de frises et de moulures étaient cassées. La rosace du plafond de la salle à manger devait être remplacée, le lustre du vestibule avait perdu ses pendeloques et il fallait changer de nombreuses appliques à gaz. Le tain du miroir placé au-dessus de la cheminée de la salle à manger était piqué ; bon nombre de carreaux manquaient à la cheminée de la grande chambre. Il y avait donc beaucoup à faire, mais Charlotte, très enthousiaste, ne se laissait pas impressionner par l'ampleur des travaux.

Debout au milieu du salon, elle essayait de l'imaginer une fois les finitions achevées. Dans leur maison actuelle, à Bloomsbury, il y avait un salon, très agréable au demeurant, mais minuscule et sombre comparé à ce que serait celui-ci lorsqu'il aurait retrouvé sa splendeur d'antan.

Elle pourrait enfin inviter du monde à dîner, chose qu'elle n'avait jamais pu faire depuis son mariage, en dehors de la famille proche. À l'époque, Charlotte avait en effet scandalisé ses amies en épousant un policier. À peu près à la même période, sa sœur cadette, Emily, avait épousé un vicomte, Lord George Ashworth. La vie des deux sœurs avait alors pris un tour nouveau. Et puis, au cours de l'été 1887, George était mort tragiquement[1], laissant à Emily toute sa fortune. Celle-ci avait épousé moins d'un an plus tard en secondes noces un garçon charmant, séduisant et impécunieux, Jack Radley. Elle paraissait très heureuse avec lui et venait de donner à Edward, son fils de sept ans, désormais Lord Ashworth, une petite sœur, Evangeline, surnommée Evie. Quant à Jack, il tentait de briguer un siège à la Chambre des communes. Il avait en effet pris conscience de l'immensité de la misère qui régnait à Londres en cette fin de siècle. Conseillé et soutenu par Emily et ses proches, il s'était lancé dans la politique, pour mieux lutter contre la pauvreté. Sa première tentative avait échoué, mais il ne désespérait pas d'être bientôt élu.

— Excusez-moi, madame...

1. Voir *Meurtres à Cardington Crescent*, 10/18, n° 3196.

La voix de Gracie, sa petite bonne, interrompit le fil de ses pensées. Gracie était à son service depuis leur emménagement à Bloomsbury. Âgée aujourd'hui de dix-huit ans, elle était devenue la confidente de sa maîtresse et, parfois, jouait les détectives avec elle. Petite et menue, elle devait toujours reprendre les vêtements qu'on lui donnait avant de pouvoir les porter. Mais elle avait le teint frais, les joues roses et le regard pétillant d'intelligence. Courageuse et énergique, elle ne craignait pas de répondre vertement au livreur qui avait osé se montrer impertinent à son égard, ni au valet en livrée d'une grande maison, qui la regardait de haut. Après tout, elle vivait de grandes aventures avec sa maîtresse, tandis qu'eux se cantonnaient dans leur rôle de domestiques.

— Oui ? fit Charlotte d'un ton absent

— Y a l'éboueur à la porte. Il dit que pour une livre et demie, il peut enlever les carreaux cassés et le linoléum de la cuisine qui est tout abîmé. Il peut aussi nettoyer l'arrière-cour.

— D'accord pour une livre, répondit Charlotte. Qu'il récupère les appliques de lampes cassées, s'il les enlève.

— Bien, madame.

Gracie repartit en courant, pour revenir quelques minutes plus tard, Emily sur les talons. Cette dernière entra dans un bruissement de satin. Elle portait une robe à volants roses, manches larges et taille étroite. Ses fins cheveux blonds auréolaient son visage qui, à cette minute, reflétait un étonnement certain. Elle jeta un coup d'œil circulaire à la pièce.

— Ça... ça pourrait être très bien, déclara-t-elle avant d'éclater de rire devant l'expression furibonde de sa sœur.

Elle se laissa tomber sur le canapé recouvert d'une housse de protection.

Charlotte ouvrit la bouche pour lancer une repartie bien sentie, puis se rendit compte que ce serait là une absurdité : la pièce était nue et sale, les tapisseries pendaient par bandes, le plâtre du plafond s'écaillait, le bois des fenêtres était fendillé et les appliques murales cassées. Le reste de la maison était à l'avenant. Elle se mit à rire à son tour.

— Il te faudra refaire les plâtres et poser la tapisserie avant de pouvoir mettre de nouvelles appliques, remarqua Emily, quand leur fou rire fut passé. Allez, montre-moi la suite... Je te promets d'essayer d'imaginer quel aspect aura la maison dans quelques mois ! Oh, à propos, as-tu entendu parler de cet horrible meurtre de Hyde Park ?

Charlotte, qui précédait sa sœur vers la future salle à manger, s'immobilisa et lui fit face.

— Quel meurtre ? Tu l'as appris par les journaux du matin ?

Emily secoua la tête.

— Non. Je crois que le corps a été trouvé ce matin, dans l'un des canots de la Serpentine. En venant ici, nous avons été pris dans un embouteillage dans Tottenham Court Road et j'ai entendu les crieurs de journaux annoncer la nouvelle. Un officier de marine. Décapité.

— Décapité ?

— Oui, pas très ragoûtant, n'est-ce pas ? J'imagine que Thomas va s'occuper de l'affaire. L'homme était le fils de Lord et Lady Winthrop.

— Tu les connais ? fit Charlotte, soudain intéressée.

Charlotte et Emily avaient rencontré Thomas Pitt neuf ans plus tôt lorsque celui-ci enquêtait sur le meurtre de leur sœur aînée, Sarah. Depuis lors, elles avaient toujours suivi de près, de trop près même au goût du policier, ses enquêtes criminelles.

Emily haussa légèrement les épaules.

— Des gens riches, ni vieille fortune ni parvenus. Rien à dire sur eux, sinon qu'ils ont des relations dans la moitié des comtés chic autour de Londres. Ils croient tout savoir sur tout, sans avoir rien réalisé par eux-mêmes. Aucune imagination, aucun humour, mais des honnêtes gens.

— D'un ennui mortel, tu veux dire, résuma Charlotte, laconique. Mais on n'a rien à leur reprocher.

Emily se dirigea vers la porte.

— Exact. C'est idiot, mais je ne me souviens même pas de l'apparence de Lady Winthrop. Grosse, maigre, blonde, brune, avec ou sans poitrine, je suis incapable de la décrire. Et pourtant, tu sais que j'ai une bonne mémoire visuelle ! Heureusement, si l'on pense que mon cher mari se présente à la députation. Imagine un peu le désastre si je ne me souvenais pas de la tête de l'épouse du Premier ministre !

Elles arrivaient dans le vestibule. Emily l'examina avec un soupir appréciateur.

— J'aime l'escalier. Quelle ligne élégante ! Ce pilastre sculpté est une pure merveille.

Elle inclina la tête et suivit des yeux la main courante, jusqu'au palier du premier étage.

— Oui, très élégant, vraiment. Combien de chambres ?

— Cinq, plus un immense grenier. Gracie y aura deux pièces. J'aménagerai un débarras et une chambre d'amis, au cas où.

Emily sourit.

— Tiens, tiens... Ma sœur envisagerait donc d'avoir une autre domestique ?

— Pourquoi pas ? Mais revenons à ton officier de marine. Que sais-tu de lui ?

— Rien. Mais je peux me renseigner.

— Emily... N'en parle pas à Thomas, pour le moment.

Sa sœur hocha la tête et commença à gravir l'escalier, en caressant la main courante. Elle s'arrêta à mi-chemin et leva la tête.

— Très joli plafond à caissons. Les moulures sont en parfait état. Elles ont juste besoin d'être repeintes.

Rassure-toi, je saurai être prudente. Thomas est un personnage important, désormais. Je suis si contente pour lui ! Je l'aime beaucoup, tu sais.

— Et moi je suis contente que tu aimes mon plafond ! Je l'ai tout de suite trouvé très joli. Il donne au vestibule une certaine... distinction, tu ne trouves pas ?

Arrivées sur le palier, elles firent le tour des chambres. Emily se prit au jeu et ignora les carreaux cassés des cheminées et les tapisseries à moitié arrachées.

— La date des élections est-elle fixée ? s'enquit Charlotte.

— Non, mais nous savons qui va défendre les couleurs des tories, répondit Emily avec une grimace. Nigel Uttley. Un homme très respecté et très puissant. Honnêtement, j'ai peur que Jack ait bien peu de chances, face à lui. Mais bien sûr, je ne le dis pas.

Lors de la précédente investiture, Jack avait retiré sa candidature, après son refus de se compromettre en acceptant de rejoindre le *Cercle intérieur*, une société secrète composée d'un réseau de membres riches et influents, liés par un attachement indéfectible, sous le sceau du secret. Celui qui transgressait ses règles était sévèrement châtié et à jamais banni de la confrérie.

— Je présume que ce sera votre chambre, dit Emily en faisant le tour d'une vaste pièce dont la fenêtre donnait sur le jardin. Je l'aime beaucoup. Mais je me demande si celle du devant n'est pas plus grande.

— Je crois que oui, mais la vue sur le jardin compte bien plus pour moi, affirma Charlotte sans hésitation. Cette petite pièce-là, ajouta-t-elle en désignant une porte sur la gauche, servira de vestiaire à Thomas. Celle de devant fera office de nursery. Daniel et Jemima auront chacun leur chambre.

— Charlotte...

— Oui ?

— Pardonne-moi de sauter du coq à l'âne, mais je crois qu'en rentrant de la campagne, je me suis montrée un peu dure à ton égard, voire même injuste...

— Tu veux parler de Maman ? Ah ça oui, tu peux le dire ! Que voulais-tu que je fasse ?

— Bon, d'accord, je n'étais pas là. Mais tout de même, tu aurais pu faire quelque chose ! Pour l'amour du ciel, Charlotte, aller s'amouracher d'un acteur juif qui a dix-sept ans de moins qu'elle[1] !

— Joshua Fielding est un garçon charmant, intelligent, drôle, gentil. Il semble beaucoup aimer Maman.

— Pourvu que ce soit vrai, soupira Emily. Dis-moi, comment cette histoire va-t-elle finir ? Elle ne va tout de même pas l'épouser — en supposant qu'il le lui demande ! Sa réputation sera ruinée, si cela n'est déjà fait. Mon Dieu, Papa doit se retourner dans sa tombe ! Qu'allons-nous faire, Charlotte ? Grand-Maman est aux cent coups !

— Voilà des mois, que dis-je, des années, que Grand-Maman fulmine. Elle adore ça. Pour elle, tout est motif à se mettre en colère.

— Oui, mais tout de même, cette fois-ci, elle a raison ! protesta Emily. Le comportement de Maman est absurde et dangereux. Quand cette aventure aura pris fin, elle se retrouvera au ban de la société. Y as-tu réfléchi ?

— Bien sûr. Et je me tue à le lui répéter, mais elle n'en a cure. Pour elle, cette histoire vaut la peine d'être vécue.

— Alors, elle n'a pas toute sa tête, conclut Emily.

— Tu sais, dit Charlotte en regardant par la fenêtre, je crois que je la comprends, je préférerais vivre une grande passion, même si elle ne devait pas durer, plutôt que passer le restant de mes jours à mener une existence grise et respectable.

— La perte de respectabilité peut être très déplaisante, ma chère, surtout lorsque l'on n'est plus tout jeune. Pense à la solitude de ceux qui sont exclus de notre monde, Lady Byam, par exemple.

1. Voir *Le Crucifié de Farriers' Lane*, 10/18, n° 3500.

Charlotte savait que sa sœur avait raison. À la place de Caroline, Emily aurait peut-être aussi choisi une brève et glorieuse passion, mais elle en connaissait le prix.

— Je sais, murmura-t-elle. Et jamais Grand-Maman ne lui pardonnera...

Elle s'interrompit, voyant qu'Emily parcourait la pièce du regard, d'un air songeur.

— Ah, ça non! s'exclama Charlotte, devinant ses pensées. Non, non et non! Pas ici! Nous n'avons pas assez de place!

Emily hocha la tête et sourit.

— Tu pensais à Maman ou à Grand-Maman?

— À Grand-Maman, bien sûr. Il est normal que Maman reste à Cater Street. C'est sa maison. Qu'est-ce qui serait le pire pour elle? Garder sous son toit une belle-mère qui ne cesse de la harceler et de se plaindre, ou vivre seule, sans personne à qui parler?

— Oh, tais-toi, soupira Emily. Je préfère ne pas y penser. Il faut absolument faire quelque chose! As-tu essayé de parler à ce Joshua Fielding? S'il aime bien Maman, il doit se rendre compte de ce qui lui arrivera lorsque leur liaison prendra fin!

— C'est un acteur. Il vit dans un autre monde, fit Charlotte, légèrement agacée. Iı ne comprendrait pas...

— Mais, pour l'amour du ciel, n'as-tu pas cherché à lui expliquer la situation?

— Non, je ne l'ai pas fait! Maman ne me le pardonnerait pas. Argumenter avec sa mère est une chose; aller faire la morale à un inconnu en est une autre. Nous n'avons pas le droit d'agir ainsi.

— Pour préserver Maman, nous avons tous les droits! Il faut bien que quelqu'un s'occupe d'elle.

— Emily! Te rends-tu compte de ce que tu dis? Comment aurais-tu réagi si quelqu'un, plein de bons sentiments, avait voulu t'avertir que Jack t'épousait pour ton argent?

— Cela n'a rien à voir. Jack m'a épousée. Joshua Fielding n'épousera jamais Maman.

— Emily chérie, Maman a peut-être pensé que Jack Radley avait décidé de convoler avec une jolie veuve fortunée...

Emily devint rouge comme une pivoine.

— C'est faux !

— Je n'ai jamais dit le contraire. Jack est un homme charmant et honnête, mais si Maman s'était avisée de t'empêcher de te remarier, comment aurais-tu réagi ?

— Ce n'est pas la même chose ! protesta Emily. Il n'y a aucune issue heureuse pour elle...

— Il n'empêche que nous n'avons pas le droit d'aller trouver Joshua. Mais tu peux toujours essayer de raisonner Maman. Toi, elle t'écoutera peut-être. Viens voir la chambre d'à côté. Je crois que je vais choisir un papier jaune. Ce serait joli, non ? Daniel et Jemima pourraient y jouer l'hiver et les jours de pluie. Qu'en penses-tu ?

— Du jaune, dis-tu ? Oui, bonne idée. Avec une petite touche de vert... Et puis, il te faudra changer les horribles carreaux de cette cheminée. Bon ma chérie, il faut que je m'en aille. Ma couturière m'attend.

— N'oublie pas de te renseigner sur le capitaine Winthrop.

— Promis. Je me demande si nous pourrons aider Thomas dans cette enquête... Cela fait si longtemps que nous n'avons pas joué aux détectives ensemble !

Vers le milieu de l'après-midi, Pitt n'y tint plus. Il prit son chapeau, essaya sans succès d'arranger le tombé de sa veste, et sortit de ses poches une boule de ficelle, deux morceaux de cire à cacheter et un crayon trop long. Puis il descendit au rez-de-chaussée du commissariat et expliqua au sergent de garde qu'il allait voir la veuve, sans avoir besoin de préciser de qui il s'agissait. Le poste de police était en effervescence depuis le début de la matinée.

— Avez-vous son adresse ?

— 24, Curzon Street, monsieur. Pauvre femme... Je

n'aurais pas aimé être à la place du collègue qui lui a annoncé la nouvelle. Apprendre la mort de son mari, c'est déjà terrible, mais alors là...

Pitt opina du chef, un peu honteux de se réjouir de ne pas avoir été le porteur de la terrible nouvelle. C'était l'un des avantages de sa promotion. Cette pénible tâche, qui était encore la sienne quelques mois auparavant, incombait désormais à Tellman. Pitt songea que la triste figure de l'inspecteur n'était peut-être pas celle que l'on souhaite voir arriver chez soi pour annoncer un deuil. De toute façon, quelle que soit son opinion sur Tellman, il n'avait pas le droit d'usurper ses prérogatives, sauf s'il ne se montrait pas à la hauteur de sa tâche.

Il quitta Bow Street et partit à pied vers le nord. Arrivé dans Drury Lane, il héla un cab et donna au cocher l'adresse des Winthrop. Que pourrait-il apprendre de plus que Tellman ? À ce propos, il se dit que son subordonné n'était pas encore venu au rapport, ce qui ne le surprenait pas. Frisant l'insolence, il attendrait la dernière minute avant de venir le voir. Pitt était bien obligé de reconnaître qu'autrefois, il n'allait voir ses supérieurs que lorsqu'il y était contraint et forcé. Il détestait s'entendre expliquer par quelqu'un assis derrière un bureau comment il devait mener son enquête sur le terrain. Il ne pouvait donc blâmer Tellman d'agir ainsi.

Aujourd'hui, il allait faire ce que Micah Drummond n'avait jamais fait : interroger un proche de la victime le jour même du décès. Mais si Drummond l'avait désigné pour le remplacer c'est bien parce que Pitt, lorsqu'il avait affaire à des personnes de la haute société, montrait toujours une extrême courtoisie, tout en décelant leurs émotions cachées et leurs mensonges et qu'il ne lâchait jamais prise jusqu'à la découverte de la vérité.

Arrivé devant le numéro 24 de Curzon Street, Pitt descendit du cab, ôta son couvre-chef, gravit les marches du perron et actionna la cloche de cuivre. De longues secondes s'écoulèrent avant que le majordome ne vînt lui ouvrir. Très pâle, il dévisagea Pitt d'un regard dénué d'expression.

— Bonjour, fit celui-ci. Commissaire Pitt, de Bow Street. J'aimerais m'entretenir brièvement avec Mrs. Winthrop.

Il sortit sa carte, sur laquelle il avait fait graver son grade, et la posa sur le petit plateau d'argent que lui tendait le majordome.

— Je sais que le moment est mal venu de la déranger, mais elle pourrait peut-être m'aider à découvrir le responsable de cette tragédie...

— Bien, monsieur, concéda le majordome de mauvaise grâce.

Il détailla le visiteur de la tête aux pieds. En d'autres circonstances, il ne l'aurait sans doute pas laissé entrer, mais, ce jour-là, il n'était plus lui-même.

— Si vous voulez bien me suivre dans la bibliothèque, monsieur, je vais voir si Madame peut vous recevoir.

Ils traversèrent l'élégant vestibule dallé et entrèrent dans la bibliothèque, une pièce aux murs lambrissés de chêne clair, garnis d'étagères remplies de nombreux volumes reliés. Les deux oriels qui donnaient sur le jardin étaient obscurcis par un enchevêtrement de rosiers grimpants aux pétales couleur corail. Un instant, Pitt pensa à sa maison, que Charlotte rêvait de décorer à sa guise. Puis il revint à l'instant présent. Son regard se posa sur les rangées de livres que manifestement personne ne lisait, le tapis aux motifs colorés, la surface cirée du bureau, vierge de tout grain de poussière.

Quel genre d'homme avait été le capitaine Winthrop ? Pitt chercha des yeux un détail susceptible de le renseigner sur sa personnalité, mais ne vit rien d'intéressant. La pièce était d'essence masculine, décorée dans des tonalités vert foncé et lie-de-vin, fauteuils de cuir, cheminée lourdement sculptée supportant des bronzes, d'un côté deux lions et de l'autre deux lévriers. Quelques marines décoraient les murs. Sur un guéridon, une carafe de whisky en cristal de Waterford, aux trois quarts vide.

La porte s'ouvrit sur le majordome.

— Mrs. Winthrop va vous recevoir, monsieur. Si vous voulez bien me suivre...

Il guida Pitt vers l'arrière de la maison et l'introduisit dans un salon donnant sur une grande pelouse agrémentée de parterres de roses. Une pièce aux proportions agréables, un peu alourdies par des doubles rideaux trop fleuris et une triste cheminée de marbre noir et gris.

Wilhelmina Winthrop le reçut, assise dans un fauteuil. Son extrême minceur — d'aucuns auraient dit sa maigreur — était soulignée par sa robe de deuil dont les plis cachaient les pieds du siège. Ses cheveux blonds et bouclés, remontés en chignon, révélaient une nuque gracile. Elle avait de beaux yeux bleus ourlés de longs cils. Un jabot de dentelle noire cachait sa gorge jusqu'à son menton. De longues manches de la même dentelle couvraient ses mains, presque jusqu'aux phalanges. Cette tenue de deuil lui conférait une incroyable vulnérabilité. Au premier coup d'œil, Pitt lui aurait donné une vingtaine d'années. En s'approchant d'elle, il changea d'avis et lui donna environ trente-cinq ans.

Derrière la jeune veuve, se tenait un homme de taille moyenne, à la carrure athlétique, avec des cheveux bruns bouclés, des yeux eux aussi très bleus, un visage émacié à la peau burinée par le soleil.

— Bonjours, Mrs. Winthrop, fit Pitt d'un ton grave. Je vous présente mes sincères condoléances pour le deuil qui vous frappe.

— Merci, Mr. Pitt, répondit-elle d'une voix agréablement modulée.

L'homme qui se tenait derrière elle fronça les sourcils.

— Je pense que vous ne venez pas nous voir dans le seul but de nous présenter vos condoléances, commissaire. Comprenez que nous vous demandons d'être bref. Ma sœur n'est pas en état de recevoir, même les gens les mieux intentionnés.

Wilhelmina leva la main pour l'arrêter.

— Je t'en prie, Bart... Mr. Pitt, je vous présente mon frère, Mr. Bartholomew Mitchell. Il est venu me soutenir en ces moments terribles. Excusez sa brusquerie, mais il s'inquiète pour ma santé. Il ne voulait pas se montrer grossier à votre égard.

— Je ne vous dérangerai pas plus longtemps qu'il ne sera nécessaire, madame, répondit Pitt, sachant qu'il allait devoir lui poser des questions personnelles et douloureuses, alors qu'elle aurait certainement voulu être seule face à cette perte brutale, à sa solitude, au long chemin qu'il lui restait à parcourir sans la compagnie et le soutien de son époux.

— Avez-vous du nouveau, monsieur? s'enquit Bart Mitchell, en se penchant par-dessus le fauteuil de sa sœur.

— J'ai bien peur que non. L'inspecteur Tellman interroge les personnes qui se trouvaient à Hyde Park et cherche à rassembler des preuves.

Mina Winthrop avala sa salive.

— Des preuves? Que voulez-vous dire?

— Il est inutile que tu entendes cette conversation, intervint son frère. Moins tu connaîtras de détails, mieux cela vaudra.

— Je ne suis pas une enfant, Bart, se défendit-elle.

Il posa ses deux mains sur ses épaules, et, se penchant un peu plus, dit en lançant à Pitt un regard de défi :

— Bien sûr, Mina, mais tu viens de perdre ton mari; c'est mon privilège et mon devoir de te protéger.

Elle se redressa sur son siège et releva le menton.

— Si je peux faire quoi que ce soit pour vous aider à retrouver l'assassin de mon mari, dites-le-moi, Mr. Pitt.

Son frère secoua la tête.

— Tu as déjà dit tout ce que tu savais à l'inspecteur Tellman. Tu as vu Oakley pour la dernière fois hier soir après dîner. Il a dit qu'il allait faire une petite promenade digestive. Il n'est jamais revenu.

— Quand vous êtes-vous inquiétée de son absence, Mrs. Winthrop ? demanda Pitt, ignorant Bart Mitchell.

Elle cligna des yeux et passa sa langue sur ses lèvres.

— Ce matin, au petit déjeuner. Oakley se lève toujours avant moi. Voyant qu'il n'avait pas touché à son assiette, j'ai demandé à Bunthorne, le majordome, si mon mari était souffrant. Il m'a répondu qu'il n'était pas encore descendu. Je l'ai donc envoyé à l'étage ; il est revenu me dire que le lit n'avait pas été défait.

Elle s'interrompit brusquement, très pâle. La main de son frère se crispa sur son épaule. Pitt évita de lui demander s'ils faisaient chambre à part, puisque la réponse allait de soi. Dans beaucoup de familles fortunées, mari et femme dormaient séparément. Lui qui avait grandi dans des espaces plus petits éprouvait un plaisir immense à partager le lit de la femme qu'il aimait. Mais peu de gens avaient le bonheur d'avoir contracté comme lui un mariage d'amour. Dormir avec une personne que l'on n'aime pas devait être une insupportable torture.

— Lui était-il arrivé de ne pas rentrer le soir ?

— Non, pas que je me souvienne. Je veux dire... jamais sans prévenir et sans dire l'heure de son retour, en tout cas. Il aimait l'exactitude, vous comprenez. Cela lui venait sans doute de son métier. On ne peut commander un navire et laisser ses hommes aller et venir à leur guise.

— En effet. Si je comprends bien, madame, votre mari était un homme pointilleux...

— C'est tout à fait cela, s'empressa d'acquiescer Bart Mitchell.

— Ne vous méprenez pas, Mr. Pitt, corrigea Mina. Mon mari n'était pas un homme sévère. Il n'était pas dépourvu d'humour.

— Serait-il allé rendre visite à des amis ou à des relations dans le voisinage ? demanda Pitt, cherchant à se forger une idée de la personnalité du défunt. Vivait-il en reclus ou sortait-il beaucoup ?

Mina regarda tour à tour son frère et le policier.

— Nous ne lui connaissions pas de relations dans le quartier, répondit Bart Mitchell. Mon beau-frère, capitaine dans la marine royale, passait le plus clair de son temps en mer. Lorsqu'il revenait dans la capitale, il préférait rester chez lui. S'il lui arrivait de fréquenter des gens le soir, ma sœur n'en savait rien.

— Il m'a dit qu'il allait faire une promenade digestive, confirma-t-elle, en levant vers Pitt un regard anxieux. Il avait fait un repas copieux. Il a dû marcher longtemps et se retrouver dans Hyde Park. C'est là qu'il a été attaqué par...

Elle se mordit la lèvre.

— Par un fou !

— C'est possible, convint Pitt. Je suppose que l'inspecteur Tellman vous a demandé si vous connaissiez quelqu'un qui aurait pu vouloir se venger du capitaine Winthrop.

— Oui, il me l'a demandé, répondit Mina d'une voix rauque. Comment imaginer qu'une personne puisse éprouver une haine telle qu'elle la conduise à perpétrer pareil acte ?

— Monsieur, vos questions perturbent inutilement ma sœur, intervint Bart Mitchell. Si l'un de nous deux connaissait un ennemi à Oakley, nous l'aurions déjà précisé à la police. Nous avons dit tout ce que nous savions à votre inspecteur. Je vous prierai donc de...

Il ne put finir sa phrase car, à ce moment, on frappa à la porte.

— Mrs. Garrick et Mr. Victor Garrick sont là, Madame, annonça le majordome. Dois-je leur dire que vous ne recevez pas de visiteurs ?

— Oh non ! s'exclama Mina. Je serai ravie de voir Thora. Oui, Bunthorne, dites-leur d'entrer.

— Ne ferais-tu pas mieux de te reposer ? remarqua Bart.

— Me reposer ? s'écria-t-elle. Oakley a été assassiné

31

hier soir ! On... on l'a décapité et tu veux que j'aille me reposer ? Je n'ai aucune envie d'aller m'allonger sur un lit et de fermer les yeux ! Je préfère mille fois bavarder avec Thora Garrick !

— Comme tu voudras, concéda Bart. Bunthorne, faites-les entrer.

La porte s'ouvrit sur une jolie femme blonde, suivie d'un jeune homme d'une vingtaine d'années, au front bombé, dont les traits, ordinaires au premier abord, se révélaient pleins de sensibilité et d'imagination. Sa bouche trahissait une certaine vulnérabilité et une propension à la colère. Peut-être le rire lui venait-il aussi facilement. Un visage intéressant, songea Pitt qui eut du mal à détacher son regard de ce curieux personnage.

Thora Garrick s'adressa tout d'abord à Mina, puis, après avoir salué Bart Mitchell, se tourna vers le policier, prête à le saluer aimablement ou à le fusiller du regard, selon la façon dont il lui serait présenté.

Bart Mitchell prit l'initiative.

— Thora, je vous présente le commissaire Pitt, du commissariat de Bow Street. C'est lui qui est chargé de l'enquête — enfin, c'est ce que j'ai cru comprendre.

— C'est bien cela, dit Pitt en inclinant la tête vers la nouvelle venue. Madame... Mr. Garrick...

Victor Garrick l'observa de ses yeux gris foncé. Il semblait fort choqué et embarrassé. Il n'est jamais facile de trouver ses mots face à quelqu'un dont le deuil est récent ; et, si la victime a succombé à une mort violente, c'est encore plus difficile.

— Bonjour, monsieur, dit-il avec raideur, avant de reculer d'un pas ou deux pour aller se placer derrière sa mère.

— Thora, Victor, c'est très gentil à vous d'être venus, dit Mina en se penchant avec un sourire fragile. Je vous en prie, asseyez-vous. Il fait si chaud aujourd'hui, puis-je vous offrir un rafraîchissement ? Car vous resterez bien un peu, n'est-ce pas ?

Ce n'était pas une invitation, mais une supplique.

— Bien sûr, ma chère, si vous le souhaitez.

Thora arrangea les plis de sa robe pour éviter de les chiffonner et s'assit gracieusement dans l'une des bergères rouge vif. Son fils demeura debout derrière elle.

— Mr. Pitt nous demandait si Oakley avait pu rendre visite à des voisins hier soir, expliqua Mina. Mais bien sûr, nous n'en savons rien.

Thora observa Pitt, les yeux plissés. C'était une très belle femme, au teint clair, aux traits réguliers. Un visage intelligent, plein de force et de vivacité.

— Il est impossible que l'une des connaissances du capitaine Winthrop ait pu commettre un crime aussi horrible ! s'écria-t-elle. C'est inconcevable ! Si vous l'aviez connu, une telle idée ne vous serait jamais venue à l'esprit. C'était un homme tout à fait admirable...

Avec un sourire nerveux, Mina porta la main à sa gorge couverte de dentelle noire. Les doigts de Bart Mitchell se crispèrent sur l'épaule de sa sœur. Victor Garrick demeura impassible.

— C'était un officier de marine, poursuivit Thora, sans quitter Pitt des yeux. Vous ne connaissez sans doute pas le genre de vie que mènent ces hommes, monsieur. Mon défunt mari, le père de Victor, était lieutenant dans la marine royale. Il aurait certainement été promu au grade de capitaine si Dieu ne l'avait pas prématurément rappelé à lui.

Une lumière intérieure éclaira son visage.

— Il faut un courage exceptionnel et une grande capacité à juger les hommes pour commander un navire. Le capitaine Winthrop ne pouvait compter dans ses relations une personne capable d'une telle violence. Il a dû être agressé par un individu qui n'avait pas toutes ses facultés mentales. Je ne vois pas d'autre explication.

— Je ne pensais pas nécessairement à un proche, madame. Je me demandais si cette personne pourrait nous renseigner sur l'heure à laquelle elle l'a vu vivant.

Thora Garrick fronça les sourcils.

— Je comprends... Mais en quoi cela pourrait-il vous aider ? Il n'y a tout de même pas des dizaines de malades mentaux qui se promènent dans Hyde Park tous les soirs ! Bien sûr la capitale est pleine de certains individus se réclamant de l'anarchisme et rêvant de renverser la société, sans parler des problèmes que nous avons en Irlande, avec les Fenians[1] et autres révolutionnaires, mais on peut encore se promener dans les beaux quartiers sans craindre une agression.

— Thora a raison, murmura Mina Winthrop. Tout ceci est un cauchemar. Je persiste à penser que Oakley a été victime d'une terrible erreur... Certains étrangers...

Elle regarda Pitt.

— J'ai entendu dire qu'il y avait des fumeries d'opium fréquentées par des Chinois, et que cette drogue...

— ... a pour effet de les faire dormir, la contredit Bart Mitchell. N'est-ce pas, monsieur le commissaire ?

Sans attendre de réponse, il enchaîna, à l'adresse de sa sœur :

— Si tu veux mon avis, il se peut qu'Oakley ait eu maille à partir avec un homme d'équipage et que celui-ci, sous l'emprise de l'alcool, ait voulu se venger. Le rhum ou le whisky peuvent déclencher des crises de delirium.

Mina frissonna.

— Oui, c'est possible. Je ne peux guère vous aider, Mr. Pitt. Oakley ne me parlait pas de sa vie professionnelle. Il... il pensait sans doute que cela ne m'intéressait pas.

Une ombre de regret et d'embarras passa sur son visage.

— Il n'avait pas tout à fait tort. Je ne connais rien à tout cela.

1. Activistes irlandais. (N.d.T.)

Bart Mitchell marmonna quelque chose dans sa barbe.

— N'y pense plus, tante Mina, intervint Victor en souriant. Papa nous parlait sans cesse de la vie à bord ; la première fois, c'était intéressant, mais c'était il y a si longtemps que je ne m'en souviens même plus.

— Victor ! s'exclama sa mère d'un ton de reproche. Ton père était un homme merveilleux. Tu n'as pas le droit de parler de lui sur ce ton. Il était un exemple pour nous tous.

— Nous savons que le lieutenant Garrick était un homme admirable, fit Mina d'un ton apaisant.

Elle regarda Pitt, puis sourit à Victor.

— Mais les gens les plus exceptionnels peuvent parfois se montrer ennuyeux lorsqu'ils répètent une histoire que l'on a déjà entendue cent fois. C'est l'un des inconvénients de la vie de famille, mon cher Victor.

Le jeune homme serra les mâchoires et détourna les yeux.

— Tu as raison, tante Mina. Être ennuyeux est un défaut bien anodin comparé à d'autres. Je réserve mes critiques pour des péchés plus graves.

— Mieux vaut alors ne pas en parler, conclut Thora en hochant la tête.

Pitt aurait voulu demander à Victor à quels péchés il faisait allusion, mais comment poser une telle question sans se montrer trop curieux ? De toute façon, Oakley Winthrop n'avait pas été assassiné parce qu'il était un raseur !

Il se tourna vers Mina.

— Pourriez-vous me donner le nom et l'adresse d'officiers de marine connus de votre époux ? Parmi eux, lesquels aurait-il vus récemment ? Certains habitent-ils dans cette partie de la capitale ?

Bart Mitchell le dévisagea avec acuité.

— Bonne idée. S'il y a eu dispute avec un marin, ces gens-là le sauront. Oakley a peut-être envoyé un homme en cour martiale, ou peut-être a-t-il appliqué un châtiment trop sévère, que l'homme aurait considéré comme une injustice...

— Crois-tu? fit Mina en se retournant sur son fauteuil de façon à le regarder sans avoir à se tordre le cou. Oui, cela me paraît une explication raisonnable. Qu'en pensez-vous, Mr. Pitt?

— Nous allons orienter notre enquête en ce sens, Mrs. Winthrop.

— Croyez-vous que des officiers de marine se comporteraient de la sorte? remarqua Thora Garrick. Je n'arrive pas à le croire. Ils ont subi un entraînement militaire, et sont rompus à la discipline.

— Cela ne les empêche pas de perdre leur sang-froid, que je sache, répliqua Victor.

Il faillit ajouter quelque chose, puis se ravisa, lèvres pincées.

— Tu te trompes, fit sa mère sèchement. Ils ne sont pas comme le commun des mortels. S'ils se comportaient de la sorte, ils n'auraient jamais accès à un poste de commandement, ou n'y resteraient pas longtemps. D'ailleurs, tu aurais dû t'engager dans la marine; une belle carrière se serait offerte à toi. Tu en avais les capacités et le nom de ton père t'aurait ouvert toutes les portes.

Le visage sensible de Victor se referma un peu plus. Son regard était toujours perdu dans le lointain.

— Ne soyez pas amère, Thora, intervint Bart Mitchell. L'architecture est une profession très honorable. Il serait dommage de gâcher un réel talent. Or, Victor est doué, sans aucun doute. Il dessine à merveille.

— Merci, Mr. Mitchell, fit ce dernier, dont la voix était encore pleine d'une colère rentrée. Malheureusement, ma mère ne voit pas les choses sous cet angle.

— Voyons, mon chéri, fit Thora avec un sourire forcé, en tentant, sans succès, de garder un ton patient. L'architecture est un métier passionnant, mais qui présente tant d'incertitudes... Alors qu'il existe une tradition

36

navale dans la famille. Ton pauvre père aurait été heureux de te voir la perpétuer. La tradition est une valeur très importante. C'est l'un des fleurons de notre pays. C'est elle qui fait que nous sommes anglais.

Victor ne répondit pas.

— Je suppose que votre mari aurait été heureux d'admirer une maison dessinée par son fils, risqua Mina timidement. Et il aurait aimé l'entendre jouer du violoncelle. Oh, à propos, Victor chéri, pourras-tu jouer quelque chose pour le service funèbre ? Après tout, Oakley était ton parrain. Tu fais un peu partie de la famille.

Aussitôt, les traits du jeune homme s'éclairèrent.

— Bien sûr, tante Mina ! dit-il, les yeux brillants. Dis-moi le morceau que tu aimerais me voir jouer. Je me ferai un plaisir de l'interpréter.

— Merci, Victor. Je vais y réfléchir.

Mina se tourna alors vers Pitt.

— Victor est un violoncelliste exceptionnel. Jamais vous n'entendrez un interprète aussi inspiré. Sous son archet, les cordes rient et pleurent comme une voix humaine. Il peut exprimer toutes les passions.

— C'est un talent qu'il serait dommage de gâcher, répondit Pitt. Personnellement, je préférerais jouer d'un instrument qu'aller guerroyer en mer.

Victor lui lança un regard surpris, mais ne fit aucun commentaire. Thora eut la bonne grâce de ne pas insister. Elle revint au motif de sa visite.

— S'il y a quelque chose que nous puissions faire pour vous aider, Mina chérie... Je pense aux préparatifs des funérailles, au buffet. Je peux vous envoyer ma cuisinière, vous aider à rédiger les faire-part...

— C'est très gentil à vous, dit Mina avec un sourire reconnaissant. Votre compagnie sera la bienvenue. Il y aura tant de choses à faire. J'avoue que je n'y ai pas encore pensé. Je suis toujours sous le choc.

— Bien sûr. N'importe qui le serait à moins. Vous

affichez un courage extraordinaire. Vous pouvez vous honorer de faire partie de la grande famille des veuves de marins. Oakley serait fier de vous.

Une étrange expression assombrit le visage buriné de Bart Mitchell.

— Votre époux avait-il des frères et sœurs, des cousins proches ? demanda Pitt à Mina.

— Non, seulement ses parents, Lord et Lady Winthrop.

— Il faudra avertir les hommes qui étaient sous son commandement, intervint Bart. Je m'en occuperai. Cela dit, ils seront mis au courant par les journaux. Mais il serait courtois de passer une annonce nécrologique. Commissaire, vous souhaitiez avoir la liste des officiers de marine domiciliés à Londres ? Mon beau-frère conservait son carnet d'adresses dans un des tiroirs du bureau de la bibliothèque. Si vous voulez bien patienter, je vais le chercher.

Il s'excusa auprès de Thora Garrick et quitta la pièce. Cette dernière se tourna alors vers Pitt, les joues rosies.

— Je ne veux pas avoir l'air de vous apprendre votre métier, monsieur, mais vous ne découvrirez rien ici sur la mort du capitaine Winthrop. Vous devriez plutôt essayer de savoir si un malade mental ne s'est pas échappé d'un asile, auquel cas il ne devrait pas être difficile à repérer.

Elle leva ses sourcils blonds.

— Il doit bien y avoir des témoins qui l'ont vu !

Victor se mordilla la lèvre et fixa le plafond. Mina lança au policier un regard interrogateur.

— C'est possible, madame. Nous les rechercherons, répondit Pitt. Mais je ne veux pas vous donner trop d'espoir. Les malades mentaux n'ont pas tous le regard halluciné, le cheveu hirsute et la bave aux lèvres, loin s'en faut. La plupart d'entre eux ressemblent à vous et moi.

— Ah ? releva Thora avec froideur. J'aurais pensé qu'après avoir commis un acte pareil, l'homme devait être facilement repérable.

Pitt préféra ne pas discuter. D'ailleurs, Bart Mitchell lui épargna cette peine en revenant de la bibliothèque, un carnet à la main.

— Tenez, commissaire. J'espère qu'il vous sera utile. Il y a là une liste complète des officiers et des membres de son équipage, ainsi que leur adresse. Plus j'y pense, plus je crois que vous êtes dans le vrai : il doit s'agir de la vengeance d'un homme se considérant victime d'une injustice. L'alcool aidant, il aura perdu la raison. Et, ajouta-t-il, triomphant, cela expliquerait l'arme utilisée ! Les matelots possèdent des coutelas et les officiers ont tous un sabre.

En l'entendant, Mina cacha son visage dans ses mains. Victor se raidit et retint sa respiration.

— Vraiment, Bart, dit Thora d'un ton de reproche, essayez de montrer davantage de délicatesse, mon cher. Inutile de parler de cela devant Mina. Mr. Pitt n'a pas besoin que nous le mettions sur une piste, j'en suis sûre...

— Je suis navré, murmura Bart, en se tournant vers sa sœur. Je te prie de m'excuser. Je crois, monsieur, que nous ne pouvons pas faire grand-chose pour vous aider, ajouta-t-il à l'adresse de Pitt. Si vous aviez l'amabilité de nous laisser, je pourrais commencer à m'occuper de toutes les formalités d'usage dans ce genre de circonstances.

— Bien entendu, acquiesça Pitt. Merci de m'avoir accordé cette entrevue. Mrs. Winthrop, Mrs. Garrick, Mr. Garrick...

Il inclina légèrement la tête, prit congé, récupéra son chapeau auprès du majordome qui l'attendait dans le vestibule et sortit dans la rue ensoleillée. De cette visite, il retenait le chagrin et l'inquiétude des proches du défunt capitaine, mais curieusement il éprouvait aussi un certain malaise auquel il ne pouvait donner de nom.

Une autre pénible tâche l'attendait : se rendre à la morgue pour examiner le corps, avec le mince espoir de découvrir un détail qui, ajouté à d'autres, pourrait fournir un début de piste.

Il détestait la morgue et son aigre odeur de phénol, qui le faisait toujours frissonner, même en été. Il salua l'employé et lui expliqua le but de sa visite.

— Oh, je me doutais bien que vous alliez venir, m'sieur Pitt, fit l'homme d'un ton joyeux. Horrible, hein ? Vraiment horrible.

Tournant les talons, il précéda Pitt d'un pas vif vers la pièce où le cadavre sans tête reposait sous un drap blanc.

— Et voilà ! fit l'employé en retirant vivement le drap, tel un prestidigitateur sortant un lapin d'un chapeau.

Dieu sait si Pitt avait vu des cadavres dans cette morgue. Chaque fois, il essayait de se préparer à supporter cette vision, mais en vain. Comme d'habitude, la nausée l'envahit, sa gorge se serra et sa tête se mit à tourner. Le corps décapité était allongé, nu, sur la table en marbre. Sans visage, il avait perdu tout aspect humain.

— Que... Qu'avez-vous fait de la tête ? bredouilla Pitt.

— La tête ? fit l'employé d'un ton indifférent. Ah, oui, je l'ai posée sur le banc. Je ferais peut-être mieux de la mettre à côté du reste.

Il se dirigea vers le banc en question, prit une boule enveloppée dans un tissu qu'il ôta avec dextérité et la présenta à Pitt.

— La voilà, m'sieur.

— Merci, fit ce dernier en déglutissant péniblement.

Il examina le corps, mais il ne lui apprit rien qui ne figurât déjà dans le rapport de Tellman. Winthrop était un homme grand, large d'épaules et de poitrine, avec un début d'embonpoint. Les mains étaient propres et soignées, les ongles intacts ; la peau avait la lividité caractéristique des cadavres, sans décoloration ni contusion particulières.

Pitt observa la tête. Les cheveux châtain clair étaient coupés court. Il y avait un début de calvitie sur le sommet du crâne. Il songea qu'il était donc impossible de le saisir par les cheveux. Les traits étaient ordinaires ; sans la flamme de la vie, il était hors de question de deviner quel avait été le caractère du défunt. Le regard du policier descendit enfin vers le cou. La tête avait été décapitée tout net, apparemment d'un simple coup, avec un instrument particulièrement tranchant, peut-être même destiné à cet usage, comme un sabre d'abordage. Ou l'assassin était doté d'une force exceptionnelle, ou il s'était placé au-dessus de sa victime et avait abattu son arme sur elle comme un couperet.

— Merci, dit Pitt, glacé jusqu'à la moelle. Ce sera tout, pour le moment.

— Bien, m'sieur Pitt. Vous voulez voir ses habits? Un bel uniforme. Dommage, le sang l'a tout abîmé. J'en ai jamais vu autant de ma vie.

— Qu'y avait-il dans les poches?

— Rien d'extraordinaire. Des pièces de monnaie, une facture de son marchand de vin, ce qui a permis de l'identifier. Quelques clés, dont une petite, comme la clé d'un placard à alcools. Un mouchoir, deux ou trois cartes de visite, un coupe-cigare. Rien de bien intéressant. Pas de lettre de menaces. Une sale histoire, m'sieur Pitt. Je crois bien qu'il y a un fou furieux en liberté dans Hyde Park.

Pitt hocha la tête.

— Remettez donc ce drap en place et prévenez-nous quand le coroner[1] sera passé.

— Bien, m'sieur. Bonne soirée quand même.


Pitt arriva chez lui fatigué, avec la sensation que ses vêtements étaient imprégnés de l'odeur de la morgue. Il ôta ses bottes et se rendit dans la cuisine.

Charlotte était occupée à tourner la soupe qui cuisait dans la marmite.

— Vous avez faim? demanda-t-elle sans se retourner.

1. Officier de police judiciaire chargé de déterminer les causes d'un décès suspect. (N.d.T.)

Il se laissa tomber sur une chaise, apaisé par les odeurs familières de la pièce qui sentait bon le linge propre et le pain fraîchement cuit dans le four.

Charlotte se retourna brusquement, prête à répéter sa question, puis vit l'expression de son visage.

— Mauvaise nouvelle ?

— Un meurtre. Un homme décapité dans Hyde Park.

Elle prit une profonde inspiration et repoussa une mèche qui tombait sous son front. À la lumière de la lampe, sa chevelure aux reflets acajou brillait comme de la soie.

— Voulez-vous une soupe bien chaude ? Vous avez l'air gelé.

Il sourit et hocha la tête.

Elle savait que Pitt était trop tendu pour manger tout de suite. Elle plaça une assiette devant lui, avec du pain frais et du beurre dans un petit pot, puis s'assit en face de lui et attendit.

Alors, brièvement, entre deux cuillères de soupe, il lui narra ce qu'il savait de l'affaire.

## 2

Le lendemain matin l'inspecteur Tellman se présenta au rapport. Impassible, il gardait les yeux fixés au-dessus de l'épaule gauche de Pitt.

— Je ne suis pas venu au rapport hier soir, monsieur. Il était dix heures et demie. J'ai pensé que vous étiez rentré chez vous.

— Qu'avez-vous appris ? demanda Pitt.

Cet alibi, il l'avait lui-même trop souvent utilisé avec ses supérieurs pour en vouloir à Tellman.

— D'après les premières conclusions du médecin légiste, la mort remonte à onze heures du soir environ. Il n'y avait pas de sang dans l'embarcation, le meurtre n'a donc pas été commis dans celle-ci.

— Les traces de pas ? s'enquit Pitt, imaginant quelqu'un traînant un cadavre sans tête sur le gazon, pendant que de nombreux noctambules traversaient Hyde Park et que les cabs empruntant Knightsbridge[1] déposaient ceux de leurs clients qui souhaitaient faire une petite promenade nocturne.

— Il y avait de l'herbe sous les semelles, monsieur. De l'herbe coupée.

1. Grande artère qui longe Hyde Park sur une partie de sa longueur. (N.d.T.)

— Quand la pelouse a-t-elle été tondue pour la dernière fois ?

Les narines de Tellman palpitèrent imperceptiblement.

— Je vais me renseigner. Mais cela n'a guère d'importance. Il n'a pas traversé le parc à pied sans sa tête...

— On l'a peut-être emmené dans un autre canot, suggéra Pitt, sans trop croire à cette hypothèse, surtout pour le plaisir de titiller son subordonné.

Celui-ci haussa un sourcil.

— Pour quelle raison ? Il n'est pas aisé de transporter un poids mort d'une embarcation à une autre. Vous avez toutes les chances de chavirer.

Il affronta Pitt du regard.

— Son uniforme était quasiment sec.

— Quelle est la profondeur de la Serpentine, vers le bord ? enchaîna Pitt, sans tenir compte de la remarque.

Tellman vit aussitôt où ce dernier voulait en venir et sourit.

— Un homme de taille moyenne a de l'eau jusqu'au genou. Mais on ne traverse pas le parc inaperçu si l'on est mouillé jusqu'à mi-cuisses, observa-t-il. Les gens pourraient s'en souvenir... c'est dangereux.

Pitt lui rendit son sourire.

— Ils pourraient aussi se souvenir d'avoir vu un homme se faire décapiter. Ce qui laisse supposer qu'il n'y avait personne dans les parages. Qu'en pensez-vous ?

Tellman ne s'attendait pas à ce genre de question. Lui qui avait envie d'envenimer la discussion, de ferrailler, fut désarçonné. Sa mine s'allongea ; il lança à son supérieur un regard peu amène.

— Il est un peu tôt pour le dire, monsieur.

— Quand vous avez éliminé les pistes qui n'ont aucune chance d'aboutir, que vous reste-t-il ? insista Pitt.

Tellman poussa un profond soupir.

— Nous n'avons pas encore localisé le lieu du crime.

Je dirais qu'il a été tué quelque part au bord de la Serpentine et qu'ensuite le corps a été transporté dans le bateau. En ce moment même, Bailey et Le Grange passent les berges au peigne fin. Le cadavre a pu être traîné dans l'herbe ou transporté dans une charrette, mais dans ce cas, l'assassin aurait agi sans réfléchir, en prenant le risque d'être vu...

Il s'interrompit, attendant que Pitt lui posât la question à laquelle ils venaient de penser tous deux.

— Selon vous, y a-t-il eu préméditation ou s'agit-il d'un accès de folie furieuse?

— Il est trop tôt pour le dire. On en saura davantage lorsqu'on aura fouillé les abords du lac. Mais si vous voulez vraiment mon avis, ça n'a pas l'air d'être l'œuvre d'un déséquilibré. D'ailleurs, aucun malade ne s'est échappé de Bedlam ou d'un autre asile, ces derniers temps. C'est la première fois que nous avons affaire à une décapitation. Il n'est fait mention d'aucun meurtre de ce genre dans les procès-verbaux de police de ces dernières années.

— Que dit le médecin légiste?

— Il y a une plaie à la tête. L'homme a dû être assommé avant d'être décapité. Pas un coup mortel, non, juste suffisant pour lui faire perdre connaissance. Tout cela me paraît salement prémédité, n'est-ce pas... monsieur?

— En effet. Quoi d'autre?

— Pardon? fit Tellman en ouvrant de grands yeux.

— Je n'ai remarqué aucune contusion, aucune égratignure sur les mains ni sur les phalanges, expliqua Pitt d'un ton patient. Et ses habits? Sont-ils déchirés, tachés, maculés de boue? Je ne les ai pas vus.

— Non. Il ne s'est pas battu.

— Quelle taille mesurait-il — avec sa tête, s'entend? Un mètre quatre-vingts?

— Oui, à peu près. Un individu corpulent, large d'épaules...

— Je sais. Je l'ai vu. Vous avez raison, Tellman, cette histoire sent le soufre. Nous devrions nous intéresser de plus près à l'honorable capitaine Oakley Winthrop.

Une grimace fendit le visage de l'inspecteur.

— C'est bien pour cela que l'on vous a confié l'enquête, Mr. Pitt. En haut lieu, on pense que ce genre d'affaire, c'est votre spécialité. Allez donc faire un tour du côté de chez les Winthrop et de leur entourage. Trouvez qui haïssait notre bon capitaine, et pourquoi.

Il faisait face à Pitt, plein de ressentiment et d'ironie.

— Et nous, pendant ce temps, on continuera à chercher les témoins. La routine, quoi. Ce sera tout, monsieur ?

— Non, fit Pitt en s'efforçant de masquer l'antipathie que lui inspirait son subordonné.

Il devait se souvenir que c'était lui qui donnait les ordres, et qu'il ne pouvait s'autoriser aucun état d'âme.

— Parlons un peu de l'arme du crime, reprit-il. J'imagine que vous ne l'avez pas trouvée, sinon vous me l'auriez dit...

— En effet, monsieur.

Tellman préféra devancer les ordres..

— Nous allons draguer le lac, mais il paraissait plus logique de commencer par fouiller les berges.

— Qu'en dit le médecin légiste ?

— La tête a été tranchée net, par une arme certainement très lourde et très coupante. Une hache à large lame, ou plus probablement un sabre ou un grand coutelas...

Pitt eut un haut-le-cœur au souvenir du spectacle de ce cou tranché et de l'odeur de phénol qui flottait dans la morgue.

— Ou un fendoir, suggéra-t-il d'une voix rauque.

— En effet, répondit Tellman, gêné et agacé de ne pas y avoir pensé. De toute façon, on le saura quand on la trouvera.

— À quelle heure étaient passés les derniers promeneurs que vous avez retrouvés ?

Tellman le regarda sans sourciller.

— Quelle méthode d'investigation nous suggérez-vous, monsieur ? Il n'est pas facile de savoir qui traverse Hyde Park le soir. Tout habitant de Londres, ou même d'ailleurs, peut le faire, sans compter les étrangers, les visiteurs...

Il laissa sa phrase en suspens.

— Interrogez les cochers. Ils ont des périmètres bien délimités.

Pitt vit Tellman rougir, mais poursuivit néanmoins :

— Postez un homme dans Rotten Row, dans toutes les allées secondaires de Hyde Park et le long de Knightsbridge ; voyez qui passe par là tous les soirs. Certaines personnes ont des habitudes...

— Bien monsieur, fit Tellman avec raideur, sachant bien qu'il s'agissait là du B,A BA du métier. Ce sera fait, monsieur. Avez-vous d'autres questions à me poser ?

Pitt réfléchit. C'était à lui d'établir une hiérarchie dans leur relation et de s'y tenir. Jamais il n'aurait cru que cela fût si difficile. Tellman avait une forte personnalité, capable d'empoisonner l'atmosphère de tout un commissariat. Un supérieur pouvait s'en faire obéir, mais n'avait aucun moyen de s'opposer à son insolence, sauf à prendre des sanctions, mais une telle méthode serait une preuve de maladresse et finirait par avoir l'effet inverse de celui recherché. Drummond, lui, était parvenu à équilibrer les différences et les compétences de chacun et avait ainsi obtenu le maximum d'efficacité des hommes sous ses ordres. Pitt ne devait pas s'avouer vaincu alors qu'il venait à peine d'entrer en fonction.

— Oui, ce sera tout pour le moment, dit-il d'un ton dégagé. Faites-moi savoir quand vous aurez du nouveau sur les témoins.

— Bien monsieur, fit Tellman qui tourna les talons et ferma la porte derrière lui.

Pitt se laissa aller sur son siège et hésita un peu avant

de mettre ses pieds sur le bureau. La position était nettement moins confortable qu'il ne l'aurait imaginé, mais donnait un indéniable sentiment de domination ! Plus il réfléchissait, plus il était persuadé que le capitaine Winthrop n'avait été victime ni d'un déséquilibré ni d'un voleur, mais bel et bien d'une personne qu'il connaissait et qui ne représentait à ses yeux aucune menace, officier, voisin, parent ou ami, par exemple.

En attendant que Tellman lui rapportât des preuves tangibles, il devait se préoccuper du mobile de l'assassin.

Il ôta vivement ses pieds du bureau et se leva. Il n'arriverait à rien en restant enfermé entre quatre murs, et plus tôt le mystère serait éclairci, mieux cela vaudrait. Déjà les gazettes faisaient leur une en gros titre sur la mort atroce de l'officier de marine, dont le nom était désormais sur toutes les lèvres. D'ici un jour ou deux, tout le monde se demanderait ce que faisait la police...

Deux heures plus tard, Pitt se trouvait dans le train de Portsmouth. Assis près de la fenêtre, il regardait défiler le paysage. Certains arbres étaient déjà en feuilles, d'autres, comme les noisetiers, commençaient à peine à bourgeonner. En bord de rivière, des saules pleureurs laissaient traîner leurs branchages vaporeux, faisant penser à des femmes penchées sur l'eau, occupées à peigner leur chevelure. Des nuées d'oiseaux suivaient les sillons des laboureurs, s'abattant sur la terre fraîchement retournée pour attraper des vermisseaux.

Trois heures plus tard, il attendait dans une petite pièce proche de l'arsenal maritime l'arrivée du lieutenant de vaisseau Jones, second d'Oakley Winthrop. Il avait déjà parlé au capitaine du port, qui ne lui avait rien appris d'intéressant. Dans le port, tout le monde était sous le choc et chacun répétait les condoléances affligées et les louanges appropriées que l'on se sent obligé d'exprimer après un décès.

La porte s'ouvrit sur un homme d'une quarantaine d'années, en uniforme. Il portait son couvre-chef à la main.

— Bonjour, monsieur. Lieutenant Jones. Que puis-je faire pour vous être utile ?

Il se redressa et observa Pitt d'un air inquiet. Il était mince, rasé de près, avec des yeux bleus et des cheveux blonds qui avaient tendance à s'éclaircir. Des traits un peu mous, cachant, Pitt s'en aperçut bientôt, un caractère résolu.

— Commissaire Pitt, se présenta-t-il. Désolé de vous déranger à cette heure, mais j'espère que vous pourrez me fournir quelques renseignements qui nous permettront de découvrir le meurtrier du capitaine Winthrop.

— Je ne vois pas comment je pourrais vous aider, monsieur, mais je ferai de mon mieux. Que désirez-vous savoir ? s'enquit Jones, perplexe.

Pitt prit place sur une chaise et invita le lieutenant à en faire autant. Celui-ci parut surpris, puis comprit que l'entretien serait long.

— Depuis combien de temps serviez-vous sous ses ordres ?

— Neuf ans en tout, répondit Jones en croisant les jambes. Je le connaissais assez bien, si telle est la question que vous allez me poser.

Pitt sourit.

— En effet. Comprenez-moi, lieutenant : votre loyauté envers votre capitaine consiste non seulement à dire du bien de lui, mais aussi et surtout à dire tout ce que vous savez sur lui, de façon que nous puissions arrêter son assassin...

Il s'interrompit, devant la consternation qu'il lisait dans le regard de Jones.

— Mais il a bien été attaqué par un fou dangereux errant dans le parc, non ? Vous semblez suggérer qu'il s'agit d'une personne de sa connaissance. C'est impensable, voyons ! Pardonnez-moi si je vous ai mal compris, commissaire.

— Non, vous m'avez parfaitement compris, lieutenant. Certains détails nous laissent penser que l'attaque l'a pris totalement au dépourvu.

Il guetta la réaction de son interlocuteur. Celui-ci fronça les sourcils, réfléchit, puis parut comprendre où Pitt voulait en venir.

— Je vois... Vous êtes venu me demander si je connaissais quelqu'un qui aurait eu des raisons de lui garder rancune. La réponse est non. Le capitaine Winthrop était très populaire auprès de ses hommes, ouvert, direct, amical sans trop de familiarité. Il ne jouait pas et n'avait pas contracté de dettes qu'il ne puisse rembourser. Vous voulez savoir s'il était juste avec ses hommes ? Je vous répondrai par l'affirmative. Je ne connais personne qui ait eu maille à partir avec lui.

— Parlez-vous des officiers, lieutenant, ou de simples matelots ?

— Pardon ? Oh, je comprends. Oui, je parlais des officiers. Il ne connaissait pas individuellement les hommes de bord. Pour quelle raison lui aurait-on gardé rancune, selon vous ?

— Du fait d'une injustice, réelle ou imaginée.

Jones eut une moue dubitative.

— La plupart des matelots, commissaire, acceptent les punitions avec une relative sérénité. Vous savez, on ne fait plus passer les hommes sous la quille[1] ! La discipline n'est pas nécessairement synonyme de barbarie. Elle est en général bien acceptée. Non, j'imagine mal un marin fou de rage se rendant à Londres pour surprendre son capitaine dans Hyde Park et lui couper la tête ! C'est grotesque. Quant à l'hypothèse de la culpabilité d'un officier de marine...

Il haussa légèrement une épaule en signe d'ignorance.

— ... je n'ai entendu parler d'aucune querelle. La

1. Supplice consistant à tirer un homme par une corde sur toute la longueur du navire. (N.d.T.)

jalousie? Concevable, mais peu probable. L'affaire me
paraît très mystérieuse.

— La jalousie? releva Pitt. Rivalité professionnelle
ou jalousie... à propos d'une femme?

— Oh, je ne pensais pas à cela! s'exclama Jones.
J'avoue ne rien y comprendre, commissaire. Si vous ne
vous trompez pas et s'il n'a pas été assassiné par un
malade ou par une bande de voleurs, alors il s'agit bien
de quelqu'un qu'il connaissait. J'étais sous ses ordres
depuis près de dix ans et je puis vous assurer que c'était
un officier exemplaire...

À ce moment, une mouette passa devant la fenêtre en
criaillant.

— ... honnête, sympathique. Il excellait dans de nombreux sports, il jouait du piano et possédait une belle
voix de baryton. Il chantait volontiers en public. Il se
montrait parfois très drôle et il lui arrivait de faire rire
aux éclats le mess des officiers.

— L'humour est parfois une arme à double tranchant,
remarqua Pitt.

Jones secoua la tête.

— Non, il ne se moquait pas des gens. Son humour
ne faisait de mal à personne. Je crois que vous vous êtes
forgé une idée fausse du personnage, commissaire.
Oakley n'était pas un homme compliqué...

Il s'interrompit devant l'expression de Pitt.

— Vous n'êtes pas d'accord avec moi? C'est que
vous avez été mal informé.

— Chez un homme, rien n'est jamais simple, répondit Pitt. Mais j'avoue n'avoir pour l'instant aucune opinion particulière sur le capitaine Oakley.

— S'il avait une vie secrète, il la cachait avec une
astuce et une subtilité qui me paraissent étrangères à son
caractère. J'aimerais vous être utile, croyez-moi, mais je
ne sais par où commencer.

— Avait-il du succès auprès des femmes?

Jones hésita.

On entendait les bruits de l'arsenal, le grincement des chaînes, le crissement des amarres qui accompagnaient le mouvement des vagues contre le quai, l'entrechoquement des bateaux, les éclats de voix des marins et, par-dessus tout, le perpétuel criaillement des mouettes.

— Non, pas tellement, à la réflexion. Les soirées auxquelles je faisais allusion se passaient uniquement entre officiers. Sa vie, c'était la mer. Je pense qu'il était peu à l'aise en galante compagnie. Vous savez, la vie mondaine des officiers de marine est très restreinte. En mer, on oublie vite les conversations légères qui plaisent aux femmes, conclut Jones en rougissant légèrement.

Pitt commençait à se faire une idée plus nette du personnage : un homme grand, corpulent, sanguin, à la voix forte, aux manières brusques et assurées, cachant sous une apparente bonhomie une âme contrastée, remplie de doutes, de peurs et de remords, l'âme d'un homme qui passe l'essentiel de sa vie dans un environnement masculin.

Avait-il une maîtresse ? Il regarda la physionomie honnête et sérieuse du lieutenant Jones. Si celui-ci savait quelque chose de la vie privée de son supérieur, il ne le dirait jamais. Mais si quelqu'un l'aimait, ou le détestait, ici, à Portsmouth, l'aurait-il suivi jusqu'à Londres pour commettre son forfait ?

— Quand le capitaine Winthrop a-t-il quitté Portsmouth pour Londres, lieutenant ?

— Voyons... Il y a dix jours.

Ce qui signifiait qu'il était peu probable qu'une violente dispute intervenue à Portsmouth se fût soldée par un crime à Londres neuf jours plus tard. Pitt poursuivit néanmoins :

— Savez-vous ce qu'il a fait au cours des quelques jours qui ont précédé son départ ? Qui a-t-il rencontré ? Vous souvenez-vous d'un événement, d'une discussion, sortant de l'ordinaire ? A-t-on pris des mesures disciplinaires inhabituelles durant ces derniers mois ?

Jones fronça les sourcils.

— Aucune qui ait impliqué le capitaine Winthrop. Vous vous trompez de piste, commissaire. Vous ne trouverez pas ici d'explications à cette tragédie.

Pitt aussi était de cet avis. Après avoir encore posé une ou deux questions au lieutenant Jones, il le remercia et prit congé. Il resta encore quelques heures à Portsmouth, se rendit au poste de police local, visita quelques pubs ainsi qu'un hôtel de passe, où il questionna le gérant. Il reprit ensuite le train pour Londres.

Le lendemain matin, Tellman l'attendait au rez-de-chaussée du commissariat.

— Bonjour, monsieur. Vous avez appris du nouveau à Portsmouth ? demanda-t-il en fixant sur Pitt un regard dur et brillant.

— Winthrop a quitté le port il y a onze jours, expliqua Pitt en montant au premier étage, son adjoint sur les talons. Neuf jours avant d'être assassiné. Il est peu probable que quelqu'un l'ait suivi jusqu'ici. Et la plupart de ses hommes ont un alibi pour cette nuit-là.

— Cela n'a rien de surprenant, dit Tellman alors que Pitt ouvrait la porte de son bureau. On aurait pu envoyer Le Grange là-bas pour se renseigner.

Il ferma la porte derrière lui et se campa devant le bureau. Pitt prit place dans son fauteuil et lui fit face.

— Envoyez-le vérifier les témoignages, dit-il. Moi, je me suis seulement occupé de Winthrop.

— Un homme sympathique, d'après ses voisins, dit Tellman d'un air satisfait. Toujours un mot gentil pour chacun. À Londres, il restait chez lui la plupart du temps. Pas l'ombre d'un scandale. Le père de famille modèle, conclut-il d'un air béat.

— Du nouveau sur le lieu et l'arme du crime ? reprit Pitt.

Le sourire de son subordonné s'évanouit.

— Nous n'avons pas encore localisé l'endroit, répondit Tellman d'un ton pincé. Nous avons cherché l'arme sur les berges. Aucune trace. Nous draguerons le lac demain. Mais nous avons retrouvé de nombreux témoins, ajouta-t-il en relevant la tête. Un couple de promeneurs, vers dix heures et demie du soir. Ils ont déclaré n'avoir vu personne dans le canot. On y voyait encore clair. Un fiacre, qui longeait Knightsbridge en direction de Hyde Park Corner, vers minuit. Le cocher rentrait chez lui tranquillement. Il a vu deux hommes marcher dans Rotten Row. En revanche, il n'a aperçu personne sur l'eau. Bien sûr, Knightsbridge est relativement loin de la Serpentine, mais la lune éclairait le plan d'eau. Plus tard, vers deux heures du matin, un gentleman qui rentrait chez lui dans son propre attelage a vu ce qu'il a cru être une embarcation dériver sur l'eau.

— Il n'avait pas bu ?

— D'après lui, non.

— Votre opinion ?

— Quand je lui ai parlé, il m'a paru être quelqu'un de sobre.

— L'avez-vous retrouvé, ou s'est-il spontanément présenté comme témoin ?

— Il s'est présenté ici même. Un banquier d'affaires, de la City.

— D'où venait-il, à deux heures du matin ?

— Je ne lui ai pas demandé, monsieur, répondit Tellman en se raidissant. Peut-être d'un rendez-vous galant. On ne pose pas de questions aussi personnelles à un gentleman. Ils ont horreur de ça, conclut-il avec mépris.

Son ton insolent n'avait pas échappé à Pitt.

— Je suppose que vous avez vérifié son identité ?

— Pour quelle raison l'aurais-je fait ? Il a vu un canot dériver sur l'eau à deux heures du matin. Cela me suffit. S'il est allé conter fleurette à l'épouse d'un de ses amis, cela ne concerne pas l'enquête. Mais je peux vous assurer que c'était un gentleman. Pas besoin d'être un fin limier pour s'en apercevoir.

— Et bien sûr, jamais un gentleman n'aurait tué le capitaine Winthrop, ironisa Pitt. Selon vous, un homme qui possède un langage châtié, de belles manières et de jolies chaussures ne peut pas commettre un meurtre ?

Les joues de Tellman avaient pris une couleur violacée. Il lança un regard furieux à son supérieur, mais se tut.

— Bien, jusqu'à preuve du contraire, nous partirons du principe que l'homme n'a pas menti, remarqua Pitt d'un ton léger. C'est toujours un point. Qu'avez-vous trouvé dans l'embarcation ?

— Très peu de traces de sang.

— Des indices prouvant la présence d'une autre personne dans le bateau ?

— Quel genre d'indices ? N'importe qui peut monter dans ces embarcations à un moment ou à un autre.

— J'en ai bien conscience, Tellman. N'importe qui peut avoir tué Winthrop.

— Sans qu'il y ait de sang, alors qu'on vient de lui couper la tête ?

— Et la coque du canot, que révèle-t-elle ?

— Pardon ?

— Winthrop avait peut-être la tête penchée par-dessus bord. Si le meurtrier était dans la barque, il a pu jeter quelque chose dans l'eau, pour attirer son attention. Winthrop se penche, alors l'assassin le frappe à la tête, puis le décapite. La tête tombe à l'eau. Le sang aurait coulé sur le bord de l'embarcation.

— C'est possible, grommela Tellman. Oui, c'est bien possible.

— Les cheveux étaient-ils mouillés ? Réfléchissez, mon vieux !

— Difficile à dire, monsieur. L'homme était presque chauve au sommet du crâne.

— Oui, je l'ai vu. Mais sur les tempes ? Les favoris ?

— Je ne suis pas sûr qu'il y ait eu de l'eau au fond du canot. Le fond de cale...

— Il s'agit d'un simple canot, Tellman, pas de la sentine d'un navire.

— Eh bien, monsieur je crois que les favoris étaient mouillés, en effet, avança celui-ci, prudent.

— Du sang? reprit Pitt.

— Non, pas beaucoup.

— N'y aurait-il pas eu une mare de sang, si la tête était tombée au fond de l'embarcation?

— Je l'ignore, monsieur. C'est ma première décapitation, voyez-vous. A priori, je dirais oui. À moins que l'on n'ait maintenu la tête relevée pour le tuer.

— Comment l'assassin s'y serait-il pris? Winthrop n'avait pratiquement plus de cheveux.

Tellman prit une profonde inspiration, puis soupira.

— Vous avez sans doute raison. On l'a tué dans le bateau, la tête est tombée dans l'eau. Mais nous ne parviendrons jamais à le prouver.

— Examinez soigneusement l'embarcation, fit Pitt en se calant contre le dossier de son fauteuil. Le coup porté a dû être très violent. Il se peut que vous trouviez une marque quelque part, une encoche, une éraflure. Cela étaierait notre théorie.

— Bien monsieur, fit Tellman, impassible. Autre chose?

— Non, ce sera tout.

— Et ensuite, monsieur?

— J'aimerais que vous retrouviez l'arme du crime et que vous cherchiez à en savoir davantage sur les allées et venues de Winthrop cette nuit-là. Quelqu'un a bien dû le voir.

— Bien, monsieur.

La trêve était finie. Tellman avait retrouvé son ton insolent, comme s'il ne pouvait s'en empêcher. Entre eux, l'animosité était trop forte.

— Que fait-on de Mrs. Winthrop? Allez-vous chercher à savoir si elle avait un amant? Ou cela serait-il trop offensant pour la famille?

— Si je trouve un détail pertinent, offensant ou non, je vous ferai signe, riposta Pitt d'un ton glacial. Allez donc draguer le fond de la Serpentine.

— Bien, monsieur.

Pitt aurait préféré draguer lui-même le fond du plan d'eau plutôt que de s'atteler à la tâche qui l'attendait. Depuis qu'il avait quitté Portsmouth, il ne cessait d'y penser, se demandant si oui ou non il lui fallait aller chez les parents du défunt. Il en ramènerait sans doute peu d'informations, mais ce n'était pas là le seul motif de sa visite. La courtoisie professionnelle l'obligeait à la faire ; s'en abstenir pourrait lui coûter cher. Micah Drummond l'aurait-il faite ? Oui, sans aucun doute.

Pitt se rendit donc le lendemain chez Lord Marlborough Winthrop, dans sa résidence de Chelsea, à un jet de pierre de la Tamise. Une demeure solide et élégante, mais sans style. La décoration de la bibliothèque où Pitt attendait le maître de maison reflétait les goûts classiques de ses occupants. Les yeux fermés, il aurait pu la décrire, tant il en avait vu de semblables : rangées de lourds volumes reliés de cuir repoussé à l'or fin, étagères d'acajou, lourde cheminée à colonnades supportant des lions de bronze.

Lord Marlborough Winthrop entra et referma la porte sans bruit. Un homme aux cheveux blond-roux, aux traits ordinaires, à l'expression dure et lugubre, dont Pitt ne pouvait dire si elle était naturelle ou liée à la tragédie qu'il vivait. Mais il penchait pour la première hypothèse. Ce visage lui remémorait, non sans malaise, la tête exsangue qu'il avait vue à la morgue.

Lord Winthrop observa son visiteur, cherchant à le situer socialement, pour savoir comment s'adresser à lui.

— Bonjour, Mr...

— Commissaire Pitt, fit celui-ci avec une fierté encore mêlée de gaucherie.

Il ne devait pas oublier que son hôte venait de perdre son fils dans des circonstances horribles. Le juger à cette minute serait un manque de respect.

— Pitt... Ah, je vois, fit Winthrop, comme si la mémoire lui revenait soudain.

En dépit de sa stature et de ses larges épaules, il ne donnait pas une impression de vouloir en imposer. Sa haute taille semblait plutôt une gêne qu'un avantage pour lui.

— C'est très aimable à vous d'être venu...

Mais son ton laissait suggérer que Pitt ne faisait que son devoir et que ses remerciements n'étaient que de pure politesse.

— Mon épouse et moi-même sommes très désireux de connaître les progrès de l'enquête...

Pitt faillit lui dire qu'il venait simplement pour faire sa connaissance, puis songea qu'à l'instar de Micah Drummond il devait faire preuve de diplomatie. Il avait encore beaucoup à apprendre en la matière s'il voulait se montrer à la hauteur de son prédécesseur. Curieusement, depuis qu'il était monté en grade, il se sentait moins maître de ses mouvements. On lui demandait de rendre davantage de comptes qu'auparavant.

— Nous avons retrouvé des témoins, monsieur. Des gens qui sont passés sur les lieux à différentes heures de la soirée et de la nuit. Apparemment, le crime aurait été commis vers minuit...

— Des témoins ? releva Winthrop incrédule. Il y aurait eu des témoins du crime ? Où va le monde si un homme se fait assassiner dans un lieu public, en plein Londres, sans que personne n'intervienne ? L'on comprend que la barbarie règne dans les contrées éloignées, à l'autre bout de l'Empire, mais non au cœur d'une nation civilisée !

Sa voix s'élevait dans la pièce, pleine de colère, de confusion, de peur.

— Réfléchissez-y ! Depuis dix-huit mois, l'Éventreur de Whitechapel court toujours. Dans les salons, on parle à mots couverts de l'immoralité de certains membres de la famille royale... Et nous devons compter avec les anarchistes et aussi ces Irlandais, ces Fenians, qui menacent notre existence avec leurs attentats ! Notre société est au bord de la ruine.

Il prit soudain une profonde inspiration, conscient d'avoir perdu son sang-froid.

— Excusez-moi, monsieur, je n'aurais jamais dû me laisser aller à une telle diatribe, mais...

— Vous n'êtes pas le seul à penser que nous vivons une époque difficile, Lord Winthrop, le rassura Pitt avec tact. Mais je n'ai pas dit que des témoins avaient assisté à la scène ; simplement qu'il n'y avait personne sur le lac vers dix heures, au dire d'un jeune couple de promeneurs ; l'on a vu deux hommes marcher dans Rotten Row vers minuit et, à deux heures du matin, une embarcation dérivait au fil de l'eau. Ce qui laisserait supposer que le capitaine Winthrop est décédé aux environs de minuit.

— Je vois... fit Lord Winthrop avec effort.

Puis ses traits se crispèrent de dégoût.

— Oui, mais vous n'avez arrêté personne ! Il est évident que du gibier de potence se promène en liberté au cœur de Londres ! J'aimerais savoir ce que fait la police. Je n'aime pas critiquer les autorités en place, mais j'estime qu'elle a beaucoup à faire pour justifier sa mission.

Il se tenait devant la cheminée supportant un vase en porcelaine de Chelsea. Derrière lui, sur le mur, un tableau représentait un paysage bucolique.

— Vous avez beaucoup à faire pour redorer le blason de la police, monsieur. Après Jack l'Éventreur, voici que des fous furieux décapitent un homme pour quelques livres sterling.

— On ne lui a pas volé d'argent, monsieur, précisa Pitt.

— Pas volé ? Vous plaisantez ! Pour quelle autre raison une bande d'égorgeurs aurait-elle attaqué un simple promeneur ? Mon fils était en excellente condition physique ! Il pratiquait de nombreux sports, en particulier le noble art de la boxe. Sa devise était « un esprit sain dans un corps sain » et il l'appliquait à chaque instant.

Cette phrase rappela soudain à Pitt la silhouette d'Eustace March, oncle par alliance d'Emily, qui répétait chaque jour cette devise au petit déjeuner. Un homme dur, pompeux, insupportable, aux idées arrêtées, dont la morne existence avait tourné à la tragédie[1]. Oakley Winthrop lui ressemblait-il? Dans ce cas, il n'était pas inconcevable que quelqu'un ait eu envie de le faire passer de vie à trépas.

— Ces gredins devaient être nombreux, et armés, pour avoir eu raison de lui, poursuivit Lord Winthrop, dont la voix était encore montée d'un cran sous l'effet de la colère. Comment pouvez-vous laisser s'installer une telle situation, je me le demande !

Pour ne pas perdre son calme, Pitt pensait à Micah Drummond et tentait d'imaginer sa réaction, s'il avait été à sa place.

— Comme vous venez de le dire, monsieur, le capitaine Winthrop était un homme dans la force de l'âge, en pleine possession de ses moyens physiques. Il a donc dû être attaqué par plusieurs personnes, ainsi que vous le suggérez, ou, au contraire, surpris par une seule qu'il n'avait aucun lieu de craindre.

— Que voulez-vous dire ?

— Apparemment, il n'y a pas eu lutte, monsieur. Le capitaine Winthrop ne portait aucune égratignure, aucune contusion au niveau des phalanges ; son uniforme n'était ni abîmé, ni déchiré. S'il s'était battu...

— Oui, oui, je comprends bien, fit Lord Winthrop d'un ton impatient. Je ne suis pas idiot.

Il s'éloigna de la cheminée pour s'approcher de la fenêtre qui donnait sur un sombre bosquet de lauriers-roses.

— Trahi, murmura-t-il, le dos raidi. Voilà ce qui s'est passé. Mon pauvre Oakley a été victime d'une trahison.

1. Voir *Rutland Place*, 10/18, n° 2979.

Il fit une brusque volte-face et regarda Pitt.

— Eh bien, monsieur le commissaire... — désolé, j'ai oublié votre nom —, j'espère que vous retrouverez l'assassin et veillerez à ce qu'il soit traduit en justice. Vous me comprenez ?

Pitt ravala la repartie qui lui montait aux lèvres.

— Tout à fait, monsieur.

— Trahi, répéta Winthrop dans sa barbe. Grand Dieu !

— Que dites-vous, Marlborough ? fit soudain une voix derrière eux.

La porte s'était ouverte sans bruit. Ils n'avaient pas remarqué l'arrivée de Lady Winthrop. Une grande femme brune, aux yeux bleus, aux paupières lourdes, aux traits intelligents, passionnés et autoritaires.

— Que disiez-vous ? répéta-t-elle. J'ai entendu le mot trahison.

Son époux tourna vers elle un visage dépourvu d'émotion.

— Ne vous faites pas de souci, ma chère. Mieux vaut que vous n'appreniez pas les détails. Je vous préviendrai lorsque nous aurons du nouveau.

Lady Winthrop referma la porte derrière elle.

— Que dites-vous là ! S'il s'agit d'Oakley, j'ai autant le droit de connaître la vérité que vous. Qui êtes-vous, jeune homme ? demanda-t-elle à Pitt, comme si elle venait seulement de l'apercevoir. Vous a-t-on envoyé pour nous informer de l'arrestation du meurtrier de mon fils ?

— Non, Lady Winthrop. Je suis le commissaire chargé de l'affaire. Je vous tiendrai en personne au courant des progrès de l'enquête...

— Vous dites qu'il a été victime d'une trahison, c'est cela ? le coupa-t-elle. Si vous n'avez pas arrêté l'assassin, comment pouvez-vous le savoir ?

— Evelyn, je pense que vous devriez... commença Lord Winthrop.

Elle ne tint aucun compte de sa remarque.

— Oui, comment pouvez-vous le savoir? répéta-t-elle, en s'avançant dans la pièce. Si vous êtes en charge de l'affaire, pourquoi n'êtes-vous pas à la poursuite du meurtrier? Et que faites-vous ici? Nous n'avons rien à vous apprendre.

— Plusieurs de mes hommes sont à la recherche d'éventuels témoins, madame, fit Pitt d'un ton patient. Je suis venu vous informer de l'avancement de l'enquête et vous poser quelques questions, au cas où vous seriez susceptibles d'éclairer certains aspects...

— Nous? Que voulez-vous dire?

Elle avait de grands yeux, très enfoncés, et un peu trop rapprochés pour qu'on puisse les qualifier de beaux.

— Pourquoi parliez-vous de trahison? Si vous pensez à son épouse, vous vous trompez grossièrement.

Elle frissonna, faisant bruire la soie de sa robe de deuil.

— Elle lui est très attachée. L'idée qu'elle ait pu jeter son dévolu sur d'autres hommes est absurde. N'oubliez pas qui nous sommes, jeune homme!

— Mais... il n'a jamais dit... intervint timidement Lord Winthrop.

— Nous sommes une lignée d'aristocrates terriens, poursuivit-elle en fixant Pitt. Nous ne faisons aucunement partie de l'aristocratie des affaires et nous n'épousons pas d'étrangers à notre milieu. Nous ne sommes ni cupides ni ambitieux. Nous servons notre reine avec honneur et diligence lorsque l'on fait appel à nos services. Nous sommes des gens de devoir, monsieur.

En l'entendant, Pitt renonça à lui poser la plupart des questions qu'il avait préparées.

— Je ne pensais à personne en particulier, madame, dit-il d'un ton apaisant. Je faisais remarquer à votre époux que le capitaine Winthrop ne s'est pas battu, ce qui laisse supposer qu'il a été attaqué par surprise. Voilà pourquoi je tends à penser qu'il connaissait son agresseur.

La voyant se raidir, prête à le contredire, il enchaîna :

— Un homme qui se promène seul dans un parc la nuit aurait tendance à se tenir sur ses gardes face à un inconnu... Qu'en pensez-vous ?

— Vous me demandez ce que j'en pense ?

Elle se dirigea vers la fenêtre et contempla les rayons du soleil qui jouaient sur les feuilles.

— Oui, c'est possible, répondit-elle après réflexion. Un voisin qui aurait perdu l'esprit... Ou peut-être un officier que Oakley aurait battu lors d'un match de boxe ou dont il se serait moqué. Qui que ce soit, arrêtez-le et faites-le pendre.

— Bien sûr, bien sûr, intervint vivement Lord Winthrop. J'ai déjà parlé de cela avec Mr. Pitt. Il connaît mon opinion sur le sujet.

— Oui, mais il ignore peut-être que nous sommes parents avec le ministre de l'Intérieur.

Elle se tourna vers Pitt et l'observa, les yeux plissés.

— Ainsi qu'avec d'autres personnes haut placées... Je sais qu'il est vulgaire d'étaler ses liens de parenté, néanmoins, je tiens à ce que vous sachiez que nous ne vous laisserons pas en paix jusqu'à ce que justice soit faite.

Elle releva le menton.

— Nous vous remercions de votre visite, monsieur, mais il est temps pour vous de vous remettre au travail.

Elle se tourna vers son époux, sans davantage s'occuper de son visiteur.

— Marlborough, j'ai envoyé les faire-part à la branche Walsingham de la famille. À votre tour d'écrire aux Thurlows et aux Maybury du Sussex.

— Mais ils sont tous au courant, ma chère ! répondit-il, vaguement irrité. Les journaux ne parlent que de cela. L'employé de bureau, la blanchisseuse, tout le monde connaît l'affaire dans ses moindres détails !

— Là n'est pas la question, Marlborough. Il est de

notre devoir d'informer la parentèle selon l'usage. Tous seraient offensés si nous ne le faisions pas. En retour, ils nous enverront leurs condoléances. Dans la famille, on conserve les faire-part, par tradition.

Elle secoua la tête avec impatience; les perles de son collier de jais étincelèrent à la lumière.

— Je n'ai pas encore écrit aux Wardlaw du Gloucestershire, ni au cousin Reginald. Il faut que je commande des bristols à liseré noir. On ne peut utiliser du vulgaire papier à lettres pour un faire-part.

— Le capitaine Winthrop a-t-il évoqué devant vous des problèmes de rivalité? demanda Pitt, conscient que ses hôtes l'avaient complètement oublié.

Lady Winthrop se tourna vers lui d'un air surpris.

— Non, jamais. Il nous écrivait régulièrement, et venait dîner avec nous à chacune de ses permissions. Mais je ne me souviens pas de l'avoir entendu faire état de conflits avec quiconque. Il était aimé de tous. Je pensais vous l'avoir déjà dit, conclut-elle en fronçant les sourcils.

— Les gens qui ont du succès s'attirent parfois l'animosité de ceux qui en ont moins, lui fit remarquer Pitt.

— Oui, j'en ai bien conscience. Mais c'est à vous de le prouver. Vous êtes payé pour cela, me semble-t-il.

— Oakley ne nous a jamais parlé de ce genre de problème... dit Lord Winthrop.

Il tendit la main vers son épouse dans un geste apaisant, puis laissa retomber son bras.

— ... mais ce n'était pas dans sa nature de dire du mal d'autrui. Il ne devait pas se douter que quelqu'un nourrissait de la haine à son égard.

— Bien sûr que non! s'exclama Lady Winthrop. Le commissaire vient de vous dire qu'il a été attaqué par surprise. S'il avait su que quelqu'un lui en voulait, il se serait méfié. Oakley n'était pas un imbécile, Marlborough!

— Nom de nom, il a pu faire confiance à quelqu'un

dont il aurait justement dû se méfier ! éclata ce dernier, poussé à bout.

Elle fit mine de ne pas l'avoir entendu et s'adressa au policier.

— Merci, Mr. Pitt. Vous nous tiendrez au courant de l'évolution de l'enquête, je suppose. Au revoir.

— Au revoir, madame, répondit Pitt en quittant la bibliothèque.

Pitt n'avait pas dit aux Winthrop que le crime avait été commis dans le canot, mais ce fait lui fut confirmé le lendemain par le sergent Le Grange, un gaillard trapu, aux cheveux brun-roux, au visage avenant.

— Mr. Tellman avait raison, monsieur, déclara-t-il avec satisfaction. Le meurtre a bien eu lieu dans l'embarcation. Tout le sang a coulé dans l'eau. Du beau travail.

Pitt serra les dents. Il faillit répliquer que l'idée n'était pas celle de Tellman, mais la sienne, mais c'eût été faire preuve de mesquinerie.

— Vous avez trouvé une éraflure récente sur la coque du canot, n'est-ce pas ?

Le Grange ouvrit de grands yeux.

— Oui, monsieur ! Mr. Tellman vous a déjà prévenu ? Il m'avait pourtant dit qu'il n'aurait pas le temps de venir vous voir, parce qu'il devait aller à Battersea.

— Non, il ne m'a rien dit, répliqua Pitt. Mais c'est la première chose que j'aurais cherchée, étant donné les circonstances. Je présume que vous avez eu la même idée que moi...

— Oh, non, monsieur, moi je n'y aurais jamais pensé ! fit Le Grange avec modestie. C'est Mr. Tellman qui m'a ordonné d'examiner le canot.

— Que va-t-il faire à Battersea ?

Le Grange regarda au loin.

— Ce n'est pas à moi de vous le dire, monsieur.

— Cherchez-vous toujours l'arme du crime ?

Le sergent fit la grimace.

— Oui, monsieur. Pour l'instant, on n'a rien trouvé. On ne sait pas trop où chercher. L'assassin l'a sans doute gardée sur lui. S'il est venu avec, il a pu repartir avec.

Pitt ne discuta pas. Il était possible que l'homme ait conservé son arme, ou qu'il l'ait jetée n'importe où. Ils n'allaient tout de même pas faire draguer la Tamise pour la retrouver. D'ailleurs, n'importe quel objet se serait déjà enfoncé dans la vase au fond du fleuve depuis longtemps...

— Avez-vous dragué la Serpentine ?

— Oui, monsieur. Mr. Tellman nous a en donné l'ordre. On a raclé tout le fond, plusieurs fois. On n'a rien trouvé. Enfin, si ! Deux bottes en très bon état, toutes les deux du pied gauche. Un vrai mystère. Trois cannes à pêche, ça, ça se comprend. Des tas de boîtes et de sacs, et un chapeau pratiquement neuf. À ne pas y croire !

— Je vous crois, sergent, je vous crois, fit Pitt avec flegme, ravi de voir l'expression de surprise de Le Grange. Quels autres ordres Mr. Tellman vous a-t-il donnés ?

— Il m'a dit d'aller vous voir et d'attendre que vous décidiez de la suite à donner, puisque c'est vous qui dirigez l'enquête.

Manifestement, il était entré dans ce bureau l'esprit plein de préjugés et avait du mal à s'en départir. Pitt décida de ne pas y prêter attention.

— Avez-vous interrogé le voisinage ?

— Oui, monsieur. Nous n'avons rien appris d'intéressant. Une vieille dame l'a effectivement vu partir en direction du parc, mais comme Mrs. Winthrop nous a donné l'heure de son départ, ça ne nous apprend rien.

— Si. Cela confirme qu'elle dit la vérité.

— Vous ne la soupçonnez tout de même pas d'avoir décapité son mari ? dit Le Grange, incrédule et vaguement ironique. Elle est grande, mais maigre comme un clou !

— Je ne dis pas qu'elle l'a fait, sergent, mais elle peut avoir commandité un homme de main. La plupart des morts violentes sont l'aboutissement de querelles domestiques...

— Oui, je suppose que vous avez raison, concéda Le Grange. Mais jamais je n'aurais cru qu'une dame... Enfin, je suppose que vous connaissez mieux que moi les gens de la haute, monsieur.

— Il s'agit d'une simple hypothèse, sergent. Personne n'a vu qui que ce soit approcher Winthrop aux abords du parc ou à l'intérieur?

— Non, monsieur.

— Et tous ces voisins étaient bien chez eux à l'heure du crime? Ils peuvent tous dire où ils étaient entre dix heures et trois heures du matin?

— Je ne sais pas, monsieur.

— Eh bien, vérifiez leur emploi du temps, que diable!

— Bien, monsieur. Ce sera tout, monsieur?

— Oui, tant que vous n'aurez pas répondu à cette question.

Le Grange claqua les talons et sortit, laissant Pitt de fort mauvaise humeur.

Le jour suivant, il eut à s'occuper de quelques gros délits tels qu'un cambriolage, un incendie volontaire et un détournement chez un agent de change.

Le surlendemain après-midi, un sergent vint frapper à son bureau et lui annonça, tout essoufflé, qu'un gentleman du ministère de l'Intérieur souhaitait lui parler. Il fit entrer un homme de haute taille, très distingué, et battit précipitamment en retraite.

— Landon Hurlwood, annonça le visiteur. Bonjour, commissaire. Pardonnez-moi de venir sans prendre rendez-vous, mais le sujet est urgent et mon temps compté.

— Bonjour, Mr. Hurlwood, fit Pitt en lui désignant la chaise où il avait si souvent pris place en face de Micah Drummond, puis il le regarda et attendit.

Hurlwood était presque aussi grand que lui, mince et élancé. Pitt lui donna une bonne cinquantaine d'années. Il avait d'épais cheveux gris foncé, bouclés sur les tempes, des yeux noirs et un profil aristocratique. Il se cala contre le dossier de la chaise et croisa les jambes, très à l'aise.

— Parlons un peu du meurtre du capitaine Winthrop, commissaire, dit-il en souriant. Où en est l'enquête ?

Pitt lui traça l'affaire à grands traits, gardant ses hypothèses pour lui. Hurlwood l'écouta avec attention.

— Je vois, dit-il enfin. En général, je ne tiens pas compte de ce que disent ces journalistes de la presse à sensation, qui ont toujours tendance à exagérer les faits et font appel aux instincts les plus bas de l'être humain. Mais dans ce cas particulier, il semblerait qu'ils aient raison, même s'ils se montrent un peu trop emphatiques. Entre nous, commissaire, quelles sont vos chances de mettre la main sur ce monstre ?

— Fort réduites, s'il s'agit d'un malade mental. À moins qu'il ne récidive, auquel cas il laissera alors peut-être des traces.

— Mon Dieu ! Quelle horrible perspective ! J'imagine que vous ne croyez pas à l'œuvre de vide-goussets, puisque l'on a retrouvé dans sa poche de gilet des pièces de monnaie, sa montre et sa chaîne en or. Et pourquoi des voleurs s'amuseraient-ils à décapiter leur victime ? Ces brutes se servent en général de couteaux, de gourdins ou de cordelettes, mais pas de sabres ! Nous avons donc deux hypothèses : ou l'assassin est fou à lier, ou Winthrop le connaissait. Cette dernière hypothèse est très déplaisante, conclut-il, lèvres pincées.

— Certes. Mais pour l'opinion publique, elle est moins effrayante que celle de l'existence d'une bande de coupeurs de tête hantant la nuit les allées de Hyde Park, observa Pitt.

— En effet, en effet, se hâta de reconnaître l'envoyé du ministère de l'Intérieur. Néanmoins, il faut résoudre rapidement cette affaire. Ce que j'aimerais apprendre au plus vite, c'est s'il y a ou non un rapport quelconque entre ce meurtre et la marine de Sa Majesté. Il est normal que l'Amirauté cherche à le savoir.

Pitt décela une pointe de crainte dans sa voix ; il s'imaginait déjà ces messieurs, préparant leur défense, prêts à publier un démenti officiel.

— Rien ne le laisse supposer pour le moment, dit-il prudemment. Je me suis rendu à Portsmouth et j'ai rencontré son second. Selon lui, il n'y a eu dans ce port aucune querelle se rapportant à cette affaire. Et le meurtre a été perpétré plus de huit jours après son retour à Londres.

Hurlwood hocha la tête et se détendit.

— Huit jours, c'est long. On ne peut plus dire que le meurtrier a agi sous le coup de la colère. Mais il ne faut pas éliminer l'hypothèse.

— J'ai également vérifié l'emploi du temps, le soir de sa mort, des officiers et des matelots sous ses ordres ; aux environs de minuit, ils se trouvaient tous à Portsmouth. Ils n'auraient donc pu être à Londres à ce moment-là, même en prenant un train rapide.

— Je vois... dit Hurlwood en se levant d'un mouvement gracieux.

Il était vêtu avec une élégance qui fit regretter à Pitt sa mise négligée, ses poches de veste encombrées de ficelle et de bouts de papiers. Micah Drummond, lui, n'aurait pas été en reste. Il possédait l'élégance naturelle du vrai gentleman.

— Donc, il vous reste le motif personnel, poursuivit Hurlwood. De toute façon, commissaire, j'imagine que vous consacrerez toute votre attention à ce dossier, étant donné la nature monstrueuse du crime et la position sociale des parents de la victime.

— Bien entendu. Mais je pense qu'il ne faut pas précipiter l'enquête.

Hurlwood eut un sourire appréciateur.

— Bien entendu, fit-il en écho. Je ne vous envie pas, commissaire. Vous avez été très aimable de me consacrer un peu de votre temps. Bonne journée.

— Bonne journée à vous, Mr. Hurlwood, répondit Pitt, mi-figue, mi-raisin, se demandant comment diable sa journée à lui pourrait être bonne.

Hurlwood était parti depuis moins d'une demi-heure que le sergent remontait tout essoufflé, cette fois pour annoncer Giles Farnsworth, le préfet de police adjoint. Celui-ci se tenait sur ses talons. Un homme encore jeune, aux cheveux châtains rejetés en arrière, dont le visage, bien que lisse et fraîchement rasé, trahissait une fatigue et une inquiétude manifestes. On le sentait sur la brèche.

— Bonjour, Pitt, dit-il en fermant la porte derrière lui.

Celui-ci se leva pour le saluer et retourna à son bureau.

— Bonjour, monsieur.

— Je suis venu vous parler de cette maudite affaire, fit Farnsworth avec une grimace de dégoût. Où en est-elle ? Il ne faut pas la laisser traîner. La réputation de la police est déjà assez mauvaise. On ne nous pardonne pas de ne pas avoir mis la main sur Jack l'Éventreur. Cette fois-ci, l'échec est exclu.

— Il n'y a aucune raison de supposer qu'il s'agisse...

— Voyons, mon vieux ! Un déséquilibré qui se promène dans Hyde Park ne se satisfera pas d'un seul crime ! Et s'il s'agit d'une bande de voleurs venus de Dieu sait où, ils continueront tant qu'on ne leur mettra pas la main dessus ! À nouveau, les gens n'oseront plus sortir de chez eux, les activités de la capitale seront à moitié paralysées...

— Le capitaine Winthrop n'a pas été détroussé, remarqua Pitt.

— Alors il s'agit d'un fou !

— Il ne s'est pas débattu.

Pitt gardait son calme avec effort. Il savait pourquoi Farnsworth avait peur. La situation politique était tendue. Depuis les meurtres de Whitechapel, régnait dans les rues des principales villes du pays une violence latente qui menaçait d'exploser à chaque instant. Le problème irlandais se posait toujours avec acuité. La popularité de la reine était au plus bas. Il s'en fallait de peu que ne se produise un grand mouvement social qui ferait perdre leur poste à nombre de personnes haut placées.

— Il a été décapité tout net dans une embarcation sur la Serpentine, d'un coup de sabre ou de hache, alors qu'il se penchait au-dessus de l'eau, expliqua-t-il.

Farnsworth ne cilla pas.

— Que voulez-vous dire ? Qu'il connaissait son assassin ? Que ferait un capitaine de vaisseau au milieu de la nuit dans un canot, sur la Serpentine, en compagnie d'un individu armé d'une hache ou d'un sabre ? C'est invraisemblable !

— Oui, monsieur.

— Alors fouillez sa vie privée, que diable ! Cherchez du côté de sa femme ! S'il y a scandale, vous avez intérêt à l'étouffer ! Vous savez pourquoi, j'imagine ?

Il darda sur Pitt un regard aigu.

— Je ne fais jamais publiquement état des faiblesses d'autrui, répondit Pitt.

C'était un faux-fuyant, et Farnsworth le savait.

— La famille Winthrop est très influente, elle a des relations un peu partout, reprit celui-ci. Alors, pour l'amour du ciel, soyez discret ! Pas de tergiversations ! Vous devez résoudre cette affaire.

Il observa Pitt en se mordillant la lèvre. Manifestement, il pensait à quelque chose.

Pitt attendit.

— Cela va être très difficile, reprit Farnsworth.

Pitt ne répondit pas.

— Vous aurez besoin d'aide, de relations... Je sais que vous avez obtenu ce poste grâce à vos compétences, mais connaître des gens influents peut être un atout...

Pitt sentit l'inquiétude lui nouer la gorge, mais s'entêta à ne pas répondre.

— Quelques amis peuvent faire la différence, insista son interlocuteur. Si l'on sait les choisir. Ils peuvent vous ouvrir beaucoup de portes et garantir le bon déroulement de votre carrière. Drummond ne vous en a jamais parlé ?

Pitt frissonna. Il ne s'était pas trompé. Farnsworth faisait bien référence au *Cercle intérieur*, cette organisation secrète qui, sous couvert d'œuvres de bienfaisance, avait assis son emprise dans les milieux dirigeants. Micah Drummond, qui avait rejoint ses rangs en toute innocence quelques années plus tôt, l'avait ensuite amèrement regretté. Le prix de l'appartenance à cette confrérie se payait cher : il fallait trahir ses principes moraux et ses amis pour recevoir le soutien de cette société secrète qui pouvait à son tour réclamer votre aide à tout moment. Si un membre refusait de coopérer, sa carrière, et parfois son existence même, était ruinée. On ne connaissait de l'organisation qu'un tout petit nombre de membres, cinq ou six au plus. On ne savait jamais pour qui ni pour quelle cause on vous engageait.

Pitt se sentit piégé, comme si l'adversaire l'avait acculé dans un coin sombre et qu'il n'avait plus d'échappatoire.

— Non, lâcha-t-il avant même de comprendre son erreur. Non, je...

Un vif agacement se peignit sur le visage de son interlocuteur dont le regard se mit à briller de colère.

— Vous commettez une grosse erreur, Pitt, dit-il entre ses dents.

— Je refuse, déclara celui-ci aussi calmement qu'il le put.

— Si vous voulez réussir, vous avez intérêt à rejoindre nos rangs, sinon les portes se fermeront devant vous. Je sais de quoi je parle, croyez-moi, et je ne plaisante pas. Finissez-en au plus au plus vite avec cette affaire.

Il fit un geste en direction de la fenêtre.

— Avez-vous lu les journaux ? Les gens commencent à s'affoler. Il faut vous y mettre. Je vous donne trois jours pour avoir du nouveau, ajouta-t-il en se dirigeant vers la porte. Et je vous conseille fortement de réfléchir à ce que je viens de vous dire. Vous aurez besoin de beaucoup d'amis.

Là-dessus, il sortit, laissant la porte ouverte. Pitt écouta le bruit de ses pas décroître dans l'escalier.

## 3

Les petits vendeurs de journaux s'égosillaient à propos du décapité de Hyde Park, mais Charlotte leur avait accordé moins d'attention qu'à l'accoutumée, bien que l'enquête fût entre les mains de Pitt. Son esprit était en effet occupé par un tout autre problème : l'état des plâtres de sa nouvelle maison.

À cette minute, elle se trouvait au centre du grand salon et contemplait le plafond. À ses côtés, l'entrepreneur, un homme d'une trentaine d'années, maigre, avec des yeux tristes et un long nez.

— Et ça va me coûter combien ?

— Ben, ça dépend si vous voulez du stuc, très léger et pas cher : à partir de trois shillings, je vous fais une rosace de cinquante centimètres de diamètre. Évidemment, plus elle sera large, plus ce sera cher.

Il s'interrompit pour reprendre sa respiration et poursuivit :

— Ou alors, je vous la fais en plâtre, ce qui vous reviendrait à environ un shilling et demi la rosace de trente, et ça monterait jusqu'à quatre et demi pour une de soixante-quinze. En fait, tout dépend de ce que vous voulez.

— Je vois. Bon, je vais y réfléchir. Et que proposez-vous pour l'épi de faîtage du pignon ouest ? Pourriez-vous le refaire à l'identique ?

L'entrepreneur secoua la tête.

— Je ne crois pas... À mon avis, vous devriez...

— Cessez de dire des bêtises, jeune homme, fit une voix autoritaire derrière leur dos. Trouvez un épi de faîtage qui ressemble aux autres, sinon ma nièce va très vite changer d'entrepreneur.

— Tante Vespasia !

Charlotte se retourna vivement, trop heureuse d'entendre la voix de Lady Cumming-Gould.

Celle-ci s'avança, majestueuse, dans la pièce. Elle n'était pas à proprement parler sa tante, mais la grand-tante de George, le premier mari d'Emily. Cependant, la mort de ce dernier n'avait en rien affecté la qualité de la relation entre la vieille dame et les deux sœurs.

— Tante Vespasia... Quel plaisir de vous voir ! Vous tombez à pic ! J'ai vraiment besoin de vos conseils. Hélas, je ne peux même pas vous proposer une tasse de thé. C'est à peine si j'ai la possibilité de vous offrir un siège...

L'ignorant complètement, la vieille dame se tourna vers l'entrepreneur. Celui-ci ne l'avait jamais vue, mais il devina aussitôt qu'il avait affaire à une véritable aristocrate. Grande, maigre, avec un visage magnifique, aux hautes pommettes et à la mâchoire bien dessinée, elle avait conservé de cette beauté qui avait fait sa célébrité dans sa jeunesse.

Elle considéra l'entrepreneur avec autant d'intérêt qu'elle en aurait eu pour un morceau de moulure tombé du plafond.

— Eh bien ? Que comptez-vous faire ? lui demanda-t-elle.

— Mr. Robinson va réparer ce côté-là, répondit précipitamment Charlotte. N'est-ce pas, Mr. Robinson ?

— Comme vous voudrez, madame, fit-il d'un ton morne.

— Parfait, parfait ! approuva Vespasia. Et je suis sûre qu'en cherchant bien, vous trouverez une rosace qui aura tout à fait sa place sur ce plafond. Et que pensez-vous du lambris d'appui ? Le bois est en mauvais état ; il faudrait le remplacer. Allez, au travail, Mr. Robinson !

Sans attendre de réponse, elle se tourna vers Charlotte.

— Où pourrions-nous nous installer, ma chère petite, pour laisser ce garçon travailler en paix ? Si nous allions dans le jardin ? Il m'a l'air charmant.

— Comme il vous plaira, tante Vespasia, acquiesça Charlotte en ouvrant la porte-fenêtre pour laisser passer sa vieille amie avant de refermer les battants derrière elle.

Dehors, sur la terrasse, il faisait doux ; la brise apportait des odeurs d'herbe et de jacinthes.

Vespasia se tenait très droite, légèrement appuyée sur le pommeau d'argent de sa canne ; ses cheveux blancs brillaient au soleil.

— Vous aurez besoin d'un jardinier au moins deux fois par semaine, observa-t-elle. Thomas n'aura jamais le temps de s'en occuper. À propos, son nouveau poste lui convient-il ? Voilà déjà quelques mois qu'il a été promu.

— Il est plutôt content, mais il a quelques problèmes avec les hommes qui sont sous ses ordres, avoua Charlotte en toute honnêteté. Son collaborateur le plus direct lui en veut d'avoir été nommé commissaire, alors qu'ils avaient le même grade. Ils acceptaient les ordres de Micah Drummond, mais ils rechignent à obéir à Thomas. Il en parle peu, ajouta-t-elle avec un bref sourire, mais je devine la situation aux petites phrases qu'il lâche de temps en temps, ou à ses silences. Mais je suis sûre que tout va s'arranger, avec le temps...

— C'est certain, dit Vespasia en faisant quelques pas sur l'herbe. Que savez-vous de cet homme décapité dans Hyde Park ? Les journaux ne mentionnent pas son nom, mais j'imagine que Thomas est chargé de l'enquête, puisque Hyde Park fait partie de son secteur.

— Oui, c'est exact, répondit Charlotte en lui lançant un regard interrogateur, attendant l'explication de ce soudain intérêt pour l'affaire.

Lady Cumming-Gould regarda les pommiers, à l'autre bout du jardin.

— Vous souvenez-vous du juge Quade? demanda-t-elle d'un ton léger, comme si le sujet n'avait aucune importance.

— Oui, bien entendu, répondit Charlotte sur le même ton.

Les traits sensibles et ascétiques de Thelonius Quade lui revinrent en mémoire. Ce juge d'une intégrité farouche avait siégé au cours de l'un des plus terribles procès de ces dernières années. Mais elle se souvenait surtout de l'émotion, de la vulnérabilité soudaine de tante Vespasia lorsqu'elle évoquait son nom. Charlotte se souvenait même de l'avoir vue rosir en parlant de lui !

— Figurez-vous qu'il connaît bien Lord et Lady Winthrop, expliqua Vespasia en s'avançant sur la pelouse, indifférente aux herbes folles qui s'accrochaient au bas de sa jupe.

— Ah? Ils fréquentent le même cercle? s'étonna Charlotte.

Elle n'imaginait pas cet homme à l'esprit vif et pénétrant en compagnie de Lord Winthrop, qui, au dire d'Emily, était tout son contraire.

Vespasia sourit.

— Il ne l'a pas rencontré dans le cadre de sa profession ! Marlborough Winthrop ne fait rien de ses dix doigts. Mais ce n'est pas un délit, s'empressa-t-elle d'ajouter. Heureusement, sinon la moitié de l'aristocratie britannique serait derrière les barreaux ! J'ignore par quel biais le juge Quade a rencontré les Winthrop. Ce dernier est un raseur fini, et son épouse une vraie peste. Elle professe des opinions très arrêtées, qui ne viennent jamais d'elle. Elle attrape des idées au vol, comme d'autres attrapent des maladies.

— Le juge connaissait-il aussi leur fils, le capitaine Winthrop?

— Très vaguement.

Vespasia fit quelques pas sur la pelouse ; la brise soulevait la soie vert pâle de sa jupe. Elle portait un chemisier d'une délicate teinte ivoire, agrémenté d'un long collier de perles. Charlotte se demanda si un jour elle pourrait être aussi élégante, avec autant de naturel.

— Les obsèques ont été célébrées dans la plus stricte intimité, poursuivit Vespasia, mais il y aura demain une messe commémorative. Thelonius doit y assister. Je pensais l'accompagner...

Un éclair malicieux passa dans ses yeux.

— ... et je me demandais si vous accepteriez de vous joindre à nous.

Charlotte jugea inutile de lui demander le motif de cette invitation. Depuis des années, Lady Cumming-Gould menait contre la misère d'infatigables croisades ; elle faisait preuve de la même énergie et du même dévouement en participant indirectement aux enquêtes criminelles de Pitt : ses entrées dans la bonne société lui permettaient de présenter Charlotte et Emily dans les salons.

— La presse se fait chaque jour plus véhémente, reprit-elle. Thomas doit impérativement affirmer son autorité dans son nouveau poste et ce, le plus vite possible. L'affaire est tout à fait exceptionnelle, du moins elle en a l'air. Il nous faut l'aider.

— D'après les journaux, il s'agirait d'un malade échappé d'un asile, avança Charlotte d'un ton morne.

— Sornettes ! S'il s'agissait de ce genre d'individu, on aurait déjà découvert d'autres têtes coupées dans Hyde Park.

— Une de ses connaissances, alors ? demanda Charlotte, suivant des yeux le mouvement des branches de forsythia agitées par le vent.

— C'est en effet l'hypothèse la plus plausible, puisqu'il n'a pas été détroussé. C'est ce que Lord Winthrop a dit à Thelonius.

L'imagination fertile de Charlotte se mit au travail, commençant par l'explication la plus logique.

— Son épouse avait-elle un amant? Le capitaine avait-il une maîtresse dont le mari...

— Voyons, ma chère! la coupa Vespasia d'un ton agacé. Imaginez que vous vous promeniez seul la nuit dans les allées de Hyde Park. Vous croisez l'amant de votre femme armé d'un coutelas ou d'un sabre. Le suivriez-vous à bord d'un canot pour discuter du partage de ses faveurs? Oakley Winthrop ne devait pas être crétin à ce point!

Charlotte étouffa un petit rire, mais continua néanmoins à camper sur ses positions.

— Et s'il ne se doutait de rien? Son épouse devait se montrer discrète, et le capitaine passait le plus clair de son temps en mer. Il ne lui était peut-être jamais venu à l'esprit qu'elle aimait un autre homme.

Vespasia haussa les sourcils.

— Dans ce cas, si Winthrop n'était au courant de rien, pourquoi vouloir le tuer? Cela ne tient pas debout!

— Alors, il s'agit peut-être d'un mari jaloux, si le capitaine avait une maîtresse, insista Charlotte.

— Nous revenons au point de départ: que faisait Winthrop en compagnie de cet homme dans un canot au beau milieu de la nuit? répliqua Vespasia en fouettant une longue tige d'herbe avec sa canne.

— Peut-être ignorait-il... commença Charlotte, puis elle se tut, consciente qu'elle allait dire une stupidité.

Vespasia eut un sourire tolérant et amusé.

— Vous pensez que la maîtresse en question était naïve au point de ne pas connaître la vraie nature de son époux?

Elle fit demi-tour en direction de la maison.

— Non, Charlotte. Plus j'y réfléchis, plus cette histoire me paraît bizarre. Je crois que Thomas va sérieusement avoir besoin de notre aide, conclut-elle avec énergie.

— Alors, je viendrai avec vous à la messe commémorative, déclara Charlotte sans hésiter. À quelle heure dois-je être prête ?

— Mon attelage viendra vous chercher demain matin à dix heures et quart. Oh, un conseil, ma chère petite : la prochaine fois que vous achetez une toilette, prenez du noir, sans hésitation. Il me semble qu'il vous sera d'un grand usage, étant donné le métier de votre époux...

Charlotte envoya un message urgent à Emily, lui demandant de lui prêter une tenue adaptée aux circonstances. Elle ne pouvait se permettre de consacrer de l'argent à l'achat d'une nouvelle robe, compte tenu des frais de rénovation de la maison. Le moindre penny devait être mis de côté.

Emily fut ravie de lui rendre ce service, avec, en contrepartie évidente, l'obligation de lui narrer par le menu tout ce qu'elle savait de l'affaire, et d'accepter qu'elle participât à la suite de l'enquête. À ce prix, Charlotte pouvait lui emprunter toute sa garde-robe ! D'ailleurs, elle aussi, l'informa-t-elle, était invitée à la cérémonie.

Le lendemain matin, Charlotte était assise à sa coiffeuse, quand à dix heures Caroline Ellison fit irruption dans un tourbillon de soieries or et chocolat, et affublée d'une sorte de turban oriental.

— Maman ! s'exclama Charlotte, surprise autant par cette visite inopinée que par l'étrangeté du couvre-chef.

Inutile de lui demander si tout allait bien : Caroline était radieuse.

— Bonjour, ma chérie ! s'exclama-t-elle en parcourant la chambre du regard. Tu m'as l'air très en forme, mais cette robe est un peu triste, non ? Ne pourrais-tu pas mettre un fichu coloré ? Je sais que le noir est à la mode, mais tout de même !

— À la mode ? Voyons, Maman, pas du tout ! Nous sommes au mois d'avril !

Caroline balaya le sujet d'un petit geste indifférent.

— Il est vrai que je ne me préoccupe plus guère de la mode. De toute façon, ce noir a besoin d'être égayé. Voyons, que pourrais-tu mettre ? Du rouge ? Non, le rouge est trop ordinaire. Que dirais-tu du...

Elle regarda tout autour d'elle, paume tendue en avant pour empêcher Charlotte de l'interrompre.

— Attends... Laisse-moi réfléchir. Du safran ! Voilà ! Du jaune safran. C'est très original. Je n'ai jamais vu quelqu'un porter du noir avec du jaune safran. Ça ne te convient pas ? Pourtant c'est très original.

— Très original, je te l'accorde. Un peu trop original, même, pour un service funèbre. La famille pourrait être choquée. Ce sont des gens respectueux des conventions.

La mine de Caroline s'allongea.

— Oh, pardon ! J'ignorais... Qui est décédé ? Je le connais ? Je n'ai pas entendu parler de décès, récemment.

— Ce qui veut dire que vous n'avez pas lu les journaux, remarqua Charlotte, en enfonçant la dernière épingle dans son chignon.

— Je ne lis plus les rubriques nécrologiques, ma chérie, fit Caroline en s'asseyant sur le bord du lit.

— J'imagine que vous lisez les critiques théâtrales, ironisa Charlotte.

Elle était ravie de voir sa mère heureuse et resplendissante, mais craignait de la voir souffrir lorsque sa liaison avec Joshua Fielding prendrait fin.

— Il est plus réjouissant de commencer sa journée par la lecture des critiques théâtrales que par celle des rubriques nécrologiques, remarqua Caroline. Et puis, les avis de décès se ressemblent tous.

— Dans ce cas particulier, la mort était assez particulière, reprit Charlotte. L'homme s'est fait couper la tête, dans Hyde Park.

Caroline poussa un petit cri.

— Tu veux parler du capitaine Winthrop ? Mais pourquoi aller à la messe commémorative ? Tu ne le connaissais pas !

— Non, bien sûr. Mais le juge Quade, un ami de tante Vespasia, le connaissait, lui.

— Ce qui signifie que Thomas est chargé de l'enquête, en déduisit Caroline.

— En effet.

Charlotte se leva de sa coiffeuse.

— Il s'agit d'une affaire très compliquée. Je pourrais peut-être apprendre quelque chose d'intéressant là-bas. Veuillez m'excuser, Maman, je dois partir. Au fait, pourquoi êtes-vous venue me voir de bon matin ? Y a-t-il une raison particulière ?

Elle ouvrit le premier tiroir de la commode, y prit un mouchoir de dentelle, un petit flacon de parfum et une épingle à chapeau.

— Non, aucune. Ne t'ayant pas vue depuis des semaines, je pensais t'inviter à déjeuner. Chez Marcello, par exemple.

— Vous vouliez m'inviter au restaurant ? Moi ?

— Pourquoi pas ? La cuisine italienne est excellente. Tu devrais t'y mettre. C'est très bon de goûter la cuisine étrangère. Cela élargit l'esprit.

— Et la taille, aussi, soupira Charlotte en refermant le tiroir.

— Ne dis pas de bêtises. Il suffit de marcher ou de monter à cheval, dans les parcs.

— Maman ! Vous n'êtes jamais montée à cheval, voyons !

— Mais si ! Et j'adore ça.

— Mais... jamais vous ne...

— Pas du vivant de ton père, ma chérie. Maintenant, oui, dit Caroline en se redressant. Bon, de toute façon, je vois que tu es occupée. Je doute que ton service funèbre soit aussi agréable qu'un repas au restaurant, mais puisque tu t'es engagée... Aucune importance, nous irons une autre fois !

Elle déposa un léger baiser sur la joue de sa fille.

— Mets quand même un petit fichu de dentelle,

blanche ou bleu lavande, sinon on te prendra pour la veuve. Il ne faut pas que tu paraisses plus éplorée qu'elle! Elle doit être le centre de toutes les attentions. Tu sais, les gens oublient vite le deuil des autres; à moins d'être très jolie et très fortunée, la pauvre femme devra passer le reste de son existence vêtue de noir, à pleurer son époux...

Sur ces mots, elle quitta la chambre en courant, le sourire aux lèvres et l'air ravi.


Charlotte arriva à l'église dans l'attelage de Vespasia. Elle se sentait un peu gênée, n'ayant pas été personnellement invitée et ne connaissant personne parmi tous ces gens qui se saluaient et hochaient la tête avec gravité, en faisant de sombres prédictions quant à l'avenir de la société britannique.

« Pourvu que je retrouve Lady Cumming-Gould et le juge Quade au plus vite », songeait-elle, en s'avançant dans la foule. Par bonheur, la robe et la capeline à large bord orné de plumes noires, prêtées par Emily, lui allaient à ravir, ce qui lui donnait un peu confiance en elle. Elle reçut, sans déplaisir, les regards admiratifs des messieurs et ceux, envieux, de leurs épouses.

Où était donc passée Vespasia? Charlotte ne pourrait rester longtemps là sans que quelqu'un s'informât sur son identité. Parmi les hommes présents, tous en redingote et le haut-de-forme à la main, il y avait les proches, les amis du défunt capitaine, et des personnes qui se trouvaient là par devoir. Elle frissonna à l'idée que l'assassin puisse être l'un d'eux.

Elle remarqua plusieurs officiers de marine en grande tenue, leurs galons dorés tranchant sur les vêtements noirs des civils. Un homme corpulent, au physique assez insignifiant, accueillait les arrivants. Il devait s'agir du père du défunt, Lord Marlborough Winthrop. À ses côtés, se tenait une grande femme maigre et altière, dont Charlotte ne pouvait distinguer les traits, tant son voile était épais. Néanmoins, elle sentait chez elle une terrible tension, une colère réprimée, due sans doute au fait qu'elle tentait désespérément de contrôler son chagrin.

Charlotte vit enfin arriver Vespasia en compagnie de Thelonius Quade qui lui offrait galamment son bras. Charlotte sourit. Lady Cumming-Gould était veuve depuis fort longtemps lorsqu'elles s'étaient rencontrées, à l'époque de l'incroyable affaire de Resurrection Row[1]. La mort subite de George Ashworth, son petit-neveu qu'elle adorait, l'avait profondément marquée. Aujourd'hui, au bras de Thelonius, elle paraissait avoir retrouvé sérénité et assurance. Droite et impériale, elle avançait, menton relevé, défiant le monde entier. Ceux qui l'aimaient n'avaient qu'à la suivre ; quant aux autres, elle ne s'en souciait guère.

Le juge Quade, un homme d'une soixantaine d'années, mince, aux traits émaciés et pleins d'humour, guidait sa vieille amie à travers la foule révérencieuse, compatissante, imbue d'elle-même ou à l'affût du scandale, qui se pressait sur le parvis.

Vespasia adressa un petit signe à Charlotte ; Thelonius lui sourit en inclinant légèrement la tête ; tous trois entrèrent dans l'église au moment où l'organiste entamait une marche funèbre.

Charlotte frissonna. Comme toujours en pareilles circonstances, elle se demanda pourquoi des gens croyant en une salutaire résurrection se retrouvaient pour commémorer la mort d'un inconnu qui quittait ce qu'ils pensaient être une vallée de larmes pour entrer dans le royaume de la lumière. Qu'ils puissent célébrer ce passage dans une atmosphère aussi sinistre disait le peu de considération qu'ils avaient des récompenses de l'au-delà. Elle se promit d'en parler un jour à un pasteur.

Un bedeau aux épais favoris les accueillit d'un air affairé.

1. Voir *Resurrection Row*, 10/18, n° 2943.

— Mesdames, monsieur, si je peux me permettre... dit-il en dansant d'un pied sur l'autre.

Le juge Quade lui tendit sa carte.

Le bedeau hocha la tête.

— Par ici, s'il vous plaît.

Et, sans attendre, il les conduisit vers le banc qui leur était réservé. En chemin, Charlotte aperçut sa sœur qui la dévisagea avec amusement. Vespasia et Thelonius prirent place et Charlotte se dépêcha d'en faire autant. L'orgue baissa d'un ton et le silence se fit dans l'église.

L'office des morts commença.

Charlotte ne pouvait décemment pas se retourner pour observer les gens assis derrière elle ; de ceux qui se trouvaient devant elle, elle ne voyait que le dos. Plutôt que d'attirer l'attention, elle pencha la tête et leva les yeux vers le pasteur qui, d'une voix sépulcrale, entonnait les louanges du disparu, comme s'il s'agissait d'un saint, exhortant l'assistance à suivre son exemple. Charlotte n'osait regarder Vespasia, de peur de lire trop clairement dans ses yeux ce qu'elle pensait du défunt et de ceux qui le pleuraient.

L'oraison funèbre terminée, chacun se leva et sortit à pas lents sur le parvis ensoleillé pour aller présenter des condoléances attristées et embarrassées à la famille, avant de s'éloigner, non sans soulagement. Charlotte observa un petit groupe de personnes qui entourait une jeune femme vêtue de noir, la veuve, sans aucun doute. Elle paraissait fragile et vulnérable. Charlotte aurait souhaité voir son expression, mais le voile l'en empêchait.

— Est-ce Mrs. Winthrop ? demanda-t-elle à voix basse.

— Oui, je crois, chuchota Vespasia.

— Et l'homme debout derrière elle ?

— Je ne sais pas. Un fort bel homme, en tout cas. Un regard clair et intelligent...

Elle se tourna vers Thelonius.

— Le connaissez-vous ? Est-ce une simple relation, ou l'un de ses admirateurs ?

Le juge sourit.

— Désolé de vous décevoir, mon amie, mais il s'agit tout simplement de son frère, Bartholomew Mitchell. Un garçon simple et modeste. Réputation sans tache. Il revient d'Afrique. Il est peu probable qu'il ait assassiné son beau-frère.

— Ah, en revanche, j'aperçois quelqu'un dont on ne peut pas dire qu'il est simple et modeste, dit Charlotte en désignant du menton un homme occupé à saluer l'assistance de la main. Comme il a l'air prétentieux et sûr de lui ! Qui est-ce ?

Elle songea, mais trop tard, qu'il s'agissait peut-être d'un ami de Thelonius.

Vespasia se mordilla la lèvre pour cacher son amusement.

— Vous mériteriez que je vous dise qu'il s'agit d'un ami très cher. Non, en fait ce monsieur n'est autre que Nigel Uttley, le rival direct de Jack dans la course aux élections.

Charlotte observa l'homme qui fendait la foule, un grand sourire aux lèvres. Lorsqu'il arriva à la hauteur d'Emily et de Jack, son expression affable s'évanouit pour faire place à un rictus de façade. Ils étaient trop loin pour que Charlotte puisse entendre leur conversation, mais ils semblaient échanger des banalités.

Emily, comme toujours, était très en beauté. Le noir soulignait son teint clair et sa blondeur ; elle semblait pressée de voir la cérémonie prendre fin, comme si une journée passionnante l'attendait ensuite.

— Nous devrions témoigner notre sympathie à la veuve, décida Lady Cumming-Gould. Thelonius, mon ami, auriez-vous l'obligeance de faire les présentations ?

Ce dernier hésita, sachant très bien ce qu'elle avait derrière la tête, sans toutefois savoir jusqu'où elle irait. Vespasia devança alors sa décision et, après lui avoir adressé un sourire de gratitude, traversa le parvis en direction de Mina Winthrop et de son frère. Thelonius offrit son bras à Charlotte, et ils lui emboîtèrent le pas.

Mina Winthrop accepta gracieusement leurs condoléances. L'impression de fragilité qu'elle donnait de loin
se trouvait renforcée lorsque l'on se trouvait près d'elle.
Son extrême pâleur se devinait sous son voile.

— C'est très gentil à vous d'être venus, murmura-
t-elle. Oakley avait tant d'amis. J'avoue que je ne les
connaissais pas tous, ajouta-t-elle timidement. Je suis
très touchée.

— Cette terrible épreuve vous permettra de vous
rendre compte à quel point il était apprécié, renchérit
Vespasia.

— C'est vrai, s'empressa d'ajouter Charlotte. Parfois
les gens ne laissent voir leurs vrais sentiments qu'en ces
occasions. La mort éveille en nous des émotions dont
nous n'avions pas nécessairement conscience auparavant.

— Connaissiez-vous le capitaine Winthrop, madame ?
intervint Bart Mitchell, les yeux plissés.

Vespasia devança la réponse de Charlotte.

— Non, monsieur. C'est moi qui ai tenu à ce que ma
nièce m'accompagne.

Bart s'apprêtait à s'enquérir de la nature de sa relation
avec le capitaine Winthrop, mais le regard de la vieille
dame l'en empêcha. Une telle question, adressée à Charlotte, paraissait banale, mais relevait de l'impertinence
dès lors qu'il s'agissait de Lady Cumming-Gould.

Charlotte remercia intérieurement Vespasia de lui
avoir sauvé la mise et de l'avoir présentée comme étant
une proche parente.

— Nous avons organisé une légère collation, reprit
Mina. Voulez-vous vous joindre à nous ?

— Très volontiers, acquiesça la vieille dame. Cela
nous donnera l'occasion de faire plus ample connaissance.

Lier connaissance avec Lady Cumming-Gould !
C'était un privilège pour lequel des jeunes filles de
bonne famille auraient bradé leurs perles ! Si Mina Win-

throp ne perçut pas le caractère exceptionnel de l'offre, elle en devina instinctivement la valeur.

— Tout le plaisir sera pour moi, Lady Cumming-Gould.

Le but recherché étant atteint et l'étiquette exigeant que l'on ne s'attardât point à offrir ses condoléances, ils prirent aussitôt congé. Quelques mètres plus loin, ils rencontrèrent Lady Winthrop. Elle les remercia brièvement d'être venus, et Thelonius l'informa qu'ils se reverraient bientôt au buffet funéraire.

— Ah ? releva Lady Winthrop d'un ton surpris, avant d'ajouter avec un sourire forcé : C'est très gentil à Wilhelmina de vous y avoir conviés. Je suis enchantée que vous puissiez vous joindre à nous.

Mais le regard qu'elle lança à sa belle-fille démentait ses propos. Aussitôt, Bart Mitchell se rapprocha de sa sœur et fixa sur Evelyn Winthrop un regard lourd de menace.

— Comme c'était intéressant !... déclara Vespasia, lorsqu'ils furent installés dans la voiture de Thelonius. Le deuil sépare souvent les familles, au lieu de les réunir. Je me demande pourquoi, en l'occurrence.

— Très souvent, la souffrance se traduit par de la colère, remarqua Thelonius, assis dos au cocher — les dames voyageaient toujours dans le sens de la marche. La mort est chose définitive. Le vide laissé par le défunt se traduit par de la peur, ou un sentiment de culpabilité ou encore par une animosité qui se retourne contre ceux qui devraient vous être proches. Parfois aussi, l'on éprouve une grande solitude, comme si l'on était seul à souffrir.

Vespasia lui sourit.

— Vous avez tout à fait raison, Thelonius, mais mon petit doigt me dit que Lady Winthrop sait ou soupçonne quelque chose que nous ignorons.

Thelonius se raidit pour éviter d'être projeté contre la

paroi de la voiture au moment où l'attelage tournait a angle droit.

— Il se peut qu'elle sache quelque chose, mais je doute qu'elle puisse soupçonner quoi que ce soit auquel vous n'auriez pas déjà pensé, ma chère, se permit-il d'ironiser.

Vespasia eut la bonne grâce de rougir — oh, très légèrement — sans toutefois ciller.

— Je ne sais si je dois prendre cela comme un compliment, Thelonius. Dites-nous plutôt ce que vous savez des Winthrop et de leur famille par alliance. J'avoue que je n'ai jamais entendu parler d'eux. Qui sont les Mitchell?

— Des gens peu fortunés, j'imagine, car Evelyn Winthrop a vu ce mariage plutôt d'un mauvais œil. Wilhelmina Mitchell n'a apporté qu'une petite dot. Quant à son frère Bartholomew, il est parti en Afrique du Sud pendant la guerre contre les Zoulous, en 1879, si ma mémoire est bonne, et a passé ces onze dernières années soit en Afrique du Sud, soit plus au nord, dans le Matabeleland[1]. Un aventurier, au départ, ce qui ne l'empêche pas d'être quelqu'un de très bien. En revanche, cela n'a pas ajouté de valeur à la dot de sa sœur.

— Le capitaine Winthrop aurait donc fait un mariage d'amour? demanda Vespasia, étonnée.

— Je ne saurais vous le dire. C'était un garçon réaliste et ambitieux, qui souhaitait réussir une belle carrière dans la marine royale. Il devait préférer commander en mer que parader dans les salons. À l'origine, les Winthrop ne sont pas des gens...

Il s'interrompit, ne voulant pas se montrer méprisant.

— ... de la très haute société? suggéra Charlotte.

— Ni même de la haute, concéda-t-il avec humour.

— Pourtant ne sont-ils pas supposés être apparentés à de grandes familles?

1. Matabeleland ou Matabélé, partie ouest de l'actuel Zimbabwe, l'ancienne Rhodésie. (N.d.T.)

— Ma chère, si un gentleman distingué fait une douzaine d'enfants, au bout d'une ou deux générations, il
aura des parents dans la moitié des comtés qui entourent
la capitale, remarqua Vespasia. Thelonius, vous disiez
que le capitaine Oakley était réaliste. Son mariage a-t-il
commencé sous d'heureux auspices ? Ont-ils eu des
enfants ?

— Trois, je crois. Trois filles. L'une est morte en bas
âge, les deux autres sont mariées depuis peu.

— Mariées ? s'exclama Charlotte. Mais Mina est si
jeune !

— Elle a épousé Oakley à dix-sept ans et ses filles se
sont mariées à peu près au même âge.

— Je vois...

Elle s'imagina un homme déçu de ne pas avoir eu de
fils, bien que ce jugement fût peut-être hasardeux. Pourquoi ses filles s'étaient-elles mariées si jeunes ? Par
amour, ou par volonté de fuir le domicile paternel ? À
quoi ressemblait la vie de cette famille une fois les portes
refermées et les masques tombés ?

Elle n'eut guère le temps de réfléchir plus avant, car
ils étaient arrivés devant la demeure de Lord et Lady
Winthrop. Des serviteurs en deuil les introduisirent dans
une vaste salle de réception où les attendait une grande
table recouverte de lin blanc supportant d'innombrables
plats. Les couverts en argent étincelaient à la lueur des
lustres, allumés en dépit de la lumière du jour, que dissi-
mulaient les rideaux à demi tirés en signe de deuil. Partout étaient disposés de grands vases de lis blancs au parfum douceâtre.

— Mon Dieu ! On se croirait chez un entrepreneur de
pompes funèbres, chuchota Vespasia tout en souriant à
Jack et Emily qui se trouvaient là eux aussi. On imagine
ce qu'ont dû être les funérailles... Emily ! Vous êtes très
en beauté et manifestement en excellente santé. Comment va Evangeline ?

— Elle grandit à vue d'œil, répondit Emily. Elle est
adorable, et jolie comme un cœur.

— Vous m'en direz tant! plaisanta Vespasia. Et vous, Jack? Comment se passe cette campagne électorale? À quand les prochaines partielles?

— Dans un peu moins de cinq semaines, répondit-il avec gravité. Je pense que le gouvernement l'annoncera bientôt. Quant aux résultats, je croise les doigts... J'ai un adversaire sérieux.

— Ah? Qui est-ce? En ai-je déjà entendu parler?

— Nigel Uttley. La quarantaine, cadet d'une famille fortunée, mais pas très en vue. Il soutient l'actuel gouvernement depuis longtemps. En haut lieu, tout le monde souhaite le voir gagner. Une sorte de récompense pour sa loyauté, conclut Jack avec une grimace.

— Et quel est son credo?

Jack se mit à rire.

— Ne crois qu'en toi-même!

— Je veux dire, quel est l'essentiel de son programme politique? se reprit Vespasia.

— Restaurer les valeurs qui ont fait la grandeur de l'Angleterre... Faire prévaloir la loi, rétablir l'ordre dans les villes, réformer la police pour la rendre plus efficace... Appliquer des peines plus sévères dans les cours de justice...

— Son opinion sur la question irlandaise?

— Oh, il n'est pas idiot! Jamais il n'abordera un problème qui a eu raison de Gladstone lui-même. Tout homme politique préconisant le Home Rule[1], qui est la seule vraie solution, court immanquablement à sa perte.

Des messieurs âgés conversant à voix basse jetèrent un coup d'œil en direction de Thelonius, hochèrent la tête, puis passèrent leur chemin.

— Vous ne surprendrez jamais Uttley à défendre de grandes causes. Cela étant, il verrait sans déplaisir l'exécution de deux ou trois Fenians; il se lance aussi dans de grandes diatribes contre l'anarchie, mais cela, nous en sommes tous capables.

1. Un gouvernement autonome pour l'Irlande. *(N.d.T.)*

— Et il critique sans cesse la police, remarqua Emily en jetant un coup d'œil à sa sœur. Oh, comme je le déteste !

Jack passa affectueusement un bras autour de sa taille.

— Ma chérie, il te fallait une sérieuse raison de le détester, avoue-le. Mais ses critiques incessantes me fournissent une bonne base d'argumentation. Quoique... après ce dernier meurtre... Selon toute vraisemblance, nous sommes en présence d'un fou furieux errant dans les rues de Londres. C'est le deuxième en deux ans. Et la police n'a toujours pas arrêté l'Éventreur.

Emily questionna sa sœur du regard. Celle-ci hocha la tête.

— Oui, il s'en occupe.

— Vous voulez dire que Thomas dirige l'enquête sur la mort du capitaine Oakley ? s'enquit Jack. A-t-il du nouveau ? Il est difficile d'interroger la famille. Lord Winthrop n'arrête pas de proférer des menaces à l'encontre de la police.

— Je ne crois pas qu'il s'agisse de l'œuvre d'un déséquilibré, murmura Charlotte. D'après ce que nous savons, ce pourrait être une vengeance d'ordre privé. Voilà pourquoi nous sommes ici.

— Thomas est-il au courant de votre venue ? demanda Jack.

— Bien sûr que non ! répliqua Emily. Nous lui en parlerons lorsque nous aurons appris quelque chose d'intéressant — ce qui ne saurait tarder.

En une petite phrase, elle avait trouvé le moyen de se glisser dans l'aventure ! Vespasia en prit note, mais s'abstint de tout commentaire.

Ils ne purent poursuivre la conversation. Quand on parle du loup... Nigel Uttley s'avançait vers eux, avec une nonchalance certainement destinée à masquer un tempérament fougueux.

— Lady Cumming-Gould, fit-il avec une légère révérence. Monsieur le juge... Mrs. Radley...

Il attendit qu'on lui présentât Charlotte.

— Ma sœur, Mrs. Pitt, déclara Emily.

— Je suis enchanté, Mrs. Pitt, fit Uttley avec un petit signe de tête. C'est très gentil à vous d'être venue soutenir la famille Winthrop en ces pénibles circonstances. Et son calvaire est loin d'être terminé... Si au moins nous avions une police capable d'arrêter le coupable ! Le fait même qu'un crime aussi abominable puisse se produire au cœur de la capitale nous en dit long sur son incompétence ! Mais rassurez-vous, après les prochaines élections, nous allons prendre les choses en main, conclut-il en regardant Jack avec un sourire que démentait le sérieux des propos.

— Oh, vous m'en voyez ravie, répondit Charlotte, essayant d'imprimer une expression admirative à sa voix. Ce serait merveilleux que de pareilles horreurs ne se reproduisent plus. Tout Londres vous en serait reconnaissant, Mr. Uttley, que dis-je, toute l'Angleterre !

Il haussa un sourcil surpris.

— Merci, Mrs. Pitt.

— Et comment comptez-vous vous y prendre ? enchaîna-t-elle en retenant sa respiration.

— Eh bien, euh... fit Uttley, un instant désarçonné.

— Voulez-vous davantage de forces de police ? Des hommes en patrouille chaque nuit dans les parcs ? Certains de nos compatriotes n'apprécieraient guère cette atteinte à leur vie privée. Mais bien sûr, seuls ceux qui auraient quelque chose à se reprocher y verraient un inconvénient.

— Je ne pense pas que la présence de patrouilles de police dans les parcs soit la réponse adéquate, Mrs. Pitt, répondit-il, heureux de pouvoir la contredire. Il faut que les criminels soient arrêtés et punis, de sorte que la loi soit à nouveau respectée par tous.

— Oui, vous avez sans doute raison, acquiesça-t-elle. Quelqu'un de votre rang, de votre compétence et de votre intelligence pourrait apporter la solution.

— Merci du compliment, Mrs. Pitt, mais je ne compte pas entrer dans la police. J'ai une carrière qui s'ouvre devant moi...

— Oui, de parlementaire... en supposant que vous gagniez les élections.

— En le supposant en effet, fit-il avec un large sourire et un coup d'œil à Jack.

— En attendant ce moment, Mr. Uttley, poursuivit Charlotte, auriez-vous l'obligeance de nous expliquer comment vous vous y prendriez ? Comment un homme habile, perspicace, connaissant la nature humaine et les rouages de la bonne société, comment un tel homme s'y prendrait-il pour interpeller pareil criminel ?

Un bref instant, Uttley parut mal à l'aise, puis son expression s'adoucit. Emily coula un regard en direction de Jack. Vespasia et Thelonius n'avaient pas bougé.

— Les fous sont difficiles à attraper, Mrs. Pitt. Ce n'est un secret pour personne. Nous avons besoin de policiers zélés, efficaces, d'hommes de terrain capables de repérer les individus au comportement bizarre ou dangereux dans leur secteur.

— Et s'il ne s'agit pas d'un fou ? s'enquit-elle d'une voix douce.

Cette fois-ci, Uttley ne se laissa pas prendre au dépourvu.

— Il doit y avoir à la tête de chaque commissariat un policier puissant et influent, comptant dans ses relations des hommes fidèles, eux-mêmes puissants et influents dans leur propre sphère d'activité, dit-il d'un ton raffermi. Je pense que vous me comprenez, madame, sans que j'aie besoin d'exprimer à haute voix des choses qui doivent demeurer discrètes.

Charlotte comprit parfaitement le sous-entendu ; elle regarda Jack et le vit serrer les dents. Thelonius Quade avait pâli.

Le sourire de Nigel Uttley s'élargit.

Charlotte aurait sans doute mieux fait de se taire, mais elle s'entendit poursuivre :

— Vous doutez donc de la loyauté des policiers en place, Mr. Uttley ?

Un éclair d'exaspération passa dans le regard de celui-ci.

— Non, Mrs. Pitt, répondit-il en faisant un effort visible pour rester aimable. Je parlais de gens qui ont...

Il s'interrompit pour chercher le mot juste.

— ... qui ont une certaine influence dans toutes sortes de domaines, ou, disons, un sens du civisme et des responsabilités qui va au-delà du simple devoir.

Il se détendit, content de sa tournure de phrase.

Dans la pièce, le bourdonnement des conversations s'était intensifié. On entendait des verres s'entrechoquer et le discret murmure des domestiques circulant avec des plateaux.

— Je vois, dit Charlotte en ouvrant de grands yeux innocents. Des hommes unis par la promesse tacite de livrer des informations supposées rester secrètes, c'est cela ?

Nigel Uttley devint écarlate.

— Pas du tout ! Vous m'avez mal compris !

— Vous m'en voyez désolée, dit-elle d'un air faussement contrit qui ne trompa pas son interlocuteur. Vous devriez mieux m'expliquer. J'ai l'esprit assez lent...

— Vous n'êtes peut-être pas familiarisée avec ce sujet, dit Uttley, dont le sourire avait presque complètement disparu. Il ne se prête à aucune explication.

Charlotte baissa les yeux et regarda Jack à travers ses cils. Celui-ci arborait un charmant sourire, mais, sous son aisance apparente, il était très attentif.

— Il faudra mieux vous expliquer pendant la campagne électorale, sans quoi vous plongeriez vos électeurs dans la perplexité, observa-t-il d'un ton léger. Vous ne souhaitez certainement pas que l'on pense que vous vous faites l'avocat d'une sorte de société secrète...

Uttley rougit de plus belle. Sa bouche n'était plus qu'une ligne mince. Vespasia ne le quittait pas des yeux.

Thelonius retint sa respiration. Emily les regarda tour à tour.

À l'autre bout de la pièce, quelqu'un laissa tomber un verre.

— Mais non, Jack ! s'exclama Charlotte. Qui aurait l'idée de se faire l'avocat d'une société secrète en pleine campagne électorale ? Elle ne serait plus secrète, n'est-ce pas, Mr. Uttley ?

— Oui, marmonna-t-il. Cette conversation tourne à l'absurde. Je disais seulement qu'avec les bonnes personnes en place, la police se ferait mieux respecter, et de plus, la population coopérerait avec elle. Même une personne... naïve peut comprendre cela, non ?

— Je peux le comprendre, en effet, répondit Charlotte.

Uttley chercha ses mots, bredouilla et se tut.

— Quel type d'homme ferait l'affaire ? poursuivit-elle. Un gentleman saurait-il s'y prendre pour arrêter des voleurs et des faussaires ? Aurions-nous besoin de deux polices, l'une pour les délits ordinaires, l'autre pour des crimes présentant un caractère particulier ? Mais comment distinguer a priori les auteurs des uns et des autres ?

— Pardonnez-moi, madame, mais votre raisonnement est la preuve que les femmes sont faites pour s'occuper de leur foyer, élever leurs enfants et donner à leur époux l'énergie qui lui permet d'affronter le monde du négoce et de la finance. Les femmes ont un cerveau différent du nôtre, selon la volonté de Dieu, et pour le bonheur de l'humanité. À présent, conclut-il avec un sourire mécanique, si vous voulez bien m'excuser, je vois Landon Hurlwood, là-bas. J'ai deux mots à lui dire. J'ai été ravi de vous rencontrer. Lady Cumming-Gould, Mr. Quade, Mrs. Pitt...

Et, sans attendre de réponse, il s'inclina et tourna les talons.

Charlotte émit un grognement furibond.

— Et voilà ma chère, plaisanta Emily, tu n'as plus

qu'à rentrer chez toi, sortir ta boîte à couture et faire cuire ton pain. Et surtout ne réfléchis pas trop. Ce n'est pas féminin et ton cerveau ne le supporterait pas !

Jack prit impulsivement sa belle-sœur par l'épaule.

— Charlotte, en vous entendant, on sait tout de suite que vous avez un don naturel pour le débat politique ! Si j'arrive à faire aussi bien que vous, je le battrai à plates coutures !

— Vous vous en ferez un ennemi redoutable, remarqua Thelonius d'une voix douce. Ce n'est pas un homme dont on se moque impunément. Le battre aux élections ne sera pas une mince affaire. Les gens riront avec vous, mais pas nécessairement parce qu'ils comprendront ce que vous dites. De toute évidence, Uttley fait partie du *Cercle intérieur*. Il fera appel à lui pour l'aider à vous battre, s'il le juge nécessaire.

Le sourire de Jack s'évanouit.

— Je m'en doute... Mais je refuserais même d'être nommé Premier ministre, si je devais pour cela appartenir à leur société secrète.

— Il se peut que vous n'arriviez à rien, si vous n'en faites pas partie, répondit le juge Quade. Mais si vous refusez leur offre, je vous promets de vous soutenir, dans la mesure de mes modestes moyens.

— Merci, monsieur, fit Jack. C'est un honneur pour moi que d'accepter.

Emily lui prit le bras et le serra avec force. Vespasia se rapprocha de Thelonius. Une lueur de fierté brillait dans ses yeux.

Charlotte se retourna et suivit des yeux Nigel Uttley qui se dirigeait vers la haute et élégante silhouette de Landon Hurlwood ; celui-ci lui sourit en le reconnaissant, comme s'il retrouvait un vieil ami. Uttley entama la conversation, Hurlwood lui répondit, mais ils étaient trop loin pour qu'elle puisse distinguer leurs propos. Ils s'interrompirent pour saluer un invité qui passait à leur côté, puis se remirent à bavarder avec animation.

L'assistance se tut quand Lord Winthrop réclama le silence. Il remercia brièvement ceux qui étaient venus honorer la mémoire de son fils, dont la disparition était une perte non seulement pour sa famille et ses proches, mais pour le pays tout entier. Il y eut des murmures d'assentiment, des hochements de tête et aussi quelques échanges de regards embarrassés.

Charlotte jeta un coup d'œil discret en direction de la veuve, qui avait ôté son voile ; elle se tenait à côté de son frère, très pâle, le menton relevé, le visage vide de toute expression. Était-elle encore sous le choc, ou bien dénuée d'émotion au point d'être indifférente à la mort atroce de son époux ? Possédait-elle une maîtrise surhumaine ? Ou y avait-il d'autres émotions cachées, qui l'effrayaient et qu'elle n'osait montrer, de peur de se trahir ?

Le seul geste indiquant qu'elle avait entendu les paroles de son beau-père fut le lent mouvement de sa main qui remonta le long de sa robe pour agripper celle de son frère. Lui aussi offrait un visage impénétrable. Son regard bleu clair était posé sur Lord Winthrop ; Charlotte n'y lut nulle douceur et encore moins de chagrin. En revanche, sa large main serrait fort celle de Mina.

Charlotte se surprit à observer une autre femme, blonde, celle-là, dont les cheveux brillaient à la lumière. Elle dévisageait Lord Winthrop avec une extrême attention, buvant littéralement ses paroles.

— Qui est-ce ? chuchota Charlotte à l'oreille de sa sœur.

— Aucune idée. Je l'ai déjà vue en compagnie de la veuve. Elles semblent très intimes. Ce doit être une amie de la famille.

— En tout cas, elle paraît beaucoup plus émue qu'elle.

— Elle était peut-être amoureuse du capitaine, suggéra Emily. C'est peut-être un début de piste pour Thomas...

— Une maîtresse ?

— Chut ! souffla une dame très maigre qui se retourna pour les foudroyer du regard. Vraiment, quel sans-gêne ! ajouta-t-elle en haussant le ton.

— Taisez-vous, voyons ! lui lança une autre dame, un peu à sa gauche.

— Oh, ça alors, c'est la meilleure ! suffoqua la dame maigre.

Les valets passèrent avec des plateaux chargés de vin de Madère, lourd et sucré, pour les hommes, et de vin blanc léger ou de citronnade, pour les dames.

Emily fit une petite grimace et prit un verre de vin blanc. Charlotte hésita, puis opta pour la citronnade, songeant qu'elle devait garder l'esprit clair.

— Emily, il faut que je parle à cette femme blonde. Comment m'y prendre ?

— Rien de plus simple. Il suffit d'être directe. Suis-moi.

Sans lui demander son avis, elle passa devant un groupe d'officiers à la retraite, et marcha droit vers Thora Garrick.

— Mrs. Waters ! s'exclama-t-elle d'un air ravi. Moi qui espérais tant vous revoir — pas dans d'aussi tristes circonstances, bien entendu —, comment allez-vous ?

Thora la regarda d'un air inquiet, puis, devant ce visage souriant, répondit d'un ton embarrassé :

— Je crains que vous ne fassiez erreur, madame. Je m'appelle Thora Garrick. Je suis l'épouse de feu Samuel Garrick, lieutenant dans la marine de Sa Majesté. Vous avez peut-être entendu parler de lui ?

Emily se confondit en excuses.

— Mon Dieu, je suis navrée. Je dois avoir des problèmes de vue. Oui, à présent je me rends compte que vous n'êtes pas Mrs. Waters. Elle est plus petite et plus âgée que vous — soit dit entre nous —, mais vous avez le même teint de blonde, si éclatant !

Thora rougit de plaisir, sans savoir que répondre.

Emily s'empara du bras de Charlotte.

— Connaissez-vous ma sœur, Mrs. Charlotte Pitt? Non, bien sûr, si vous vous connaissiez, elle m'aurait empêchée de dire une bêtise!

— Enchantée de vous connaître, Mrs. Pitt, fit Thora, un peu nerveuse.

— Comme je suis bête! reprit Emily. Si vous n'êtes pas Mrs. Waters, vous ne me connaissez pas non plus. Je me présente : Emily Radley. Je suis ravie de faire votre connaissance — si vous le voulez bien...

— Moi aussi, je suis très heureuse de vous rencontrer, dit Thora, qui pouvait difficilement dire autre chose.

Emily la gratifia d'un lumineux sourire.

— C'est très gentil à vous! Surtout en ce triste jour. Étiez-vous liée avec le capitaine Winthrop, ou ma question est-elle trop indiscrète?

— Pas du tout. Je le connaissais depuis fort longtemps. Il servait dans la marine royale, comme mon pauvre mari. C'étaient deux hommes d'exception. Ils excellaient dans tous les domaines, de l'esprit comme du corps. L'un et l'autre avaient un grand sens du devoir. Vous comprenez ce que je veux dire?

— Tout à fait, répondit Emily. Des hommes qui ne se détournent jamais de la voie qu'ils ont choisie, quelles que soient les tentations qu'ils rencontrent sur leur chemin.

Le visage de Thora s'éclaira.

— C'est exactement cela! En mer, une erreur peut coûter des vies, répétait toujours mon pauvre Samuel. Avec lui, tout devait être fait comme il le fallait, au millimètre et à la minute près. Et ce cher capitaine Winthrop lui ressemblait. J'aime les hommes qui commandent, pas vous? Où irait le monde, si nous naviguions à vue, suivant notre intuition, en espérant que les choses se passeront au mieux, comme hélas, j'ai tendance à le faire...

— Le monde serait peuplé d'artistes, répondit Emily. Vous deviez beaucoup apprécier le capitaine Winthrop, s'il partageait tant de qualités avec votre défunt époux?

— Je le tenais en très haute estime, en effet. La preuve, il était le parrain de mon fils, Victor. C'est lui, là-bas.

Elle sourit et se tourna vers sa gauche pour désigner un jeune homme blond, comme elle, qui tenait son violoncelle contre lui. Mais leur ressemblance s'arrêtait là. Autant la sensibilité de la mère était nourrie de sérénité et d'assurance, autant celle du fils paraissait à fleur de peau, pleine de douleur et de désillusion.

— Va-t-il jouer ? demanda Charlotte avec intérêt.

— Mina Winthrop le lui a demandé. Il est heureux de pouvoir, à sa façon, contribuer à adoucir sa peine. Victor aime beaucoup Mina.

— C'est très gentil à elle d'avoir songé à le lui demander, souligna Emily. Cela veut dire qu'elle pense aux autres, malgré son chagrin. J'admire une telle attitude.

— Moi aussi, renchérit Charlotte. Je la connais à peine, mais cela me la rend très sympathique.

— Il faut que je vous la présente ! s'enthousiasma Thora. Après la musique...

Elle s'interrompit car l'assistance s'était tue en voyant le jeune homme lever son archet. Tous les regards se tournèrent vers lui, peut-être davantage par courtoisie que par réel désir de l'écouter ; mais dès que son archet caressa les cordes, il sortit de l'instrument un son dont la pureté et la tristesse firent frémir l'auditoire. Il ne déchiffrait pas de partition, mais jouait de mémoire une mélodie qui semblait surgir du plus profond de lui-même et évoquer de lointains et douloureux souvenirs.

Un paisible sourire effleurait les lèvres de Mina Winthrop tandis qu'elle l'écoutait jouer. Le morceau déchirant ne lui arrachait pas de larmes. Sans doute avait-elle trop pleuré, songea Charlotte, ou était-elle encore anesthésiée par le choc.

Lord Winthrop semblait contrôler son émotion avec difficulté. Lady Winthrop n'y parvint pas : les larmes se mirent à couler sur ses joues. Ses deux voisines se rapprochèrent d'elle, pour la soutenir.

Thora Garrick, à côté de Charlotte, se tenait très droite, rayonnante de fierté, comme si son fils jouait la sonnerie des morts, plutôt qu'un impromptu pour violon seul.

— Il est très doué, murmura Charlotte, dès que la dernière note se fut envolée. Son jeu est vraiment inspiré.

— J'avoue que je ne l'avais jamais entendu jouer aussi bien, fit Thora, un peu surprise. À la maison je l'entends surtout faire ses gammes. Mais il faut dire que Victor était très proche du pauvre capitaine Winthrop. Oakley lui faisait penser à son pauvre papa, décédé en mer il y a sept ans, précisa-t-elle d'une voix lourde d'émotion, le regard fixé dans le lointain. Victor n'avait que dix-sept ans. C'est terrible pour un enfant de grandir sans son père, Mrs. Pitt.

Elle secoua légèrement la tête.

— Terrible. Le pouvoir de l'exemple est si grand, n'est-ce pas ? En dépit de tout son amour, une mère ne peut inculquer à un fils la virilité, l'honneur, la dévotion pour le travail et, par-dessus tout, la maîtrise de soi.

Charlotte n'avait jamais réfléchi à la question. Elle n'avait pas eu de frères, et son fils Daniel était encore bien trop jeune pour qu'on lui enseignât ces mâles vertus.

D'ailleurs, Thora ne semblait pas attendre de réponse.

— Le pauvre Oakley a tenté de lui inculquer toutes ces valeurs, poursuivit Thora. Il l'encourageait, lui racontait les hauts faits de la marine royale ; il l'aurait aidé à obtenir un poste de commandement si Victor l'avait souhaité, conclut-elle avec une pointe d'agacement douloureux.

— Je vois que vous aimiez beaucoup le capitaine Winthrop, murmura Charlotte.

— Oh oui ! Je ne pouvais m'en empêcher. Il ressemblait tellement à mon pauvre mari. J'ai eu bien de la chance d'avoir connu ces deux hommes-là. Je rappelle sans cesse à Victor quel père extraordinaire était Samuel, car je crains que, le temps passant, il ne finisse par l'oublier.

Avec toute autre, Charlotte aurait immédiatement sauté à la conclusion que Thora Garrick avait été la maîtresse du capitaine Oakley, mais l'admiration qu'elle lisait dans ses yeux semblait tout à fait innocente.

Mina Winthrop était-elle consciente de cette ferveur idolâtre? L'avait-elle prise pour de l'amour? Sous ses airs doux et fragiles, était-elle jalouse comme une tigresse? Et son frère? Charlotte fit le tour de la pièce du regard, à la recherche de Bart Mitchell; elle l'aperçut dans l'ombre de l'un des piliers soutenant la tribune des musiciens, dans un angle de la salle. En suivant son regard, elle s'aperçut qu'il observait Thora Garrick.

S'était-elle trompée sur l'innocence de celle-ci? Le capitaine Winthrop avait-il cédé devant la folle admiration qu'elle lui vouait? Bart Mitchell s'en était-il aperçu?

Elle fut justement interrompue dans ses réflexions par Thora, qui posa la main sur son bras.

— Venez, je vais vous présenter Mina, chuchota-t-elle, alors que l'auditoire applaudissait la performance de Victor, après l'exécution d'un deuxième morceau. Je suis sûre que vous la trouverez charmante. C'est la femme la plus désintéressée qui soit.

Mina parut en effet ravie de rencontrer Charlotte de façon moins formelle qu'à la sortie de l'église. Au bout de quelques minutes, elles se retrouvèrent en train de parler d'ameublement et de décoration intérieure, domaines auxquels la jeune femme paraissait particulièrement s'intéresser.

Une demi-heure plus tard, après s'être restaurée au buffet, Charlotte alla rejoindre sa sœur.

— Alors, as-tu appris quelque chose? s'enquit celle-ci.

— Non, je ne crois pas. Disons qu'il s'agit de premières impressions. Je ne peux m'empêcher d'apprécier Mina Winthrop.

— Être sympathique, hélas, n'est pas synonyme d'innocence, remarqua Emily. Le plus pénible des raseurs peut être innocent comme l'agneau qui vient de naître, s'agissant du crime proprement dit, tout en étant indirectement responsable d'autres désastres.

— Je ne soulevais pas la fascinante question de la culpabilité et de l'innocence, répondit Charlotte. Je sais que Mina peut être responsable de la mort de son époux, si par exemple elle a demandé à son amant de se débarrasser de lui. Si tu veux mon sentiment, Oakley Winthrop était le genre d'homme qui donne envie d'aller se changer les idées ailleurs. Un héros, au dire de Mrs. Garrick, dont les yeux brillent dès qu'elle évoque son nom. Elle l'associe toujours à celui de son défunt mari ; d'après elle, Winthrop a pris la place du père auprès de Victor.

Elle s'écarta pour laisser passer une très vieille dame.

— Ce garçon est un merveilleux violoncelliste. Je ne l'imagine pas en train d'arpenter le pont d'un navire en hurlant des ordres. Qu'en penses-tu ?

— Je le vois plutôt diriger un quatuor d'instruments à cordes, répondit Emily. Bon, eh bien, nous n'avons pas appris grand-chose, ajouta-t-elle, déçue. Ah si ! Ce Mr. Uttley est un odieux personnage, tellement sûr de lui ! Si seulement je lui connaissais une faiblesse cachée, je me ferais un plaisir de la colporter.

— Attention, la prévint Charlotte, inquiète. Si cela se savait, tu irais au-devant de graves ennuis.

— Je sais, je sais... Ah, s'il s'agissait de Mr. Hurlwood, sur celui-là, j'en ai appris de belles ! Évidemment, j'ignore si c'est la vérité.

— Est-ce si important ? Après tout, il ne se présente pas contre Jack.

— Non, rien de grave. Il aurait une maîtresse.

— C'est banal, fit Charlotte. Il est bel homme. Crois-tu que sa femme serait surprise d'apprendre qu'il entretient une liaison ?

— Elle est décédée récemment. Mais parlons d'autre chose, car tout cela n'est guère intéressant.

— Décris-moi plutôt l'épouse de Nigel Uttley.

— Il n'est pas marié.

— Encore une fois, fais attention, lui répéta Charlotte. Jack a déjà refusé de devenir membre du *Cercle intérieur*. On ne le lui pardonnera pas : Mr. Uttley usera de toute son influence pour le battre, et par n'importe quel moyen. Ne lui donne pas une arme qu'il pourrait utiliser contre toi.

— C'est promis, répondit Emily d'un ton grave. Mais crois-moi, sœurette, Jack n'est pas le seul à être en danger. Ces gens n'aiment pas la police, à l'exception de ses membres qui appartiennent au *Cercle*. Ils mèneront aussi la vie dure à Thomas, puisqu'il n'en fait pas partie. Et l'affaire Winthrop se présente plutôt mal. Si l'assassin est un proche qui a voulu se venger de lui, une lourde tâche attend Thomas, et il ne doit espérer aucune indulgence, pas plus de l'opinion publique que du gouvernement, lequel ne peut se permettre de laisser filer un second criminel de l'envergure de Jack l'Éventreur.

— Tu as raison, soupira Charlotte. Nous devrions aller fouiner davantage dans la vie privée du capitaine Winthrop, des membres de sa famille, et de tous ceux qui sont ici présents.

— Tu peux compter sur moi !

4

Tom Iles était un trompettiste médiocre, mais plein d'enthousiasme. Rien n'aurait pu entamer sa joie d'aller jouer de bon matin, tandis qu'il avançait à grands pas dans Hyde Park, en direction du kiosque à musique; il chantonnait, en balançant l'étui en cuir qui contenait son instrument. Sa partition était pliée dans sa poche, ce qui la rendait plus difficile à déchiffrer, mais plus simple à transporter.

Il comptait bien être le premier arrivé au kiosque à musique; c'était d'ailleurs très souvent le cas. Et ce jour-là, il était encore plus en avance que d'habitude. La lumière de l'aube jetait des reflets turquoise sur l'herbe chargée de rosée. Des nuées de moineaux piaillaient dans les arbres.

Le trompettiste aperçut le contour octogonal du kiosque et allongea le pas en fredonnant. Il s'arrêta brusquement, surpris et agacé de constater qu'il n'était pas le premier arrivant : un homme somnolait sur l'une des chaises.

« Ça, c'est le bouquet! Que les indigents passent la nuit dehors, mais pas dans mon kiosque à musique! » songea Tom Iles, qui décida de lui dire sa façon de penser.

— Bonjour, monsieur! cria-t-il. Vous... vous ne pouvez pas rester là, voyez-vous. Vous êtes dans un kiosque à musique, et la répétition va commencer d'un moment à l'autre. Monsieur ? Vous m'entendez ?

L'homme était si penché en avant que l'on ne voyait pas sa tête.

— Monsieur ! répéta Tom Iles en gravissant la première marche du kiosque.

Mais il manqua la deuxième, sans raison : ses jambes cédèrent sous lui, et il tomba sur les mains, en se faisant très mal. Son cœur battait si fort qu'il sentait le sang cogner à ses tempes ; sa gorge était sèche.

Il se releva lentement. Oui, la vision de cauchemar était encore là. Il n'avait pas rêvé : l'homme assis n'avait pas de tête. Celle-ci se trouvait à ses pieds, un peu sur sa gauche, face contre terre. Dieu merci. Tom Iles ne vit que des cheveux noirs, striés de gris.

Il resta plusieurs minutes à genoux. Ses forces l'avaient quitté. Il tremblait comme s'il venait de soulever un énorme poids. Il eut envie de vomir.

Il devait bien y avoir un agent de police qui faisait sa ronde dans le parc. Le trouver, à tout prix. Mais d'abord se relever. Non, pas tout de suite. Attendre que les arbres cessent de tournoyer autour de lui et que la tempête dans son estomac s'apaise...


— Arledge, monsieur, annonça Tellman. Aidan Arledge.

Il était huit heures et demie du matin et Tellman, épuisé, était au rapport dans le bureau de Pitt.

— Découvert dans le kiosque à musique, ce matin à sept heures moins le quart, par un trompettiste arrivé en avance à sa répétition.

— Décapité, j'imagine ? Sinon vous ne seriez pas venu me prévenir si vite.

— Oui, monsieur. La tête tranchée, posée à ses pieds, expliqua Tellman avec quelque chose qui ressemblait à de la satisfaction.

— Qui est-ce ? demanda Pitt. Quel genre d'homme ?

— Grand, mince, environ cinquante-cinq ans. Distingué. Un gentleman. Des mains blanches et douces. Jamais travaillé de sa vie.

— Comment savez-vous son nom?

— Il avait un porte-cartes en argent, avec son nom gravé dessus, et contenant une demi-douzaine de cartes de visite au même nom.

— Une adresse?

— Non. Seulement le nom. Oh, avec une petite note de musique, ajouta Tellman avec mépris. Pourquoi imprimer une note de musique sur une carte de visite?

— Un chanteur, un compositeur, par exemple, suggéra Pitt.

Tellman partit d'un rire bref.

— En tout cas, pas chanteur de music-hall! Un costume très coûteux. Venant d'un des meilleurs tailleurs de Savile Row, et une chemise de chez Gieves, à coup sûr.

— De l'argent sur lui?

— Pas un penny. Seulement un mouchoir, un crayon et deux jeux de clés. Il a dû être détroussé. Personne ne sort sans avoir sur soi de quoi acheter un journal, des allumettes ou payer la course d'un cab.

Tellman lança un regard de défi à son supérieur.

— Drôle d'idée de lui avoir laissé son étui de cartes de visite, comme si on voulait qu'on sache son nom... Tiens, quand j'y pense, on lui a aussi laissé ses boutons de col.

— Il a peut-être été interrompu, fit Pitt d'un ton pensif. Mais je crois plutôt qu'il ne voulait pas s'embarrasser du porte-cartes; il est très difficile de vendre un tel objet, si le nom du propriétaire est gravé dessus.

— Sain d'esprit, grogna Tellman. Notre malade mental est curieusement sain d'esprit. Ça laisse à réfléchir: pourquoi n'a-t-il pas volé l'argent du capitaine Winthrop?

— Oui, cela donne à réfléchir. À beaucoup de choses, répondit Pitt.

Il plongea son regard dans les yeux marron, dénués d'expression, de son subordonné. Il décida de devancer la critique que celui-ci s'apprêtait à formuler.

— J'ai cru que le meurtre de Winthrop relevait de sa vie privée. Finalement, il s'agit peut-être d'un malade mental...

— Ah, vous êtes d'accord avec moi! fit Tellman en relevant le menton. L'affaire relève peut-être d'un travail de police de routine, non? Sauf, bien entendu, si notre déséquilibré est un gentleman...

Une expression amusée brilla dans ses yeux et s'évanouit.

— La folie peut affecter des gens de tous horizons, dit Pitt, sachant très bien qu'il ne répondait pas au sous-entendu. On rencontre moins de malades mentaux dans la bonne société qu'ailleurs, simplement parce que celle-ci est restreinte. Que dit le médecin légiste? Y a-t-il eu lutte?

— Non, aucune plaie, aucune égratignure, aucune contusion. Il a été frappé à la tête, comme Winthrop. C'est tout.

— Ses vêtements?

— Humides, par endroits. Comme s'il avait été couché par terre. De la boue, par-ci, par-là. Mais aucune déchirure. Pas de sang sur les vêtements, sauf au niveau du col, évidemment.

— Donc, celui-ci ne s'est pas défendu non plus, soupira Pitt.

— On dirait bien. Allez-vous nous laisser mener l'enquête, monsieur? avança Tellman d'un air innocent.

Sa façon de s'exprimer était toujours ambiguë, assez respectueuse cependant pour ne pas passer pour de l'insolence; et le sens réel était plein de rancœur et de défi. Tellman tentait de pousser Pitt à commettre une erreur qui lui ferait perdre son poste. Tous deux le savaient, mais Tellman l'aurait nié avec un grand sourire, si on l'en avait accusé.

— J'en serais ravi, répondit Pitt, soutenant son regard avec un égal défi. Hélas, je doute que le préfet de police m'y autorise. Lord et Lady Winthrop semblent avoir une certaine importance à ses yeux ; l'affaire réclame toute notre attention.

Il se carra dans son fauteuil.

— Je vous garde sur l'affaire. Vous avez déjà bien avancé. On ne décharge pas un officier de police d'une enquête lorsque l'on est face à des meurtres analogues. Il se peut que vous ayez remarqué, sans vraiment vous en rendre compte, un minuscule détail, trop infime pour l'avoir noté sur votre calepin, mais néanmoins très important. Sait-on jamais ? Un autre jour vous remarquez un autre détail et, comme dans un puzzle, les pièces s'emboîtent et tout s'éclaire.

— Oui, monsieur, répondit Tellman avec un sourire mauvais. Je suis sûr d'avoir le fin mot de l'histoire, d'une manière ou d'une autre.

— Parfait. Commencez par découvrir qui était Aidan Arledge et s'il peut y avoir un lien entre lui et le capitaine Winthrop.

— Ils se sont trouvés tous deux à Hyde Park au mauvais moment, voilà tout. Un malade mental ne demande pas à sa victime si elle connaissait la précédente.

— J'ai seulement parlé de lien, corrigea Pitt, pas de connaissance. Se ressemblaient-ils ? S'habillaient-ils de la même manière ? Passaient-ils tous les jours au même endroit, à la même heure ? Partageaient-ils les mêmes habitudes ? Avaient-ils des intérêts communs ? Pourquoi notre déséquilibré a-t-il choisi de supprimer ces deux-là, parmi tous les promeneurs du parc ?

— Laissez-lui du temps, fit sèchement Tellman. Il en a déjà décapité deux en deux semaines. À ce rythme-là, ça nous fait une cinquantaine par an — si cinquante personnes s'amusent encore à se promener dans le parc, ce qui m'étonnerait. Moi le premier, je ne m'y aventurerais pas.

Un vent de panique commençait en effet à souffler dans la capitale, se traduisant par une atmosphère de nervosité, de suspicion, de plaisanteries douteuses, comme lors des meurtres de Whitechapel. Tout inconnu, tout individu au physique peu ordinaire était regardé de travers.

— À quelle distance se trouve le kiosque à musique de l'endroit où l'on a retrouvé Winthrop ? demanda Pitt.

— Entre sept et huit cents mètres.

— A-t-il été tué dans le kiosque, là où votre trompettiste l'a découvert ?

— Non. Il n'y avait pas la moindre trace de sang. Pas d'herbe collée sous ses semelles, mais les pelouses n'ont pas été tondues depuis plusieurs jours, cela se voit. Je le vérifierai auprès du gardien du parc, ajouta-t-il avant que Pitt ait ouvert la bouche pour le lui demander.

— Le cou a-t-il été tranché net, comme pour Winthrop ?

— Non. La plaie n'est pas très jolie. À mon avis, l'assassin a dû s'y reprendre à deux ou trois reprises, fit Tellman avec une grimace de dégoût. Il faut une sacrée force pour décoller une tête. Il a peut-être eu de la chance, la première fois.

— Et vous dites qu'il a d'abord été assommé, lui aussi ?

— On dirait. Il y a un gros hématome à l'arrière du crâne.

— Un coup qui aurait suffi à lui faire perdre connaissance ?

— Je ne sais pas. Il faut voir ce qu'en dit le médecin légiste.

— Une idée de l'heure du décès ?

Tellman haussa les épaules.

— Autour de minuit, comme l'autre.

— Des témoins ?

— Pas encore, mais j'en trouverai, répondit Tellman d'une voix dure.

L'infortuné promeneur qui refuserait de coopérer allait passer un mauvais quart d'heure, songea Pitt.

— Envoyez un homme s'occuper de cela, et vous, rassemblez tout ce que vous pouvez sur la deuxième victime : adresse, profession, entourage, maîtresse...

— Très bien, monsieur. Le Grange s'en occupera.

— Non, je veux que ce soit vous.

— Mais c'est de la routine, Mr. Pitt ! protesta Tellman. Et en plus ça ne servira probablement à rien. Notre malade se moque bien de savoir qui il décapite ! Il ne l'avait sans doute jamais vu auparavant, et j'imagine qu'il ne connaissait pas son nom.

— C'est possible. Néanmoins, par respect pour la veuve, il vaut mieux qu'un officier supérieur aille annoncer la nouvelle.

— Bon, je m'en charge. À moins que vous ne souhaitiez le faire vous-même, monsieur, si l'homme était un personnage important...

— J'en aviserai en temps voulu, quand vous m'aurez apporté davantage d'informations sur le défunt.

Les traits de Tellman se durcirent.

— Bien, monsieur.

Et, sans attendre d'autres instructions, il tourna les talons, laissant Pitt profondément agacé et en colère.

Celui-ci resta longtemps assis dans son fauteuil, à réfléchir à ce nouveau crime qui venait infirmer la théorie qu'il avait échafaudée à propos de Winthrop, selon laquelle celui-ci avait péri par la main de l'amant de sa femme ou d'un marin se croyant victime d'une injustice. Aucun d'eux n'aurait assassiné une deuxième personne au hasard.

D'innombrables questions l'assaillaient : pourquoi Winthrop n'avait-il pas été détroussé ? Le meurtrier avait-il dû s'enfuir avant de pouvoir fouiller ses poches ? Où Aidan Arledge avait-il été assassiné ? Et pourquoi ?

Il lui était difficile de réfléchir dans ce bureau trop silencieux, trop confortable, où l'on pouvait interrompre ses réflexions à tout moment.

Il se leva et, sans prendre son chapeau, dégringola l'escalier, prévint le sergent de garde qu'il s'en allait et sortit dans Bow Street. Aussitôt imprégné des bruits familiers de la rue, il se sentit plus à l'aise. Il aimait marcher sans but parmi la foule des passants, des vendeurs à la sauvette, des marchands de quatre-saisons, des ménagères allant faire leurs courses, des crieurs de nouvelles à scandale.

Il tourna dans Drury Lane et passa devant des vendeurs de feuilletés chauds et des hommes-sandwiches ; une femme offrait des boissons mentholées, une autre vendait des fleurs. Tous le hélèrent, certains même par son nom. Pitt leur adressa un petit signe de reconnaissance, mais ne s'arrêta pas. Des cabs pressés se faufilaient entre de paisibles véhicules découverts dans lesquels des élégantes en promenade montraient leurs atours.

Il se dirigea vers le sud, vers le Strand. De grandes affiches annonçaient les futurs spectacles des music-halls, les différentes représentations théâtrales, les concerts et les récitals. Des noms magiques s'étalaient en lettres géantes : Ellen Terry, Marie Lloyd, Sarah Bernhardt, Eleonora Duse, Lillie Langtry...

Qui était donc Aidan Arledge et pourquoi l'avait-on si sauvagement assassiné, alors qu'il se promenait seul dans Hyde Park ? Non, pas nécessairement dans Hyde Park. Mais où ?

Un passant se heurta à lui, s'excusa sèchement et poursuivit son chemin.

— Hé, chef ! Le journal ? cria un gamin déguenillé. Macabre découverte dans le kiosque à musique de Hyde Park ! Encore un cadavre décapité ! Un fou furieux se promène en liberté dans les rues de Londres ! Que fait la police ? Hé, chef, vous le voulez ou pas ? Tout est écrit là-dedans !

Pitt tendit une piécette au gamin, prit le journal et s'appuya contre un mur pour le lire. L'article était aussi consternant que la une, du sensationnel, des conjectures et la sempiternelle critique de la police. On ne mentionnait pas, heureusement, le nom de la deuxième victime. Tellman avait eu la présence d'esprit de prendre l'étui de cartes de visite et de le garder pour lui. La veuve, s'il y en avait une, n'apprendrait pas le drame par la bouche d'un ami ou d'un domestique tombé par hasard sur les gros titres des journaux.

Il poursuivit son chemin sur le Strand. S'il s'agissait d'un déséquilibré tuant à l'aveuglette, on parviendrait à l'appréhender grâce à un minutieux travail de routine. Tellman excellait en ce domaine. « Mais moi aussi, nom d'une pipe ! » songea Pitt qui connaissait bien la pègre des bas-fonds et ses petits voleurs, faussaires, aigrefins, chefs de bande, tricheurs ou arnaqueurs. Eux auraient eu vent d'un malade échappé d'un asile.

Puis il se souvint que personne n'avait encore mis la main sur Jack l'Éventreur, dont le nom resterait sans doute à jamais tristement célèbre dans l'histoire de la criminalité. Quant à celui du commissaire en charge de l'enquête, il était désormais synonyme d'échec. Même le préfet de police Warren avait été contraint de démissionner.

Pitt se prit à souhaiter que Micah Drummond fût encore à la tête du commissariat de Bow Street. Tout avancement avait son revers : si l'on parvenait à arrêter le coupable, Tellman pourrait tirer la couverture à lui ; dans le cas contraire, Giles Farnsworth lui ferait porter le chapeau, à juste titre. C'est lui qui donnait les ordres et prenait les décisions.

Il rebroussa chemin, croisant au passage un revendeur de montres qu'il connaissait. Il le salua distraitement. Que faisait donc Winthrop dans un canot avec un inconnu ? Bon sang, il devait y avoir un lien entre lui et son assassin, si ce n'était entre lui et Arledge ! D'ailleurs, il lui fallait se renseigner au sujet de celui-ci. Il allongea le pas pour regagner son bureau au plus vite.

Le sergent de garde l'attendait.

— Vous avez de la visite, Mr. Pitt, dit-il d'un ton anxieux. Mr. Farnsworth veut vous voir. Il a pas l'air content du tout.

— Ça, je m'en doute, grogna Pitt. Merci de m'avoir prévenu.

Il respira un grand coup avant de gravir l'escalier, essayant de réfléchir à ce qu'il allait dire pour sa défense.

Farnsworth l'attendait, très élégant dans un manteau de laine peignée. Il avait pris place dans un fauteuil et ne daigna pas se lever en le voyant entrer.

— Bonjour, monsieur, fit Pitt en fermant la porte derrière lui.

— La journée s'annonce très mal, au contraire ! s'emporta Farnsworth. Avez-vous vu les gros titres des journaux ? Rien d'étonnant, remarquez : deux victimes décapitées en deux semaines. Nous avons un autre « Éventreur », Pitt, et que faites-vous ? Rien ! Sachez que je n'ai pas du tout l'intention de perdre mon poste pour un crétin pris d'une crise de folie meurtrière. Et d'abord, asseyez-vous ! Je vais attraper un torticolis à force de lever le nez pour vous parler.

Pitt s'installa à son bureau.

— Eh bien ? Où en êtes-vous ? Qui est cet Arledge ? Que faisait-il dans Hyde Park au milieu de la nuit ? Encore un qui fréquentait les prostituées ! L'assassin serait un puritain illuminé accomplissant on ne sait quelle vengeance divine, que cela ne m'étonnerait pas. Quoique, en général, les hommes qui ont ce genre d'idée fixe aient davantage tendance à tuer les filles que leurs clients.

— Nous ne savons rien sur lui, pour l'instant. J'ai chargé Tellman de s'en occuper.

— Tellman ? Voyons... ce nom me dit quelque chose. Ah, j'y suis ! Drummond en pensait beaucoup de bien. Un peu brusque, mais intelligent. Une bonne recrue. Qui d'autre s'occupe de l'enquête ?

Il fixait sur Pitt son regard bleu, pâle et dur.

— En ce moment même, une équipe fouille le parc et recherche des témoins. Mais à mon avis, nous aurons plus de chances ce soir.

— Ce soir ? releva Farnsworth, agacé. Vous ne pouvez pas vous permettre de perdre du temps ! Qu'est-ce qui vous prend ? Nom d'un chien, vous ne voyez donc pas que nous sommes au bord d'une explosion de violence ? Les gens ont peur. On parle d'anarchie, d'agitation, même de république ! Encore deux ou trois crimes non élucidés et les fauteurs de troubles vont en profiter pour mettre le feu aux poudres. Londres sera bientôt le théâtre de nouvelles émeutes ! Vous n'avez pas le temps d'attendre que les témoins viennent à vous. Nous n'avons plus le temps ! conclut-il en abattant son poing serré sur le bras rembourré du fauteuil.

— J'en suis bien conscient, monsieur, répondit Pitt d'un ton patient. Mais le moyen le plus sûr de mettre la main sur un témoin est d'interroger les habitués. Nous avons peu de chances de retrouver un promeneur occasionnel, sauf s'il se présente spontanément à nous. Tandis que nous avons toutes les chances de tomber ce soir sur un promeneur régulier.

— Oui, je vois, fit Farnsworth, toujours très tendu. Et quoi d'autre ? Il faut faire mieux que cela. J'imagine que personne n'a rien vu d'intéressant. L'assassin est certainement un pervers à l'esprit tordu, ce qui ne veut pas dire que c'est un imbécile. Vos vœux pieux ne suffisent pas, Pitt. Souvenez-vous de l'inspecteur Abilene avec Jack l'Éventreur. Regardez ce qui lui est arrivé.

— Pourtant, il avait fait du bon travail, lui fit remarquer Pitt, qui, sans avoir personnellement connu Abilene, savait que celui-ci avait tout mis en œuvre pour traquer l'Éventreur.

— Eh bien, vous avez intérêt à faire comme lui ! Et même davantage, si vous voulez garder votre poste.

— Nous recherchons le lieu du crime, reprit Pitt, furieux de ne pouvoir lui dire sa façon de penser.

— Que voulez-vous dire ? Il n'a pas été tué là où vous l'avez trouvé ?

— Non, il n'y avait aucune trace de sang. Pour l'instant, nous n'avons pas encore déterminé si le meurtre a été commis dans le parc, ou dans un tout autre endroit.

Farnsworth se leva d'un bond et se mit à arpenter le bureau.

— Et Winthrop ? N'a-t-il pas été décapité dans le canot ?

— Si. Il était penché par-dessus bord. Nous ne pouvons le prouver avec certitude, mais c'est très probable, étant donné l'emplacement, la taille et la profondeur de l'encoche toute récente faite dans le bois avec une lame. D'autre part, Winthrop avait de l'herbe coupée collée à ses semelles. Ses vêtements étaient secs et sa tête mouillée.

— Bon, une chose est certaine : Winthrop a été tué dans une embarcation. Je persiste à penser qu'il y a une histoire de prostituée là-dessous. Vous feriez bien d'interroger toutes celles qui travaillent dans le secteur. Inutile de me faire remarquer qu'il y en a des centaines. Je sais que plus de quatre-vingt mille femmes vendent leurs charmes dans la capitale. Il se peut que l'une d'entre elles ait vu quelque chose, ou même connaisse notre tueur. Au travail, Pitt !

Celui-ci acquiesça. L'idée n'était pas mauvaise. Les filles de joie avaient des territoires bien délimités, ce qui réduisait le nombre de celles qu'il devrait interroger. Winthrop avait pu aller au parc pour cette raison, à moins que l'occasion ne se fût présentée d'elle-même. C'était peut-être là la réponse à la question de savoir ce qu'il faisait dans un canot à minuit. Une prostituée pouvait lui avoir proposé un petit tour sur la Serpentine, avant de lui accorder ses faveurs. En tant que marin, Winthrop avait peut-être trouvé l'idée amusante.

— Eh bien ? reprit Farnsworth. Que disons-nous à la presse ? Nous n'allons tout de même pas suggérer que le capitaine de vaisseau Winthrop fréquentait les créatures du parc ! Nous serions traînés devant les tribunaux. Lord Winthrop s'est déjà plaint au ministre de l'Intérieur de la lenteur de l'enquête.

— Dites aux journalistes que le préfet de police adjoint a suggéré une piste fort intéressante, que la police s'efforce de suivre, et laissez-les découvrir de quoi il retourne. Si l'on vous pose des questions, ajoutez que vous ne pouvez rien dévoiler, faute de preuves suffisantes.

Farnsworth lança à Pitt un regard soupçonneux, ne sachant trop si celui-ci se moquait de lui.

Un léger coup à la porte évita à Pitt de fournir des explications supplémentaires. L'agent Bailey entra. Un homme grand, au visage triste, qui avait un goût prononcé pour les berlingots à la menthe. Il dévisagea Farnsworth avec appréhension.

— Que se passe-t-il, Bailey ? demanda Pitt.

— On a du nouveau sur Arledge, Mr. Pitt. C'était un musicien. Il dirigeait un petit orchestre. Il était assez connu dans le milieu de la musique.

— Bien joué, Bailey, le félicita Pitt. Vous avez été rapide.

Bailey rougit sous le compliment.

— C'est parce que sa femme s'est aperçue ce matin qu'il était pas rentré. Quand elle a entendu parler de quelqu'un à qui on avait coupé la tête, elle nous a fait appeler. L'agent du secteur a tout de suite compris qu'il s'agissait du mari, puisqu'elle s'appelle Arledge, la pauvre. Dulcie Arledge.

— Quel genre de femme ? intervint Farnsworth. Où habite-t-elle ? Que faisait Arledge quand il ne jouait pas de la musique ? Des gens riches ?

— Je ne sais pas, monsieur, mais il avait l'air très apprécié dans son milieu. Quant à Mrs. Arledge, c'est une vraie dame, qui parle bien, qui a des bonnes manières, bien habillée, très discrète...

— Quel âge a-t-elle, selon vous?

— C'est difficile de dire l'âge d'une dame, répondit Bailey, gêné.

— Oh, pour l'amour du ciel, vous avez bien une petite idée! s'impatienta Farnsworth. Quarante? Cinquante?

— Je dirais quarante, monsieur, mais très jolie. Le genre de personne avec laquelle on vivrait volontiers, si vous voyez ce que je veux dire.

— Non, je ne vois pas! aboya Farnsworth.

Bailey rougit à nouveau, l'air malheureux.

Pitt vint à son secours.

— Vous voulez dire une belle femme qui n'a pas conscience de sa beauté? Une personne qui gagne à être connue et que l'on apprécie chaque jour davantage?

Les traits de l'agent Bailey s'éclairèrent.

— Oui, c'est exactement ça, Mr. Pitt. Le genre de femme dont on ne se lasse pas.

— Bon, d'accord, elle est très séduisante, grommela Farnsworth. Ce qui n'empêchait pas son mari d'aller voir les putains du parc!

Bailey ne répondit. Il paraissait de plus en plus malheureux.

— Pitt! lança sèchement Farnsworth. Découvrez quelles étaient les habitudes d'Arledge, voyez s'il se rendait souvent seul à Hyde Park le soir, s'il avait des goûts... spéciaux. C'était peut-être un sadique, un pervers, qui se serait fait abattre par un souteneur. Oh, ne faites pas votre délicat! ajouta-t-il, voyant Pitt grimacer. Bon sang, mon vieux, vous connaissez la situation : votre incompétence occupe la une des journaux. Les candidats aux prochaines élections vont en faire leur cheval de bataille!

— Je pense seulement que des « goûts spéciaux », comme vous dites, rétorqua Pitt, n'inciteraient pas un maquereau à décapiter un client; il s'en moque, tant que le micheton paie et que la fille n'est pas trop amochée.

Farnsworth l'observa à travers ses lourdes paupières.

— Je suppose que vous vous y connaissez mieux que moi en matière de prostitution. Après tout, c'est votre domaine, fit-il avec une grimace de dégoût. Mais vous verrez, mon hypothèse est la bonne. Trouvez-moi ces femmes !

Sans un regard pour Bailey, il rajusta sa veste et quitta le bureau.

— Dois-je demander à Mr. Tellman de s'en occuper, monsieur ? demanda Bailey en sortant un sachet de berlingots de sa poche.

— Non. Je m'en occupe, Bailey. Vous, tâchez de trouvez l'endroit où Arledge a été assassiné et aussi comment on l'a transporté jusqu'au kiosque à musique. Une telle quantité de sang ne doit pas passer inaperçue, nom d'une pipe !

— Comment on l'a transporté ? s'étonna Bailey. Ben, on a dû le porter, je suppose. Quand vous venez de couper la tête à quelqu'un, un peu de sang sur vos habits, c'est pas ça qui vous dérange...

— C'est tout de même risqué, de se promener avec un cadavre sans tête dans un parc, remarqua Pitt. Et pourquoi l'avoir déplacé, au lieu de le laisser tout simplement là où il était ? Cela voudrait dire que le lieu du crime nous mènerait directement à l'assassin. Au travail, Bailey.

— Bien, monsieur. J'y vais de ce pas.

Pitt rentra chez lui pour troquer ses vêtements contre une veste trop grande, une chemise rapiécée, des bottes éculées, un pantalon élimé et un chapeau cabossé qu'il rabattit sur ses yeux. Ensuite il se rendit au nord de Hyde Park, dans un dédale de ruelles mal famées où il savait trouver les hommes, et surtout les femmes, qui pourraient le renseigner.

En cette fin d'après-midi de printemps, les nuages blancs s'effilochaient dans le ciel ; les dernières jonquilles du parc se balançaient dans le vent tiède. Des gouvernantes en robe de laine poussaient des landaus, suivies par des fillettes berçant des poupées au visage de porcelaine ou faisant rouler des cerceaux, et des garçonnets chevauchant des bâtons terminés par une tête de cheval et brandissant des épées de bois.

Bien qu'il fût en route pour interroger des souteneurs et des prostituées, Pitt marchait d'un pas allègre, tant il jouissait du bonheur de ne pas être enfermé dans un bureau, ni harcelé par des personnes toujours promptes à la critique.

Il quitta Edgware Road et tourna à gauche dans Cambridge Street; au milieu de la rue, il descendit l'escalier d'une courette et frappa à la porte située au sous-sol. N'obtenant aucune réponse, il frappa à nouveau, à deux reprises. Au bout d'une minute, la porte s'entrouvrit sur un œil et un nez.

— Qu'est-ce que vous voulez? Tiens, tiens... Mr. Pitt! Alors on se promène dans les bas quartiers? J'avais cru comprendre que vous faisiez partie du beau monde. Ils vous ont pas gardé? Bien fait pour vous! Faut pas jouer les gentlemen quand on en est pas un. J'aurais pu vous le dire. Vous êtes futé, mais ceux de la haute, ils aiment pas ça. Ils vous ont refilé les affaires sordides, hein?

La porte ne s'ouvrait pas d'un millimètre.

— C'est ça, grogna Pitt.

L'œil le détailla de la tête aux pieds.

— M'étonne pas. Vous êtes pas beau à voir. Qu'est-ce que vous me voulez? J'ai rien fait, moi. Je marche pas dans vos sales combines.

— Je cherche vos filles, lâcha Pitt, laconique. Celles qui travaillent dans le parc.

— Elles vous dérangent? Au moins, elles, elles s'amusent pas à couper la tête des gens. C'est pas bon pour le métier, ça. Et pourquoi qu'elles iraient couper la tête de leurs clients, je vous demande un peu? Si vous croyez ça, autant qu'ils vous remettent tout de suite à faire des rondes.

L'homme partit d'un gros rire creux.

— Allez-vous me laisser entrer, ou dois-je amener vos filles une par une au commissariat pour les faire parler?

— Vous êtes méchant et injuste, Mr. Pitt, gémit le maquereau, qui ouvrit néanmoins sa porte.

Pitt entra dans une pièce encombrée de chaises, de divans, de bureaux, de psychés, de tabourets rembourrés et d'une méridienne, tous ou presque tendus de tissu rouge ou rose vif. L'ensemble donnait une sensation étouffante et le sentiment que tout pouvait s'écrouler d'une minute à l'autre

L'homme qui se tenait au milieu de ce bric-à-brac était de taille moyenne, avec une barbe blonde hirsute et de longues moustaches. Sa figure toute maigre ne semblait pas appartenir au reste de son corps. Il avait des épaules voûtées, et tout son côté droit semblait ratatiné; son bras droit était plus court que le gauche.

Il scrutait Pitt de ses petits yeux rusés, sur ses gardes.

— La vie est injuste, déclara celui-ci d'un ton cassant. Mais il faut essayer d'en tirer le meilleur. Pensez que je pourrais vous envoyer l'inspecteur Tellman...

L'homme cracha. Ses yeux s'étrécirent.

— Un vrai bâtard, celui-là. Je l'enverrais bien au fond de la Tamise. Et je danserais sur sa tombe, avec plaisir.

Pitt omit de lui faire remarquer que ce serait là un tour de force.

— Quelles sont vos filles qui travaillent dans le parc en ce moment? N'en oubliez aucune; si je vois que vous m'avez menti, je me charge de vous faire inculper pour un maximum de délits.

L'homme eut un méchant rictus.

— C'est la promotion qui vous monte à la tête ou quoi? J'ai toujours su que vous étiez pas réglo.

— Balivernes. Vous avez toujours été condamné pour ce que vous méritiez. Alors vous me donnez gentiment la liste des filles qui travaillent dans le parc...

Pitt s'assit dans un fauteuil rembourré, croisa les jambes et se carra contre le dossier.

— Allez-y, je vous écoute. À propos, y a-t-il de la concurrence ?

L'homme laissa traîner son pouce le long de sa gorge avec un large sourire, mais voyant Pitt sourire à son tour, il pâlit.

— Ah non, là vous m'aurez pas. Je l'ai jamais fait. Je sais me débarrasser de la concurrence sans employer les grands moyens. Et si je le faisais, ça se passerait pas dans le parc. Je veux pas faire fuir la clientèle ! Je gagnerais plus ma vie si les gentlemen osaient plus venir s'amuser. Je suis pas idiot, moi, et si...

— Il est possible que vos filles aient vu quelque chose, l'interrompit Pitt, agacé. Elles ont peut-être remarqué un individu louche, un type avec des goûts bizarres, quelqu'un qui se promène avec un coutelas...

— Non. Y a pas de type plus bizarre que d'habitude. Les gentlemen qui viennent s'amuser ont tous des goûts différents.

— Qui pourraient les mener trop loin ? Et si une nouvelle n'était pas d'accord ?

— Elle lui aurait décollé la tête ?

— Pas directement.

— Moi, je suis pas derrière mes racoleuses. Les gentlemen aiment pas ça. Ils viennent incognito, enfin c'est ce qu'ils croient, qu'on les voit pas arriver. Et puis comment je m'y prendrais, hein ? Je me promène pas avec une hache !

Il prit une pose grotesque et déclama d'une voix de fausset en souriant de toutes ses dents cariées :

— Excusez-moi si je vous demande pardon, mon bon monsieur, mais mes filles aiment pas les choses que vous leur faites, alors si ça vous dérange pas de vous mettre à genoux dans l'herbe pour que je vous coupe le kiki, juste pour montrer aux autres qu'il faut pas avoir des idées malsaines...

— Les victimes ont d'abord été assommées, remarqua Pitt, tout en se disant que ce raisonnement ne manquait pas de logique.

— Ben, si je les avais estourbies, ça valait vraiment pas la peine que je me fatigue à leur décoller la tête ! riposta son vis-à-vis d'un ton méprisant.

— Vous, peut-être pas, mais quelqu'un l'a fait, en tout cas. Dites-moi le nom des filles qui travaillaient au parc ces deux nuits-là.

— Marie, Gert, Cissy et Kate.

— Allez les chercher.

L'homme n'hésita pas longtemps. Il disparut et revint quelques minutes plus tard, suivi de quatre femmes au visage blême et fatigué. À la lueur des réverbères, elles pouvaient tricher pour faire valoir leurs charmes, mais à la lumière du jour, leur teint était terreux, leurs cheveux ternes et emmêlés, leurs dents tachées et ébréchées. Kate, la plus dégourdie, une grande rousse décharnée, regarda Pitt sans aménité. Il lui donnait quarante ans, mais elle pouvait n'en avoir que vingt-cinq.

— Bert dit que vous cherchez le gus qui tue des gens dans le parc. On sait rien, nous.

Les trois autres filles acquiescèrent d'un hochement de tête.

— Mais vous vous trouviez dans le parc, reprit Pitt.

— Une partie de la nuit, oui, concéda Kate.

— Avez-vous aperçu quelqu'un sur la Serpentine aux environs de minuit ?

Ce n'était pas la première fois que Pitt rencontrait Kate. Il connaissait sa vie. Elle était cousette avant de tomber enceinte ; coudre des manteaux pour sept pence la pièce, et ce, quinze heures par jour lui permettait de gagner deux shillings et demi ; il fallait qu'elle paye de sa poche trois pence pour le façonnage des boutonnières et quatre pence pour les parements. Même en travaillant dix-huit heures par jour, elle n'aurait pas pu assurer sa subsistance et celle de son enfant. Sur le trottoir, elle gagnait en une heure l'équivalent de l'une de ses journées de travail. L'avenir? Elle s'en moquait.

Elle eut un sourire amusé.

— Non. Les types de la haute, ils aiment pas se faire remarquer, même s'ils ont envie d'une petite galipette en plein air; je sais pas si vous avez déjà essayé dans un canot, Mr. Pitt, mais je peux vous assurer qu'ils se retournent comme un rien et que vous vous retrouvez cul par-dessus bord en moins de deux.

Pitt lui rendit son sourire.

— Il fallait bien que je vous pose la question. Connaissez-vous le capitaine Winthrop?

— Vous voulez savoir si c'était un client?

— Oui, c'est ça. Ou bien si vous l'avez vu se promener.

— Je l'ai vu deux ou trois fois. Mais c'était pas un client.

Pitt poussa un grognement de dépit. Kate disait-elle la vérité? Elle le dévisageait avec une franchise suspecte.

— Écoutez, Mr. Pitt, fit-elle, soudain sérieuse, on a rien à voir là-dedans, je vous jure. Faut absolument que vous arrêtiez ce malade du surin. Wee Georgie aime bien manier le couteau, mais ça fait baisser les recettes, de devenir violent. Les gens osent plus venir nous voir et nous, on aura bientôt plus rien à manger. Et c'est pas la peine de nous demander si on connaît le tueur. On le connaît pas. Pas vrai, les filles?

Cissy repoussa une mèche de cheveux blonds qui lui tombait sur les yeux et hocha la tête.

— Nous, ce type, on l'aime pas plus que vous, dit-elle en suçotant une dent cariée, ce qui eut pour effet de la faire grimacer de douleur. Les clients sont effrayés. Ils osent plus venir par ici.

— Ouais, renchérit Gert. Et on peut pas changer de coin. Fat George nous ferait la peau, si on empiétait sur son secteur. J'ai pas peur de lui, ajouta-t-elle en frissonnant, c'est qu'un gros tas de graisse, mais Wee George, lui, c'est un méchant ; il lui manque une case. Rien qu'à sa façon de vous regarder, il vous fout les jetons.

— Ouais, c'est vrai, grimaça Cissy en rentrant la tête dans les épaules.

— Mais je vois pas pourquoi il serait allé couper la tête d'un client, insista Kate. Vrai, Mr. Pitt, on a vu personne de bizarre dans le bois, ces derniers temps. Y a personne qui dort à la belle étoile, hein, les filles ?

Les trois autres secouèrent vigoureusement la tête.

— Ça veut pas dire qu'il y en a pas qui essaient, mais le gardien du parc, il rigole pas. Il les fait tous déguerpir. Et puis, y a les roussins qui font leur ronde. C'est aussi à cause d'eux que les types de la haute, ils aiment pas trop venir. Ils auraient l'air de quoi, s'ils se faisaient pincer par la rousse ? En fait, avec les clients, on se contente de faire connaissance.

Pitt ne leur demanda pas si elles avaient vu Aidan Arledge. Sa description correspondait à celle de centaines d'hommes traversant Hyde Park tous les soirs.

— Avez-vous remarqué quelque chose d'anormal la nuit du second meurtre ? demanda-t-il, sans trop d'espoir.

Kate haussa les épaules.

— Une occasionnelle est venue travailler sur notre secteur. Cissy lui a arraché une poignée de cheveux...

— C'est pas vrai ! protesta la fille blonde. Je voulais juste la prévenir gentiment.

— Êtes-vous sûre qu'il s'agissait d'une occasionnelle ? releva Pitt. Pas d'une régulière dont le souteneur aurait pu...

Il s'interrompit, jugeant le scénario trop fantaisiste. Kate lui lança à nouveau un regard amusé.

— On a vu personne d'autre, excepté nos habitués.

— Vraiment personne ?

— Un roussin est passé deux fois, mais lui, il nous embête pas, du moment qu'on racole pas ouvertement les respectables promeneurs. C'est pas un mauvais bougre. Il sait qu'on doit manger, comme tout le monde.

— Qui d'autre ? Réfléchissez, Kate ! En ce moment, quelqu'un se promène avec une hache ou un coutelas...

— Arrêtez de répéter tout le temps la même chose ! J'ai vu des gentlemen tout ce qu'il y a de plus ordinaire — un ou deux un peu pompettes —, un roussin, un jardinier avec sa brouette... Tout était tranquille, je vous dis.

— Eh ben, on sera encore plus tranquilles, si plus personne ose entrer dans le parc ! intervint Gert d'un ton coléreux. Vous pourriez pas arrêter ce malade, qu'on puisse travailler en paix ? On n'est plus en sécurité ! Je croyais que les cognes étaient censés surveiller le parc ?

— Le parc, oui. Peut-être pas les dames de petite vertu.

Kate se mit à rire. Gert fit la grimace.

Pitt regarda les quatre filles tour à tour.

— L'une d'entre vous travaillait-elle près du kiosque à musique ?

Elles secouèrent la tête. Comment savoir si elles disaient la vérité ? Mais pourquoi mentiraient-elles ? Un cadavre ne passe pas inaperçu. Tôt ou tard, quelqu'un aurait parlé.

Il les remercia et quitta la maison, passant devant Bert, le souteneur, qui, pour une fois, semblait bien curieux. Il craignait pour ses affaires, seule chose ayant un intérêt à ses yeux. Pitt l'ignora et sortit dans la rue. Il n'avait rien contre ces femmes qui vendaient leur corps pour survivre. Leur histoire se ressemblait : beaucoup étaient arrivées de la campagne pour se faire embaucher comme bonnes à tout faire. Et puis une accusation, justifiée ou non, d'immoralité, de vol, même si la patronne avait égaré une broche, une boucle d'oreille, un peigne en écaille ; la fille se retrouvait sur le trottoir, sans références. On leur accordait rarement une seconde chance. Et combien de jolies soubrettes avaient perdu leur emploi, renvoyées par des femmes jalouses de voir leur époux leur tourner autour ?

Certaines trouvaient que le travail dans les ateliers de

confection, les fabriques d'allumettes ou sur les marchés était trop dur. Bien sûr, il y avait de grands risques de maladie à faire le métier de prostituée, mais, au moins, elles ne mouraient pas de faim.

En revanche, Pitt haïssait les proxénètes, comme Bert, ou Fat George. Quant à Wee Georgie, ce sadique pervers, l'annonce de sa mort ne l'aurait pas troublé outre mesure.

Tout à ses pensées, il descendit Edgware Road et s'arrêta pour manger un sandwich et boire du thé chaud ; puis il reprit son chemin en flânant, à l'écoute des papotages, des potins, des marchandages, des disputes des chalands ; par deux fois, il entendit prononcer le mot « Bourreau » et comprit qu'en dépit du soleil printanier et des joyeuses plaisanteries, le petit peuple de Londres avait peur.

Y avait-il un fou en liberté dans les rues de la capitale, ou bien un lien secret, hideux, avait-il scellé la destinée du capitaine de vaisseau et du chef d'orchestre ?

Il accéléra le pas, au point que les passants commençaient à s'écarter sur son passage en bougonnant.

— Hé ! s'écria un badaud, gouailleur. L'incendie de Londres, c'était en 1660 ! Vous allez être en retard !

— En 1666, imbécile, grommela Pitt, sans ralentir l'allure mais content de lui rabattre son caquet.

Arrivé à Bow Street, il trouva Le Grange qui l'attendait. Celui-ci écarquilla les yeux devant sa tenue.

— Tout va bien, monsieur ? On dirait que...

— Je vais très bien, merci, Le Grange, fit Pitt en s'asseyant derrière son bureau. Vous avez quelque chose à m'annoncer ?

— Oui, monsieur. Enfin, Mr. Tellman m'a dit de venir vous dire qu'il y avait rien de nouveau pour le moment.

— Il a dit cela ? s'exclama Pitt, irrité. Si je comprends bien, il n'avance pas ?

C'était une chose qu'il n'avait jamais faite : envoyer

un subordonné chez un supérieur pour lui faire part des progrès d'une enquête.

— Oh, non, monsieur, c'est pas ce que je voulais dire. Mr. Tellman n'a pas arrêté de la journée. Il a interrogé le trompettiste qui a découvert Arledge, mais il ne sait rien de plus. Il a aussi posé des questions au gardien du parc, comme pour la fois précédente. Le pauvre, il était terrifié.

— Par Tellman ou par le fou?

Le Grange réfléchit avec le plus grand sérieux avant de déclarer :

— Par Mr. Tellman, je crois, monsieur, puisque le fou n'était pas là.

— Quoi d'autre?

Le Grange prit une profonde inspiration.

— Si je peux me permettre, monsieur, je vous dirais de laisser Mr. Tellman mener les interrogatoires. Il sait vraiment bien s'y prendre. Il perd pas son temps en amabilités. Avec lui, personne n'ose mentir, il le tolérerait pas. Il a ses méthodes, monsieur, et c'est pas au commissaire de police de faire le travail de l'inspecteur.

— Je vois...

Pitt se sentit à la fois insulté et exclu de son propre service. Le Grange venait de lui dire, aussi clairement que son grade l'y autorisait, que Tellman faisait mieux son travail que lui.

— Vous êtes trop haut placé pour faire ça, maintenant, poursuivit Le Grange.

— Pas du tout, sergent. Les prostituées de Hyde Park m'ont appris des choses intéressantes, aujourd'hui. Elles sont persuadées qu'il ne s'agit pas d'un malade mental.

— Ah? fit Le Grange, poli, bien que son visage montrât la plus grande incrédulité. Moi, à votre place, j'écouterais pas trop ce qu'elles disent. L'honnêteté, c'est pas vraiment leur fort. Mr. Tellman dit qu'elles vendraient leur mère pour une demi-couronne. Encore une fois, vous m'excuserez, monsieur, mais vous êtes trop gentil avec elles. Elles vous mèneront par le bout du nez.

— Ce sont les paroles de Mr. Tellman, n'est-ce pas ?
Le Grange pâlit.

— Eh bien, oui... façon de parler. On est sur une sale
affaire, monsieur. On a pas le temps de prendre des gants
avec ces gens-là.

— Vous pensez qu'elles connaissent l'assassin, Le
Grange ? Ne croyez-vous pas qu'elles nous aideraient à
le retrouver, si elles le pouvaient ?

Le sergent parut soudainement amusé.

— Oh, non, monsieur. Là, vous vous trompez. Elles
nous détestent. Elles nous donneraient même pas l'heure,
si on la leur demandait.

— Non, Le Grange. C'est vous qui vous trompez, et
Tellman aussi, s'il est d'accord avec vous. Elles se
moquent bien de nous ; ce qui compte pour elles, et surtout pour les hommes qui les font travailler, c'est
l'argent. Et croyez-moi, notre Bourreau est très mauvais
pour leurs affaires.

Le Grange passa la langue sur ses dents, tandis qu'il
réfléchissait à la démonstration.

— Vous avez peut-être raison, dit-il au bout d'un
moment.

— J'ai raison, corrigea Pitt. Vous en parlerez à
Mr. Tellman, quand vous le verrez. À propos, avez-vous
trouvé des témoins ?

Le Grange, tout rouge, se mit à danser d'un pied sur
l'autre.

— Ben, on sait qu'Arledge était pas dans le kiosque à
musique à dix heures du soir. On a retrouvé une fille qui
y avait amené un client. Elle jure qu'elle a vu personne,
sinon elle aurait pas...

Il s'interrompit, gêné.

— Bien. Autre chose ?

— Non, monsieur. Mr. Tellman est allé voir la veuve.
Il dit que c'est une femme très respectable et très...

— Enfin, voyons ! s'exclama Pitt. À quoi vous atten-
diez-vous ? Qu'elle le reçoive en tenue affriolante, avec

une plume dans les cheveux ? A-t-il au moins appris à quelle heure Arledge était sorti de chez lui ? Et dans quel but ? Se promener, rencontrer quelqu'un, rendre visite à un ami ?

— Mrs. Arledge a dit que son mari était sorti prendre l'air vers dix heures et quart. Elle ne s'est pas inquiétée, dans la mesure où il allait souvent se promener dans Hyde Park quand il faisait beau. Ils habitent tout près.

— Où exactement ?

— Mount Street. Il n'avait qu'à traverser Park Lane pour se retrouver dans le parc.

— Je vois. Ensuite, qu'a dit Mrs. Arledge ?

— Elle se sentait fatiguée et est allée directement se coucher. C'est seulement ce matin qu'elle s'est fait du souci, ne le voyant pas descendre pour le petit déjeuner.

— Connaissait-elle le capitaine Winthrop ?

Le Grange fit grise mine.

— Comment ? Tellman ne le lui a pas demandé ?

— Il m'en a pas parlé, monsieur. Mais si c'est un fou qui coupe les têtes, ça a pas une grande importance.

— En effet. Mais si notre homme est sain d'esprit, cela change tout !

— C'est pas un homme normal, monsieur. Deux personnes décapitées ! Nous avons affaire à un malade.

— C'est l'opinion de Tellman !

— Oui, monsieur.

Le Grange prit enfin conscience de l'agacement de Pitt et chercha à se rattraper.

— Wee Georgie est peut-être allé trop loin, suggérat-il. C'est un as du couteau et il est vraiment sadique. Mr. Tellman dit qu'il aimerait bien le voir pendre au bout d'une corde.

— Moi aussi. Mais pas pour le meurtre du capitaine Winthrop. Attendons d'avoir une prostituée avec un couteau planté dans le dos.

— Ce pourrait être un coup de Fat George. Il est fort comme un bœuf.

— Selon vous, pourquoi aurait-il décapité deux gentlemen tout ce qu'il y a de plus ordinaire se promenant dans le parc?

— Ils étaient peut-être pas si ordinaires que vous le dites. Mr. Tellman dit que des fois, ils ont des drôles de goûts... Il en a connu un qui aimait que les femmes lui...

— Épargnez-moi les détails, Le Grange, l'interrompit Pitt, et dites-moi si on l'a assassiné.

— Euh, non. Il a juste dû payer le double.

— C'est bien ce que je me tue à vous démontrer! Le meurtre est mauvais pour les affaires des proxénètes. Et Fat George est d'abord et avant tout un homme d'affaires. Cherchez à en savoir plus sur Aidan Arledge et surtout trouvez le lieu du crime. Compris?

— Bien, monsieur.

Le Grange battit précipitamment en retraite. Pitt se demanda si un jour les hommes de son service lui accorderaient autant de confiance qu'à Tellman. La bonne humeur qu'il avait ressentie en marchant dans les rues parmi la foule s'était envolée. Il se sentait pris dans un étau, entre Farnsworth qui subissait les pressions conjuguées du ministère de l'Intérieur et de l'opinion publique pour qu'un coupable fût arrêté, et Tellman qui, chaque jour davantage, montrait des signes d'agressivité et de mépris à son égard, entraînant avec lui tous les hommes, ou presque, du commissariat.

Pourquoi diable avait-il accepté la proposition de Micah Drummond, alors qu'il n'était ni gentleman ni diplomate? Ce poste n'était pas fait pour lui.

Après plusieurs minutes de réflexion, Pitt décida d'aller voir Mrs. Arledge en personne. À peine avait-il fait quelques pas dans Bow Street que deux élégantes firent un écart pour l'éviter. Il se souvint alors de la façon dont il était habillé et se dit que ce n'était pas la tenue appropriée pour aller présenter ses condoléances à la veuve d'un respectable gentleman.

Il rentra donc directement chez lui, abattu, rêvant de

s'asseoir dans la cuisine, bien au chaud, et de raconter à Charlotte les événements de la journée et surtout de lui faire part de ses doutes au sujet de son travail. Elle l'encouragerait, lui dirait qu'il était tout à fait capable d'assumer les fonctions qu'on lui avait assignées. Les mots lui viendraient tout simplement parce qu'elle l'aimait et qu'elle croyait en lui.

Mais quand il entra dans la cuisine, Charlotte n'y était pas.

— Bonjour, monsieur, fit joyeusement Gracie, dont le petit minois s'éclaira à sa vue.

Elle avait passé autour de sa taille étroite un tablier blanc fraîchement amidonné, noué par un gros nœud dans le dos.

— Tout est prêt, monsieur, si vous avez faim.

— Merci, Gracie.

— Il y a assez d'eau chaude si vous voulez prendre un bain dans le tub, monsieur, reprit-elle en regardant ses vieux habits. Vous êtes encore allé enquêter dans les taudis...

Pitt hocha la tête sans répondre et se laissa choir sur une chaise avec lassitude. La jeune fille s'agenouilla pour délacer ses vieilles bottes.

— Laissez, Gracie. Où est Mrs. Pitt?

— À la nouvelle maison, monsieur, dit-elle en se relevant pour aller chercher une bassine d'eau chaude. Elle rentrera certainement tard; elle avait beaucoup à faire aujourd'hui. Elle m'a dit de vous préparer à manger, au cas où vous rentreriez tôt.

Pitt s'efforça de cacher sa déception. Charlotte n'était plus jamais là quand il rentrait. Il savait qu'il n'aurait pas dû lui en vouloir. Elle passait ses journées avec le plâtrier, le décorateur, le plombier — ce qu'il aurait fait lui-même s'il avait eu le temps, mais il avait l'impression d'être abandonné.

— Merci, Gracie, dit-il d'un air sombre. Où sont les enfants?

133

— Eh haut, monsieur. Je leur ai dit de pas vous déranger tant que vous auriez pas fini de souper.

Elle le regarda avec attention, en fronçant son petit nez.

— Vous avez pas l'air en forme, monsieur. Je vais vous donner à manger, avant que vous vous changiez.

Pitt sourit malgré lui.

— C'est une bonne idée.

Gracie poussa un soupir de soulagement. Charlotte lui avait laissé une grande responsabilité. Gracie n'était pas cuisinière. Les Pitt l'avaient embauchée comme bonne à tout faire et, au fil des mois, elle était devenue camériste, soubrette, aide-cuisinière et gouvernante ! Elle aurait fait n'importe quoi pour contenter Pitt, qu'elle admirait plus que quiconque, mais en même temps elle avait très peur de lui !

Elle se hâta de réduire quelques pommes de terre en purée et les lui servit en accompagnement du ragoût qu'elle avait préparé. Puis elle s'assit en bout de table, attendant ses prochaines instructions.

— Voulez-vous du dessert, monsieur ? demanda-t-elle, voyant qu'il demeurait obstinément silencieux. J'ai du pudding à la mélasse.

— Volontiers, dit Pitt.

C'était là l'un de ses desserts préférés, et Gracie le savait. Elle se leva précipitamment, courut au garde-manger, et lui apporta l'assiette d'un air triomphant.

Pitt goûta une cuillerée de pudding.

— Hmm, il est délicieux.

La jeune fille rougit de plaisir.

— Merci, monsieur. Vous... vous pensez l'arrêter bientôt, le Bourreau ?

— Non.

Il reprit une bouchée de pudding, puis songea que la réponse était un peu brutale.

— J'ai demandé aux prostituées du parc si elles avaient eu un client un peu particulier, qui aurait mérité une bonne leçon, mais elles affirment que non. Aucune n'a vu non plus d'individu louche traîner dans le secteur.

— Vous les croyez?

— Je ne sais pas. Un souteneur perdrait beaucoup d'argent à supprimer deux clients.

— Ça dépend de ce qu'il faisait à la fille. S'il abîmait la marchandise... Si vous cassez quelque chose dans un magasin, il faut le payer, non?

— C'est vrai, acquiesça Pitt, la bouche pleine.

— Vous voulez un thé bien chaud, monsieur?

— Oui, avec plaisir.

Elle se leva et posa la bouilloire sur la cuisinière et attendit, perdue dans ses pensées. Quelques instants plus tard, elle revint avec une tasse de thé fumante qu'elle posa devant lui.

— Gracie? À quoi pensez-vous?

Son petit visage s'éclaira. Elle le dévisagea avec de grands yeux innocents.

— Je me disais que ces filles avaient pas de raison de vous mentir, monsieur.

Pitt but son thé, la remercia et monta dans sa chambre se changer. Puisque Charlotte n'était pas là, il irait rendre visite à la veuve du chef d'orchestre.


Il arriva dans Mount Street en début de soirée et tendit sa carte au majordome de Dulcie Arledge, qui le conduisit bientôt dans un charmant salon meublé en bois de rose, aux proportions agréables, donnant sur une grande pelouse en pente douce cernée par de hauts murs. On apercevait le coin du jardin d'hiver, derrière un bosquet de lilas. Le soleil couchant se reflétait dans ses vitres.

Dulcie Arledge était vêtue d'une robe de deuil, dont la couleur n'altérait en rien la délicatesse de son teint et la douceur soyeuse de ses cheveux châtains. Elle était telle que Bailey l'avait décrite : aimable, gracieuse, féminine, avec des traits fins et réguliers, que l'on ne pouvait qualifier de beaux.

— J'apprécie votre courtoisie, commissaire, dit-elle en lui faisant signe de s'asseoir. Hélas, que vous dire que je n'ai déjà dit à votre inspecteur?

Pitt prit place dans un confortable fauteuil aux bras sculptés, dont le tissu damassé rappelait le vieux rose des doubles rideaux et de la tapisserie. Dulcie s'assit en face de lui.

— J'aimerais toutefois que vous me narriez les événements de la soirée ayant précédé le décès de votre époux, dit Pitt d'une voix douce.

— Bien entendu. Mon mari est sorti faire un tour peu après dix heures. Rien ne laissait supposer qu'il avait rendez-vous avec quelqu'un, ou qu'il s'absenterait plus d'une demi-heure. Nous ne nous couchons pas toujours à la même heure...

Elle eut un sourire d'excuse.

— Voyez-vous, Aidan s'absentait souvent le soir, puisqu'il dirigeait un orchestre. Il rentrait fréquemment après minuit, voire plus tard, si la circulation était dense et qu'il avait des difficultés à trouver un cab. Il est parfois frustrant d'attendre quelqu'un, commissaire; j'avoue que j'allais souvent me coucher avant son retour...

— Je comprends, fit Pitt cherchant des mots de réconfort, mais n'en trouvant pas. Mrs. Arledge, l'inspecteur Tellman a omis de vous demander si vous connaissiez le capitaine Winthrop.

Elle leva vivement les yeux vers lui; des yeux magnifiques, d'un bleu foncé très lumineux.

— Je n'avais jamais entendu ce nom avant d'apprendre son décès par les journaux, commissaire. Mais mon mari connaissait beaucoup de monde. Il était toujours entouré de musiciens, d'admirateurs. Le capitaine Winthrop faisait peut-être partie de ceux-là.

— C'est possible. Je poserai la question à Mrs. Winthrop.

Elle détourna le regard.

— Pauvre âme, dit-elle d'une voix pleine de pitié. La

mort peut survenir à tout âge, mais on ne s'attend pas à être veuve à moins de quarante ans. C'est à peu près son âge, d'après ce que j'ai cru comprendre.

— Je crois, en effet. Bien que Mrs. Winthrop ait récemment marié ses deux filles, elle est encore très jeune.

Les mains de Dulcie se crispèrent sur ses genoux.

— Je suis désolée pour elle et toute sa famille, murmura-t-elle.

— J'admire votre sang-froid, votre absence de colère ou d'amertume, qui auraient pourtant été bien compréhensibles, étant donné l'épreuve que vous traversez, dit Pitt. Je dois, bien que cela me répugne, vous poser quelques questions relatives à votre vie privée... Il faudrait aussi que je cherche dans les effets personnels de votre époux la preuve éventuelle qu'il connaissait le capitaine Winthrop. Cela vous est sans doute pénible, mais je n'ai pas d'autre solution.

— Je comprends, commissaire. Vous n'avez pas à vous excuser.

Elle fronça les sourcils. Ses yeux bleus se voilèrent.

— Mais ne s'agit-il pas d'un fou qui choisit ses victimes au hasard? Une personne qui commet pareil acte doit avoir perdu la raison.

— Nous n'en savons rien, Mrs. Arledge. Dans l'état actuel de l'enquête, nous ne pouvons écarter aucune hypothèse.

— Je vois.

Elle détourna son regard vers un vase de narcisses dont le parfum entêtant parvenait jusqu'à eux.

— Par où voulez-vous commencer, commissaire? Votre inspecteur — pardonnez-moi, j'ai oublié son nom — a déjà fouillé la maison, mais il a peut-être omis un détail.

— L'inspecteur Tellman.

— Oui, Tellman. Je m'en souviens, à présent. Il n'est pas resté longtemps. J'ai compris d'après ce qu'il me disait que l'assassin était sans doute... un maniaque, un déséquilibré...

Pitt se leva.

— J'aimerais voir les papiers de votre mari, Mrs. Arledge.

Dulcie Arledge se leva à son tour et se dirigea vers la porte. Elle avait une démarche aérienne et posée, comme celle d'une danseuse.

— Pourrais-je voir son bureau et peut-être... ensuite... son dressing? poursuivit Pitt, qui ne la quittait pas des yeux.

— Si vous voulez bien me suivre, commissaire, je vous accompagne...

Ils traversèrent le vestibule et entrèrent dans un bureau clair et spacieux, qui contenait peu de livres, peut-être une cinquantaine. On voyait bien qu'il s'agissait là d'une pièce de travail et non d'un endroit où l'on recevait les visiteurs en cherchant à les impressionner par le nombre de volumes — jamais lus — alignés sur les étagères.

— Voilà, commissaire. Je vous laisse. Faites comme chez vous.

Pitt se sentit d'autant plus importun qu'elle ne s'imposait pas. Il commença par lire les lettres qu'il trouva dans les tiroirs du bureau. Il les jugea fort intéressantes. Aidan Arledge était un homme érudit, doué d'humour, généreux, aimant encourager les jeunes talents. Pitt regrettait la perte de cet homme, qu'il appréciait et respectait sans l'avoir connu. Une impression toute différente de celle qu'il s'était forgée en entendant parler du capitaine Winthrop.

Il y avait des livres de musique, une pile de partitions inachevées, des livrets d'opérettes de Gilbert et Sullivan, des concertos de Bach, de la musique de chambre. Rien qui concernât une éventuelle relation avec un ou plusieurs membres de la famille Winthrop.

Une femme de chambre l'emmena ensuite dans le dressing du maître de maison. Après lui avoir demandé s'il avait besoin de quelque chose, elle s'éloigna discrètement.

Sur le dessus de la commode étaient posés quelques articles de toilette, un nécessaire de rasage et une brosse à cheveux en argent. Dans le tiroir du haut, quelques paires de boutons : boutons de col, de chemise, de manchette, ainsi qu'une bague de calcédoine. Pour un homme qui donnait de nombreuses représentations en public, il y avait fort peu de boutons s'accordant avec une tenue de soirée.

La penderie contenait un certain nombre de costumes et une vingtaine de chemises, mais pas d'habit. Dans le chiffonnier, Pitt trouva un peu de linge, des mouchoirs et des chaussettes.

Il passa en revue le reste de la pièce. Il y avait là quelques souvenirs, une photographie de Dulcie dans un cadre d'argent, en tenue de chasse à courre, souriante, heureuse et sûre d'elle.

Il fut déçu de ne pas avoir trouvé d'agenda et intrigué de constater l'absence de la deuxième brosse à monture d'argent — en général, elles allaient toujours par deux —, ainsi que le peu de boutons de manchette pour les tenues de soirée. Après avoir tout vérifié à nouveau, il ferma les tiroirs, sortit du dressing et descendit au rez-de-chaussée frapper à la porte du salon.

— Entrez, commissaire, fit la voix de Dulcie.

— Votre mari possédait-il un vestiaire personnel dans les salles de concert, Mrs. Arledge ? demanda-t-il tout en refermant la porte.

Elle lui sourit, un peu tristement.

— Non, je ne crois pas. Il donnait des concerts dans tant de salles différentes, rarement la même deux semaines d'affilée.

— Dans ce cas, où endossait-il ses tenues de soirée ?

— Ici, bien sûr. Il prenait grand soin de son apparence. C'est normal, lorsque l'on se produit en public.

Sa voix n'était plus qu'un murmure.

— Aidan disait... que c'était faire preuve de mépris pour l'auditoire que de ne pas être impeccablement habillé... Mais pourquoi cette question, commissaire?

Il évita une réponse directe.

— Après le concert, votre époux s'attardait-il avec les musiciens?

— Oui, cela lui arrivait parfois.

Il décela une note d'anxiété dans sa voix.

— Comme je vous l'ai dit, je ne veillais pas toujours. Vous pensez peut-être que j'aurais dû l'attendre, en bonne épouse, mais voyez-vous, je ne suis pas du soir. Aidan rentrait très fatigué et allait directement se coucher. Lui-même me disait de ne pas m'occuper de lui. Si bien que...

Sa voix se brisa.

— ... hier soir, je ne me suis pas inquiétée...

— Je comprends, fit Pitt, la gorge serrée. De mon côté, je ne m'attends pas à ce que mon épouse veille le soir pour m'attendre. Je me sentirais coupable, si elle le faisait.

Elle lui sourit, mais la peur ne disparut pas de son regard.

— C'est très gentil à vous de me dire cela, commissaire.

— Mr. Arledge avait-il un concert, hier soir?

Elle secoua la tête.

— Non. Il a passé la soirée ici, à travailler une partition qu'il jugeait difficile. Vers dix heures, il a décidé d'aller faire un tour au parc pour se détendre.

— A-t-il un valet à son service?

— Oui, bien sûr. Voulez-vous lui parler?

— Si vous n'y voyez pas d'inconvénient.

Dulcie se leva.

— Commissaire, pourquoi toutes ces questions? Avez-vous découvert quelque chose? Aidan connaissait-il le capitaine Winthrop?

— Apparemment non, madame.

— Je vois... Vous savez quelque chose, mais vous préférez le garder pour vous. Pardonnez-moi. Je... je ne suis pas habituée à ce genre de...

— J'aime mieux ne pas sauter à des conclusions prématurées, dit Pitt, qui aurait souhaité trouver des mots plus apaisants pour la réconforter. Vous m'excuserez donc...

— Bien sûr. Où en étais-je? Ah oui, le valet...

Elle actionna la cloche, et, dès que la femme de chambre apparut, lui demanda d'envoyer le valet dans le bureau de son époux.

Le valet se montra fort évasif, soit parce qu'il ignorait vraiment où se trouvait la seconde brosse à cheveux de son maître, soit parce qu'il refusait de le trahir. Il ne savait pas non plus où étaient les boutons de manchette et Pitt en conclut, devant son air embarrassé, que l'homme était bien en peine de lui répondre.

Il rentra chez lui à pied avec le sentiment pénible qu'en dépit de sa bonté et de son humour, Aidan Arledge menait une vie bien plus compliquée qu'il n'y paraissait au premier abord. Où allait-il, le soir, après les représentations? Où se trouvaient ses habits de soirée? Pourquoi avait-on retrouvé deux jeux de clés sur lui? Possédait-il une garçonnière, un appartement dont sa femme ignorât l'existence? Si oui, pourquoi le lui cacher?

Pitt ne voyait qu'une explication : Aidan Arledge avait une maîtresse. Quelque part dans Londres, une autre femme devait pleurer sa mort, une femme qui n'osait montrer son chagrin, ni même avouer qu'elle le connaissait.

Gracie avait pris sa décision alors qu'elle était assise à la table de la cuisine, pendant que Pitt mangeait son pudding, mais elle ne put mettre son plan à exécution avant minuit. Elle devait être sûre que tout le monde dormait dans la maison. Si on l'avait surprise en train de se faufiler dehors, elle n'aurait eu aucune excuse à donner, et son expédition aurait avorté. Pitt serait si furieux qu'il la mettrait peut-être à la porte ! Cette pensée était insupportable. Mais Gracie ne supportait pas non plus que son maître soit critiqué dans les journaux par des gens qui ne savaient pas de quoi ils parlaient et étaient bien mal placés pour donner leur opinion.

Puisque la maîtresse était trop occupée par les travaux de la nouvelle maison et que Miss Emily ne pensait qu'à la campagne électorale de son mari, il fallait bien que quelqu'un aide Monsieur !

Elle partit d'un pas vif vers l'avenue. Elle avait sur elle de quoi payer un aller et retour de cab. Elle avait « emprunté » la somme sur l'argent du poisson de la semaine, mais si elle se passait d'en manger le lendemain, ce ne serait pas à proprement parler du vol.

Gracie n'allait pas chercher à se faire passer pour une prostituée — aucune fille ne racolait habillée en robe de droguet gris, à col montant et à manches longues. Non, elle cherchait seulement à obtenir des informations. Elle ne tenait pas à être considérée par ces dames comme une rivale potentielle et sauvagement jetée hors du parc par un souteneur furieux. Au moins, habillée ainsi, elle n'attirerait pas l'attention sur elle. Les filles se moqueraient peut-être d'elle ou la prendraient en pitié, mais, en tout cas, elles ne se méfieraient pas.

Il lui fallut plusieurs minutes avant de trouver un cab et de convaincre le cocher qu'elle avait de quoi lui régler la course. Un quart d'heure plus tard, elle descendait devant l'une des grilles de Hyde Park. Le cab s'éloigna en direction de Knightsbridge dans un grand bruit de sabots. Sa lanterne disparut bientôt dans l'artère déserte, et Gracie se retrouva seule au milieu des ténèbres, entourée de sons étranges qui pouvaient être les pas d'un noctambule, d'une prostituée arpentant l'allée, d'un client de ladite prostituée, d'un proxénète surveillant son territoire, ou peut-être ceux... du Bourreau.

« Allons, idiote, reprends-toi ! » se morigéna-t-elle, en entrant dans le parc d'un pas résolu, qui résonna dans l'allée au rythme des battements de son cœur.

Au bout d'une heure, alors qu'elle était sur le point de renoncer à son projet tant elle avait froid, elle fut accostée par une fille aux traits anguleux et aux cheveux filasse, vêtue d'une robe bon marché, qui la détailla des pieds à la tête d'un air soupçonneux.

— Y a pas d'omnibus qui passe par ici, chérie, la railla-t-elle. Vu la tête que t'as, c'est tout ce que tu risques d'attraper...

Gracie releva le menton, regarda tout autour d'elle, puis fixa son interlocutrice droit dans les yeux.

— T'as pas l'air d'avoir fait beaucoup d'affaires...

— T'inquiète pas pour moi, gamine, je me débrouillerai, répondit la fille sans méchanceté. Mais toi, qu'est-ce que tu vas gagner ? Des clous ! T'as que la peau sur les os. Les hommes, crois-moi, ils aiment bien avoir de quoi se remplir les mains — à moins qu'ils aient des goûts spéciaux, ajouta-t-elle en faisant la grimace. Fais attention à ceux-là, ils peuvent devenir méchants... Ils ont une case en moins.

Elle haussa les épaules.

— De toute façon, ici, c'est mon secteur, j'aime pas qu'on vienne y braconner. Et même si je te laisse faire, mon mac te fera dégager vite fait.

Gracie sentit un picotement de peur et d'excitation le long de sa colonne vertébrale. Elle prit une profonde inspiration et dit d'une petite voix :

— Je sais rien sur ces types tordus. Moi j'aime pas les méchants, enfin les vraiment méchants... Tu vois ce que je veux dire ?

Elle crut voir la fille pâlir.

— Oh... Je parlais pas du Bourreau, fit celle-ci avec une moue affolée. Dieu merci, pour l'instant, il est pas venu nous embêter. On dirait que c'est après ceux de la haute qu'il en a.

Gracie frissonna d'une façon théâtrale, mais qui n'était pas entièrement simulée. Se retrouver en pleine nuit dans un parc venté où rôdait un bonhomme armé d'une hache, avouez que cela n'a rien de rassurant !

— J'aimerais pas être avec un aristo qui l'aurait pris à rebrousse-poil. Le Bourreau nous couperait le cou, à nous aussi, tout ça parce qu'on risquerait de le reconnaître.

— T'as raison, dit la fille en se rapprochant d'elle, comme si la proximité physique pouvait les protéger.

— Et ces derniers temps, t'as pas vu des types qui pourraient l'intéresser, le Bourreau ? demanda Gracie d'un air innocent.

— Quel genre de types ? dit la fille distraitement.

Elle guettait l'éventuel client parmi les ombres qui bougeaient dans le lointain.

— Attends, je crois que j'en ai un qui arrive ! Si tu me le piques, attention, tu reconnais plus ta figure dans une glace. Plus personne voudra de toi.

— Faut bien que je vive, gémit Gracie. Toi, tu te débrouilles bien. T'es jolie...

La fille eut un sourire sans joie, montrant ses dents abîmées.

— Toi, alors... Bon c'est sûr que j'ai eu plus d'hommes que t'en auras jamais. On fait un marché : si tu lui plais, ce qui m'étonnerait, il est pour toi. Mais attention, si tu reviens dans mon secteur, gare à toi...

— Oh, mais je me trouverais quelqu'un pour me protéger, la défia Gracie.

La fille éclata de rire.

— Tu veux dire un souteneur ? Mais aucun voudra de toi ! T'as rien à vendre !

Gracie se souvint de son enfance dans les bas quartiers ; ses oncles et ses cousins, le soir, tenaient des conversations que ses oreilles n'auraient pas dû entendre.

— Si. Y a des gentlemen qui aiment les petites maigres, riposta-t-elle. Ils aiment même les gamines.

— Tous les goûts sont dans la nature, comme on dit, acquiesça la fille avec une grimace. Y a ceux à qui il faut raconter des cochonneries, ceux qu'il faut injurier pour qu'ils prennent leur plaisir, ceux qui te demandent de les gronder comme des mômes et puis ceux qui aiment te faire mal. Ceux-là, faut t'en méfier. Y en a un en ce moment qui aime bien frapper les filles, il est vicieux, celui-là, un type de la haute, costaud, mais qui cause bien. N'empêche qu'avec lui, tu te retrouves couverte de bleus, si tu t'en sors bien.

Gracie avala sa salive. Était-ce là l'explication des meurtres ? Si cet homme avait abîmé une fille, le souteneur l'avait tué et avait ensuite supprimé le témoin de la scène.

— T'as raison, dit-elle d'une voix entrecoupée. Vaut peut-être mieux que j'aille voir dans une rue un peu plus éclairée... J'ai pas envie de tomber sur un type comme ça.

— Ça risque pas, ma cocotte. Il aime les femmes, pas les gamines. Bon, j'ai du monde qui arrive. Celui-là, il est pour moi. Bonne chance, morveuse, t'en auras besoin.

Elle eut un geste d'adieu et elle s'éloigna en roulant des hanches.

Gracie attendit de voir sa silhouette happée par les ténèbres puis prit ses jambes à son cou sans demander son reste.

## 5

La toilette que portait Emily était à la hauteur de la circonstance, magnifique : une robe vert Nil, rebrodée de pampilles d'argent et de petites perles, très serrée à la taille, avec un bustier dont les pans se croisaient par-devant en un profond décolleté. La tournure, en revanche, était presque inexistante, comme le voulait la mode. Son volume se retrouvait dans les manches gigot décorées de plumes au niveau de l'épaule. L'ensemble était du plus bel effet : elle le voyait dans le regard insistant des messieurs et les sourires figés des dames qui, après lui avoir lancé un coup d'œil aigu, retournaient aussitôt à leurs conversations.

Après le dîner, copieux et stylé, les invités s'étaient éparpillés par petits groupes dans les pièces de réception ; ils échangeaient en riant des potins, mondains ou politiques, les deux étant bien entendu intimement liés. Le premier tour des partielles (les élections primaires) approchait et les esprits étaient échauffés.

Emily se tenait debout car sa taille serrée l'empêchait de rester assise. Elle avait assez souffert pendant tout le dîner !

— Quel plaisir de vous voir, chère Mrs. Radley ! Vous paraissez en si bonne forme, fit Lady Malmsbury avec un sourire radieux que démentait son regard.

Cette femme imposante, la quarantaine dépassée,

défendait avec ardeur le parti tory, et donc le rival de Jack, Nigel Uttley. Sa fille Selina était de la génération d'Emily et elles avaient été amies dans le passé.

— Je suis en excellente santé, merci, répondit Emily avec un sourire non moins éclatant. J'espère qu'il en est de même pour vous. Il semblerait que oui.

— En effet, convint Lady Malmsbury, détaillant son interlocutrice de la taille aux pieds, avec un déplaisir manifeste. Comment va votre chère maman ? Je ne l'ai pas vue depuis si longtemps. Le veuvage est une épreuve difficile pour une femme, quel que soit son âge.

— Elle va très bien, merci, répliqua Emily, aussitôt sur ses gardes.

Ce n'était pas un sujet qu'elle tenait à poursuivre.

— Vous savez, j'ai fait une étrange rencontre l'autre soir, reprit Lady Malmsbury, en se rapprochant suffisamment près pour que la soie de ses jupes se mêle à celle d'Emily. Je quittais une salle de concert où j'avais assisté à un excellent récital de violon... Aimez-vous le violon ?

— Bien sûr, répondit Emily, se demandant pourquoi son interlocutrice était si désireuse de lui faire une telle confidence. L'éclat dans ses yeux n'annonçait rien de bon.

— Moi aussi. Et celui-là était délicieux. Tant de grâce et de charme. Un instrument des plus distingués, poursuivit Lady Malmsbury, toujours souriante. Et tandis que je faisais quelques pas dans le Strand pour prendre un peu d'air frais avant de monter dans ma voiture, je vis un groupe de personnes sortant du Gaiety Theatre. L'une d'entre elles me rappelait furieusement votre maman.

Elle ouvrit de grands yeux.

— En fait, j'aurais juré qu'il s'agissait bien d'elle, n'étaient sa robe et la compagnie en laquelle elle se trouvait.

Emily n'avait d'autre choix que d'éluder le sujet, sinon il lui aurait fallu poser la question inévitable.

— Ah? Comme c'est étrange! Un effet de lumière, sans doute. L'éclairage des rues donne parfois des impressions des plus bizarres.

— Je vous demande pardon?

Emily réitéra sa phrase avec un sourire crispé, se refusant à demander quelle était la compagnie en question.

Lady Malmsbury n'allait pas se laisser démonter.

— Il n'aurait pas pu créer une illusion telle que celle-ci, ma chère. Elle se trouvait avec un groupe d'acteurs parmi lesquels elle se sentait manifestement très à l'aise! Et ce n'était pas par hasard qu'ils quittaient le théâtre ensemble. Et quel théâtre! Votre maman ne se serait jamais rendue là-bas, n'est-ce pas? Et avec de telles personnes!

Elle rit à la pensée de cette idée absurde, d'un rire dur qui sonnait comme celui du verre qui se brise.

— Je ne pense pas que je reconnaîtrais un groupe d'acteurs si j'en voyais un, répliqua Emily avec froideur. Vous avez un avantage sur moi.

Les traits de son interlocutrice se durcirent et elle haussa très haut les sourcils.

— Je sais que vous avez cessé de sortir le soir après le décès de votre premier mari, ma chère, mais je suis sûre que vous reconnaîtriez Joshua Fielding. C'est la coqueluche du moment. Un visage intéressant, des traits remarquables. Irréguliers, certes, mais pleins d'expression.

— Oh, s'il s'agissait de Joshua Fielding, je présume qu'il était allé voir le spectacle du Gaiety Theatre; il n'y jouait pas, remarqua Emily avec une désinvolture étudiée. N'interprète-t-il pas des rôles tragiques?

— Si, bien sûr, admit Lady Malmsbury. Mais, de toute façon, une dame ne se fourvoie pas en compagnie d'un acteur, socialement parlant, j'entends.

Elle rit à nouveau, sans quitter Emily des yeux.

— Je ne sais pas. Je ne l'ai jamais rencontré, mentit celle-ci.

— Un acteur, répéta Lady Malmsbury. Il gagne sa vie sur scène.

— C'est ce que fait Mrs. Langtry, si je ne m'abuse, remarqua Emily. Et il semblerait que le prince de Galles s'en accommode, socialement parlant, j'entends.

— Ce n'est pas la même chose, ma chère.

— Non, en effet. Je ne suis pas sûre que Mrs. Langtry obtienne sa plus grosse rémunération sur les planches. Elle joue, peut-être, mais dans une position différente et dans un lieu moins public, du moins la plupart du temps.

Lady Malmsbury rougit jusqu'à la racine des cheveux.

— Vraiment, cette remarque est du plus mauvais goût, Emily. Depuis votre remariage, vous avez beaucoup changé, ma chère. Je ne suis guère surprise que votre maman ne se montre plus aussi souvent en société. Même enturbannée de soie et vêtue d'une robe dont la taille n'est pas dessinée...

Emily s'obligea à prendre l'air surpris.

— Je ne peux imaginer quelqu'un s'affichant en société dans une telle tenue.

— Le Gaiety Theatre est un endroit très particulier.

Emily n'avait plus rien à perdre ; aussi dit-elle exactement ce qui lui venait à l'esprit, en fixant Lady Malmsbury droit dans les yeux.

— J'en conviens. J'espère que vous avez passé une agréable soirée, assortie d'un bon, voire d'un excellent dîner, copieux et convivial...

Les joues de son interlocutrice prirent une teinte écrevisse. Le fait qu'elle eût de l'embonpoint avait été suggéré de manière délicate, mais assez clairement pour qu'elle le comprît.

— Convivial, mais pas copieux, dit-elle entre les dents.

Emily sourit comme si elle n'en croyait pas un mot.

— Je suis heureuse de vous retrouver en si bonne forme, Lady Malmsbury.

Suffoquée, celle-ci chercha la repartie appropriée,

mais, ne la trouvant pas, pivota sur elle-même et disparut dans un grand bruissement de taffetas.

Emily avait gagné la bataille des mots, mais n'en était pas moins inquiète. À aucun moment, elle n'avait douté que c'était bien Caroline que Lady Malmsbury avait vue, bizarrement accoutrée, en compagnie de Joshua Fielding et de ses amis. Il lui fallait à tout prix intervenir, mais comment, elle l'ignorait. Pour l'heure, elle devait rester souriante et donner à chacun l'impression qu'elle n'avait d'autre souci que de soutenir Jack pendant la campagne électorale, même si elle n'était pas tout à fait sûre qu'il soit élu. Les tories avaient beaucoup de partisans dans cette circonscription, Jack débutait en politique et Nigel Uttley avait des amis influents : sans aucun doute bénéficiait-il de l'aide secrète du *Cercle intérieur*.

Le jour suivant, elle se prépara à une autre forme de conflit. En cette occasion, point besoin de porter de toilette particulière ; les armes étaient avant tout d'ordre mental et émotionnel. Aussi fut-ce dans une robe de mousseline à pois toute simple qu'elle descendit de sa voiture et se présenta au domicile de sa mère, dans Cater Street.

— Bonjour, Maddock ! s'exclama-t-elle lorsque le vieux majordome lui ouvrit la porte. Maman est-elle là ? Oui ? J'aimerais la voir.

Elle le connaissait depuis son enfance et ne s'encombrait pas de formalités avec lui.

— Je crains qu'elle ne soit pas encore descendue, Miss Emily, répondit Maddock qui, sans l'empêcher d'entrer, bloquait son passage au pied de l'escalier.

— Dans ce cas, pourriez-vous lui dire que je suis là et lui demander si je peux monter la voir ?

Soudain une horrible pensée lui traversa l'esprit. Mais non, Caroline devait être seule ! Elle ne pouvait tout de même pas avoir perdu la tête au point de... Mon Dieu ! Emily sentit un grand froid l'envahir et ses jambes faiblir.

— Tout va bien, Miss Emily ? s'enquit Maddock avec sollicitude. Puis-je vous apporter un peu de thé ? Une citronnade bien fraîche, peut-être ?

Emily prit une profonde inspiration. Elle devait affronter la situation, quelle que soit la vérité.

— Non, non merci, Maddock. Dites seulement à Maman que je veux la voir d'urgence.

— Quelque chose ne va pas, Miss Emily ?

— Cela reste à voir. Mais oui, il est possible qu'il y ait un petit problème.

— Très bien, si vous voulez vous asseoir, je dirai à Mrs. Ellison que vous êtes là.

Et, sans plus attendre, il monta l'escalier et disparut à l'angle du palier.

Emily arpentait le vestibule en rongeant son frein. Était-il possible que Caroline ait une liaison officielle avec Joshua Fielding ? Mieux valait ne pas y penser. Sa mère devait avoir totalement perdu l'esprit. C'était cela. La mort de Papa l'avait rendu folle. C'était la seule réponse. Maman, si prévisible d'ordinaire, était désormais dérangée.

— Miss Emily.

Elle se retourna vivement. Maddock était redescendu sans qu'elle l'entendît.

— Mrs. Ellison va vous voir, si vous voulez bien monter jusqu'à sa chambre.

— Merci, Maddock.

Emily ramassa ses jupes d'une main, d'une manière fort peu féminine, se précipita dans l'escalier, faisant claquer ses talons, virevolta en haut du palier, frappa légèrement à la porte de la chambre et l'ouvrit à la volée.

Elle s'arrêta net.

Tout avait changé. Le mobilier de bois sombre et l'ancienne tapisserie couleur bistre avaient disparu, remplacés par une débauche de motifs floraux rose, lie-de-vin ou pêche, une tête de lit en cuivre aux boules luisantes et des meubles clairs faits d'on ne savait quel bois.

La pièce semblait deux fois plus grande, comme si on l'avait transportée au milieu d'un jardin. Comme si les fleurs des tentures, du jeté de lit et du canapé ne suffisaient pas, un vase de cristal empli de roses était posé sur la coiffeuse.

Caroline rayonnait, assise dans son lit, enveloppée d'un déshabillé de soie abricot, les cheveux épars sur ses épaules.

— Emily, est-ce que cela te plaît? demanda-t-elle en observant sa fille.

Celle-ci était choquée par cette complète transformation et ce décor si peu familier, mais en toute honnêteté elle fut obligée d'admettre qu'elle trouvait le changement agréable.

— C'est... c'est joli, dit-elle avec réticence. Cela a dû vous coûter, je ne sais pas, moi... une fortune.

— Pas vraiment, dit Caroline en souriant. Vois-tu, je passe beaucoup de temps ici, sans doute presque la moitié de mon existence.

— Couchée? releva Emily, horrifiée.

— De toute façon, c'est ainsi qu'elle me plaît, fit Caroline en embrassant la pièce du regard avec un bonheur évident. C'est *ma* chambre. J'ai toujours rêvé d'une chambre pleine de fleurs. Il y fait bon, même au milieu de l'hiver.

— Qu'en savez-vous? J'étais ici en mars et vous n'aviez pas encore commencé les travaux.

— Il y fera bon, affirma Caroline. En mars on peut se sentir comme au milieu de l'hiver. Nous avons souvent de la neige au printemps. Et puis, je dépense mon argent comme il me plaît.

Emily s'assit sur le lit et regarda sa mère avec attention: jamais elle ne l'avait vue aussi belle, aussi éclatante de santé. « Qu'adviendra-t-il de cette vitalité, de cet enthousiasme quand Joshua se sera lassé d'elle et la quittera? » songea-t-elle, se prenant à haïr par avance le jeune acteur.

— Que se passe-t-il? demanda Caroline en fronçant légèrement les sourcils. Maddock m'a dit que tu avais quelque chose d'urgent à m'annoncer. Je vois que tu as l'air anxieuse, ma chérie. Est-ce que cela a un rapport avec Jack et les élections?

— Seulement de loin, de très loin, bredouilla Emily. Et puis en fait non, pas du tout.

— Tu sembles troublée. Peut-être ferais-tu mieux de me dire de quoi il retourne?

Emily jeta un coup d'œil vers la fenêtre encadrée de tentures fleuries.

— Hier soir, lors d'un dîner...

Elle s'interrompit. À présent qu'elle était sur le point d'en parler, tout cela semblait bien banal. Elle chercha les mots justes.

— Oui? la pressa Caroline se redressant sur ses oreillers. J'imagine que tu as rencontré quelqu'un d'important?

— Oui, plusieurs personnes. Mais celle à laquelle je pense n'avait rien de très particulier. C'est... c'est ce qu'elle m'a dit qui m'a troublée. Vous la connaissez. Lady Malmsbury.

— La mère de Selina Court? s'étonna Caroline. À propos, as-tu vu Sir James récemment? C'était un assez bel homme, non? Comme il a grossi! Et il commence à perdre ses cheveux. J'ai toujours pensé que Selina aurait pu faire une plus belle alliance, mais Maria Malmsbury était tellement pressée de marier sa fille...

— En effet, je n'ai jamais pensé grand bien de lui, admit Emily. Bref, Lady Malmsbury prétend vous avoir vue à la sortie du Gaiety Theatre, enturbannée de soie et vêtue d'une robe toute droite, en compagnie de Joshua Fielding et d'autres acteurs. Pour être juste, elle a dit que ce ne pouvait pas être vous. Mais bien sûr elle laissait entendre le contraire.

— Oh, oui, nous avons passé une excellente soirée! s'écria Caroline, les yeux brillants. C'était si amusant! Je n'avais jamais réalisé à quel point ces chansons peuvent être entraînantes. Et je n'avais pas ri ainsi depuis des années. C'est très bon de rire, sais-tu? Cela donne bonne mine.

— Oui, mais, Maman, tout de même, un turban de soie!

— Pourquoi pas? La soie est un tissu exquis et les turbans sont des plus flatteurs pour le visage.

— Un turban, Maman! Et une robe sans taille! Si vraiment vous deviez aller là-bas, n'auriez-vous pas pu porter quelque chose de moins extravagant? Même les esthètes ont abandonné ce genre de tenue depuis des années.

— Ma chérie, je n'ai pas l'intention de laisser Maria Malmsbury me dicter ma façon de m'habiller, ni me dire comment m'amuser et en compagnie de qui. Quant aux esthètes, je m'en moque. Et aussi tendrement que je vous aime, toi et ta sœur, je ne vous laisserai pas me dicter ma conduite.

Elle posa sa main sur celle d'Emily.

— Si cela vous gêne, j'en suis désolée; mais souviens-toi, par le passé, c'est vous deux les premières qui m'avez plongée dans l'embarras, quand vous avez décidé de vous mêler des enquêtes criminelles de Thomas.

— Mais vous y avez participé! s'indigna Emily. Il n'y a pas si longtemps [1]! Comment pouvez-vous être si...

— Je sais, je sais, s'excusa Caroline. Et si l'occasion se présente, je le ferai à nouveau. L'expérience m'a enseigné que j'étais idiote de me sentir gênée. Peut-être qu'avec le temps, il en sera de même pour vous.

Emily poussa un petit gémissement.

— Est-ce vraiment la seule chose qui te tracasse? plaisanta Caroline.

1 Voir *Le Crucifié de Farriers' Lane, op. cit.*

— Pour l'amour du ciel, Maman, n'est-ce pas suffisant ? Ma mère se promène au bras d'un acteur deux fois plus jeune qu'elle, et ne semble pas s'inquiéter que cela puisse détruire son image en société ! Et n'importe qui peut la voir déambuler dans le Strand, habillée comme... comme...

— Eh bien, ma chère, si cela effraie les respectables électeurs de ton époux, cela peut au contraire me faire apprécier de ceux qui le sont moins ! s'exclama joyeusement Caroline. Espérons qu'ils sont plus nombreux que les prudes. Si tu comptes voir ta mère rester claquemurée chez elle, vêtue de parme et de violet, pour aider Jack à être élu, je crains de ne pouvoir te rendre ce service, même si je souhaite sa victoire de tout mon cœur.

— Ce n'est pas à lui que je pense, mais à vous ! protesta Emily. Que se passera-t-il quand tout cela sera terminé ? Y avez-vous songé ?

Toute trace de joie quitta le visage de Caroline ; elle parut soudain si vulnérable qu'Emily faillit la prendre dans ses bras comme elle l'aurait fait d'un enfant.

— Je serai vieille et seule, et j'aurai des souvenirs de l'époque glorieuse où j'étais heureuse et aimée, même si cette période-là n'a pu m'appartenir pour toujours, répondit Caroline avec calme, les yeux fixés sur son couvre-lit. J'aurai connu le rire, la gaieté, l'amitié ; peu de femmes auront eu ce privilège, et je garderai en moi ces souvenirs sans amertume. Voilà ce qui se passera, conclut-elle en levant les yeux vers sa fille. Je ne me laisserai pas abattre. Et je ne m'attends pas à ce que mes filles veillent sur moi, tandis que je pleurerai sur ma solitude. Cela peut-il te rassurer ?

Emily sentit les larmes lui monter aux yeux.

— Non... je... je souffrirai tellement pour vous !

Elle renifla et chercha sans succès un mouchoir.

Caroline lui tendit le sien.

— C'est le prix de l'amour, ma chérie, murmura-t-elle. En général, ce sont les parents qui se font du souci pour leurs enfants, mais parfois c'est le contraire. En fin de compte, le seul moyen d'éviter de souffrir serait de n'aimer personne. Mais ce serait comme avoir une part de soi qui ait cessé de vivre.

Emily poussa un long soupir. Il n'y avait rien à ajouter.

— Parle-moi de cette campagne électorale, suggéra Caroline, en lui retirant le mouchoir des mains. Et aussi de la nouvelle maison de Charlotte. L'as-tu visitée ?

— Oui. Pour l'instant, elle est inhabitable. Mais avec cent ou deux cents livres de travaux, elle pourrait devenir très agréable. Voyez-vous...

Et elle se mit à lui parler des projets de Charlotte.

En quittant la chambre, une demi-heure plus tard, elle aperçut sa grand-mère dans le vestibule. La vieille dame était toute vêtue de noir, comme toujours, car, selon elle, les veuves devaient se comporter en veuves. Appuyée lourdement sur sa canne, elle attendit qu'Emily eût descendu l'escalier avant de s'adresser à elle.

— Ah ! ainsi tu es venue voir ta mère. Cet endroit a l'air d'être le lieu de travail d'une courtisane ! Elle n'a plus la tête sur les épaules — à supposer qu'elle l'ait jamais eue. Mais elle conservait un semblant de dignité du vivant de mon pauvre Edward. Il doit se retourner dans sa tombe en voyant cela.

Elle frappa violemment le sol de sa canne.

— Je ne resterai pas ici davantage ! Cela devient intolérable. Je vais venir m'installer chez toi. Vivre chez Charlotte est hors de question. Elle s'est mariée au-dessous de son rang. Je ne pourrais pas supporter cela.

— Tout cela parce que Maman a fait redécorer sa chambre ? s'écria Emily atterrée. Si ça ne vous plaît pas, n'y entrez pas.

— Ne sois pas ridicule ! Crois-tu qu'elle ait fait cela pour elle-même ? Elle a l'intention d'y installer cet homme. J'en mettrais ma main au feu.

Emily songea qu'elle ne pourrait jamais endurer la

156

présence de Grand-Maman chez elle. Même sa résidence de campagne, Ashworth House, si grande fût-elle, ne l'était pas assez pour être partagée avec cette harpie.

— Je ne vivrai pas longtemps sous le toit du scandale et de l'immoralité, poursuivit la vieille dame avec virulence. À mon âge ! C'est dans la tristesse que je rejoindrai ma tombe, conclut-elle, ses petits yeux noirs étincelants de colère.

— Ne dites pas de bêtises, voyons, la rassura Emily. Rien n'est encore arrivé, rien n'arrivera jamais.

Grand-Mère frappa rageusement le sol de sa canne, rayant le plancher avec l'embout métallique.

— Tais-toi ! J'ai vu ce que j'ai vu, et je sais reconnaître une femme perdue quand j'en vois une sous mon toit.

— Ce n'est pas votre toit. C'est celui de Maman. De toute façon, vous n'avez jamais eu de femme perdue ici : vous ne sauriez pas la reconnaître s'il y en avait une.

— Rappelle-toi à qui tu parles, ma fille, dit sèchement l'aïeule, qui ajouta, voyant Emily se diriger vers la porte : Et tiens-toi tranquille quand je te parle. Où sont passées tes bonnes manières, je me le demande.

— Il n'y a rien d'autre à ajouter, Grand-Maman. Je dois retourner à la maison. J'ai des obligations à tenir.

La vieille dame laissa échapper un grommellement de dégoût, tapa sur le sol une fois encore avec sa canne, puis tourna les talons et s'éloigna d'un pas lourd.

Il n'y avait pas lieu de parler de tout cela à Jack. La seule idée de voir Grand-Maman s'installer chez eux, à Ashworth House, même si c'était peu probable, aurait suffi à distraire totalement son esprit du sujet auquel il devait se consacrer.

Emily monta donc directement à l'étage et fit irruption dans la nursery, faisant sursauter la nurse, qui, installée dans le fauteuil à bascule, tenait dans ses bras le bébé à moitié assoupi. De saisissement, la bonne d'enfants,

Susie, laissa tomber le linge qu'elle était en train de plier; quant à Edward, il abandonna le pudding au riz qu'on l'obligeait à manger et quitta la table sans demander la permission.

— Maman! s'écria-t-il, en courant vers elle pour l'accueillir. J'ai appris plein de choses sur le roi Henri VI aujourd'hui! Savez-vous qu'il a eu huit femmes et qu'il leur a fait couper la tête à toutes?

Il s'arrêta devant elle, gracieux et enthousiaste, une mèche de ses cheveux aussi blonds que les siens retombant sur son visage. Il était vêtu d'une large chemise blanche avec un grand col et d'un pantalon à rayures sombres. Il sautait d'un pied sur l'autre d'excitation.

Emily aurait voulu le prendre dans ses bras et le tenir contre elle mais elle savait qu'il détesterait ce geste, considérant qu'il n'était plus un bébé. C'est tout juste s'il acceptait désormais un baiser de « bonne nuit », et encore, en protestant.

— Le roi s'appelait Henri VIII, corrigea-t-elle. Il a eu six femmes, et ne les a pas toutes fait décapiter.

Le garçonnet eut l'air déçu.

— Ah, et qu'est-il arrivé aux autres?

— L'une mourut, il divorça d'une autre ou peut-être de deux; une lui survécut.

— Mais tout de même, il en a fait décapiter trois ou quatre?

— Je pense, oui. Qu'as-tu encore appris aujourd'hui?

— J'ai fait du calcul. Et de la géographie.

Miss Roberts, sa préceptrice, une jeune femme simple et soignée, apparut à la porte de la salle d'étude. C'était la fille d'un pasteur, bientôt trentenaire et donc trop vieille pour espérer se marier. Elle était obligée de gagner sa vie et ce travail-là était acceptable. Emily l'aimait bien et attendait le moment où elle s'occuperait d'Evie.

— Bonjour, Miss Roberts, dit-elle avec chaleur. Edward travaille-t-il bien?

— Oui, Mrs. Radley, fit Miss Roberts avec une petite moue. Il semblerait qu'il soit davantage intéressé par les complots et les batailles que par les lois et les traités. Mais je suppose que c'est normal, à son âge.

Edward les observait en silence, trop bien élevé pour les interrompre.

— Vous n'avez pas terminé votre pudding, remarqua Miss Roberts.

Il la regarda à travers ses cils baissés.

— Il va être froid.

— À qui la faute ?

Il la défia du regard, cherchant sa défense, puis se ravisa, retourna à table d'un pas nonchalant, grimpa sur la chaise et prit sa cuillère.

Emily croisa le regard de la préceptrice. Toutes deux dissimulèrent un sourire.

Miss Roberts retourna dans la salle d'étude. La bonne repartit avec sa pile de linge. Emily tendit alors les bras pour prendre le bébé.

— Elle vient juste de s'endormir, pauvre petite chose ! protesta la nurse.

La nurse se leva et lui passa le bébé. Evie ne remua pas quand Emily se mit à la bercer doucement, caressa sa tête duveteuse et parvint finalement à la réveiller. Un quart d'heure passa pendant lequel la routine de la nursery fut perturbée, jusqu'à ce que la nurse, à bout de patience, fît comprendre à Emily qu'il était temps que chacune retournât à ses occupations.

Obéissante, celle-ci souhaita bonne nuit à son fils.

Emily le regarda partir avec une pointe d'émotion, puis descendit au rez-de-chaussée attendre Jack.

Le lendemain, Emily descendit prendre son petit déjeuner, dans l'une de ses pièces favorites, octogonale, avec trois portes, dont l'une donnant côté est sur un jardinet ombragé. À travers l'imposte, le soleil matinal brillait sur le parquet ciré et les vitrines de porcelaine fleurie.

Jack entra, tenant deux journaux à la main.

— Regardez, on ne parle que de ça, dit-il gravement en les posant sur un coin de la table. C'est toujours à la une du *Times*.

Elle n'eut pas besoin de demander de quoi il parlait. Le dernier sujet dont ils avaient discuté avant d'aller au lit était les meurtres de Hyde Park.

— Que disent-ils ? demanda-t-elle.

— Le *Times* essaie de conserver un certain sang-froid. Un chroniqueur parle d'une montée de folie.

— Quoi d'autre ?

— Un éminent médecin donne son avis sur la manière dont les crimes ont été commis. Je n'en vois pas l'utilité. Un écrivain est convaincu que l'assassin est une femme — j'ignore pourquoi. Quelqu'un glose sur les phases de la lune et prédit la date du prochain crime !

Emily frissonna.

— Pauvre Thomas !

Jack la regarda gravement.

— C'est vrai, on critique beaucoup la police métropolitaine, ses méthodes, son esprit, son existence même. Le *Times* publie un long article de Nigel Uttley...

Il soupira.

— Il est très dur avec Thomas, bien qu'il ne cite pas son nom. Son intention est de politiser la situation, et il ne se soucie pas de savoir qui il peut blesser en cours de route.

Emily prit le journal et chercha l'article en question. Oubliant son petit déjeuner, elle commença à lire l'article à voix haute :

— *Lorsque le gouvernement de Sa Majesté a créé une force de police au service des citoyens de Londres, il s'est agi d'un pas décisif et intelligent pour le bien de chaque individu dans ce qui est le cœur de l'Empire. Mais est-ce bien de la même force de police dont nous avons besoin aujourd'hui ?*

« À l'automne 1888, une série de meurtres révoltants

ont été commis à Whitechapel. Ils demeurent parmi les plus barbares qu'ait connus notre pays et, surtout, sont restés célèbres pour ne jamais avoir été élucidés. Tout ce que notre police peut dire après des mois et des mois d'enquête est : "Nous ne savons pas." Est-ce cela que nous méritons, est-ce pour ces hommes incompétents que nous payons des impôts ?

« Je ne le pense pas.

« Nous avons besoin d'une force composée de professionnels dévoués et formés à empêcher que ce genre de crimes se reproduise.

« Notre Empire s'étend dans le monde entier. Nous avons soumis des peuplades de sauvages guerriers. Nous avons installé des colons dans les terres glacées du Nord, les déserts brûlants du Sud, dans les plaines de l'Ouest et les jungles de l'Est. Nous avons planté notre drapeau sur chaque continent, apporté lois, gouvernement, religion et langue à chacun de ces peuples. Et nous ne serions pas capables de contrôler les éléments indisciplinés de notre propre capitale ?

« Messieurs, nous devons surmonter ce triste échec. Nous devons réorganiser nos forces de l'ordre et nous assurer qu'elles sont les meilleures, avant que l'Angleterre ne devienne la risée du monde, l'emblème de l'incompétence, et surtout, avant que des criminels de toute l'Europe ne viennent s'installer chez nous, sûrs de l'impunité de leurs actes.

« Au diable les tergiversations du parti libéral ! Notre devise à nous, tories, est "force et fermeté".

Emily reposa le journal avec dégoût. Cet article n'aurait pas dû la surprendre — d'ailleurs elle n'était pas vraiment surprise, mais en colère.

— Ce ne sont que des mots creux. Uttley ne fait aucune proposition concrète. Que voulez-vous qu'entreprenne Thomas ?

— Je l'ignore, confessa-t-il. Si je le savais, je serais le premier à l'aider. Mais le problème n'est pas seulement

de trouver la solution. Hmm... ces rognons sont délicieux.

Il attendit d'avoir fini sa bouchée avant de reprendre :

— Ce que veulent les gens, c'est qu'une solution soit
trouvée.

— Laquelle ? Ils espèrent qu'il s'agit d'un fou
échappé de l'asile de Bedlam, que nous pourrions tous
condamner, sachant qu'il n'a rien de commun avec
nous ! rétorqua-t-elle, en tournant rageusement sa cuillère
dans sa compote. Je ne vois pas pourquoi Thomas serait
à blâmer.

— Emily, ma chérie, depuis que le monde est monde,
les gens ont blâmé le messager pour le contenu du message dont il est porteur. Et ils le feront encore.

— C'est de l'infantilisme.

— Bien sûr, et alors ? Il n'est point besoin d'être
engagé depuis longtemps en politique pour savoir
qu'hélas une multitude de gens ont des comportements
infantiles. Et ce sont les pires d'entre eux que nous cherchons à séduire au cours des campagnes électorales.

— Comment allez-vous réagir à cet article ? Car il
faut bien réagir, non ?

— Je pense que Thomas ne me remerciera pas si je
prends position pour lui...

— Je ne parle pas de Thomas, le coupa-t-elle, mais de
vous. Vous ne pouvez accepter qu'Uttley passe à l'offen-
sive sans réagir. C'est à vous d'attaquer.

Jack posa sa fourchette et réfléchit.

— Inutile de parler de chiffres aux gens, dit-il enfin.
Les chiffres ne véhiculent aucune émotion.

— Il ne s'agit pas de vous défendre ! Tous les criminels qui sont sous les verrous ne sont rien, dans l'esprit
des gens, comparés avec ceux qui sont en liberté. De
toute façon, il n'est pas bon de se trouver en situation de
défense. Ce n'est pas votre faute si la police est ineffi-
cace. Ne laissez pas Uttley vous pousser dans vos retran-
chements. Encore un peu de thé ?

Jack lui tendit sa tasse.

— Attaquez plutôt, continua-t-elle. Quels sont ses points faibles ?

— Les problèmes fiscaux, l'économie en général...

Emily eut un geste de dénégation.

— Vous ne pouvez pas l'attaquer là-dessus. C'est rébarbatif, et la majorité des gens n'y comprennent rien. Il est difficile de parler shillings et pence au cours d'une campagne électorale. On ne vous écoutera pas.

Jack sourit.

— Je le sais. Mais vous m'avez demandé quels étaient ses points faibles.

— Pourquoi n'imiteriez-vous pas Charlotte ? Faites semblant d'être naïf et demandez-lui de s'expliquer. Il ne supporte pas que l'on se moque de lui.

— C'est très dangereux.

— Son attaque en règle contre la police l'est aussi, et, par ce biais-là, il est dangereux pour vous. Qu'avez-vous à perdre ?

Il l'observa d'un air pensif, puis son visage se détendit et une étincelle d'enthousiasme brilla dans ses yeux.

— Ne me faites pas de reproches si tout cela me saute à la figure, l'avertit-il.

Elle se pencha sur la table et lui prit la main.

— Bien sûr que non. Puisque nous allons livrer bataille, Jack, battons-nous drapeau au vent et fusils chargés.

— Il se peut que je sois obligé de me retirer à la campagne, par la suite.

— Après, peut-être, concéda-t-elle. Mais pas avant.

L'occasion se présenta le jour suivant. Uttley s'adressait à la foule à Hyde Park Corner ; Jack, Emily à son bras, s'approcha du coin des orateurs. Les gens arrivaient de toutes parts, chargés de sandwichs et de boissons mentholées. Le marionnettiste abandonna son attirail, sachant que ce jour-là la réalité serait plus drôle que son spectacle. Une bonne d'enfants qui poussait un landau ralentit l'allure, un vendeur de journaux cessa de s'égosiller et un gamin qui balayait au croisement arrêta son travail et tendit l'oreille.

— Mesdames et Messieurs! commença Uttley — bien que s'adresser aux dames fût uniquement une marque de pure courtoisie : les femmes n'ayant pas le droit de vote, leur opinion était donc superflue. Mesdames et Messieurs! Nous arrivons à un moment clé dans la vie de notre grande cité. À vous de décider quelle direction vous désirez prendre. Êtes-vous satisfaits de la situation ou souhaitez-vous qu'elle s'améliore?

Il était vêtu d'une sombre redingote croisée aux revers de soie et d'un pantalon à rayures plus claires. Le soleil brillait sur son visage hâlé et ses cheveux blonds.

— Qu'elle s'améliore! s'écrièrent une bonne douzaine de personnes.

— Bien sûr, dit-il avec enthousiasme. Vous voulez de l'argent dans vos poches, de la nourriture sur votre table et vous souhaitez marcher dans les rues de votre ville en toute sécurité.

Il accompagna ses paroles d'un geste significatif, montrant le parc immense qui s'étendait derrière lui; il y eut un murmure dans la foule, qui confirma qu'elle pensait comme lui.

— Comment compte-t-il s'y prendre pour l'argent? chuchota Emily à l'oreille de Jack. Demandez-le-lui.

— Pas la peine. Les pauvres ne votent pas, de toute façon.

Emily poussa un grognement d'irritation.

— Et les parcs? cria un gros bonhomme en tablier de marchand de quatre-saisons. Peut-on s'y promener en sécurité aussi?

La foule hurla de rire et quelqu'un siffla.

— Pas maintenant, mon ami, répondit Uttley. Mais ce serait possible si la police faisait son travail!

Il y eut un ou deux cris d'approbation.

— Vous voulez des patrouilles de police dans le parc ? demanda Jack à haute voix.

— Bonne idée, Mr. Radley, répondit Uttley en le montrant du doigt pour attirer l'attention sur lui. Pourquoi n'avez-vous pas parlé de cela lors de votre dernier discours ? Vous n'en avez pas touché un mot, vous le savez !

La foule se retourna pour dévisager Jack. Il observa ces visages qui lui faisaient face.

— Vous voulez des patrouilles dans le parc ? répétat-il.

— Oui ! crièrent une ou deux personnes dans l'assistance, mais la plupart demeurèrent silencieuses.

— Que devraient-elles faire ? reprit Jack, vous arrêter ? Vous demander votre métier ? Et avec qui vous vous promenez ?

Il y eut un grondement de désapprobation.

— Vous fouiller pour voir si vous êtes armé ? Prendre vos nom et adresse ?

— Mais comment empêcher que l'on vous attaque, que l'on vous vole, que l'on vous tue ? demanda Uttley.

La foule cria pour manifester son accord puis se mit à rire.

— Oh, je n'avais pas pensé à cela, dit Jack d'un ton faussement innocent. Un policier vous suit de loin et, lorsqu'un louche individu s'approche, il accourt pour empêcher que l'on ne vous assomme. Mais supposez que la personne en question soit l'une de vos relations... D'ailleurs nous ignorons si le ou les assassins du capitaine Winthrop et de Mr. Arledge se comptaient ou non parmi leurs relations. Bref, le policier qui assure votre protection a intérêt à vous suivre de très près, s'il veut avoir le temps d'intervenir.

— Ce que vous dites est absurde, commença Uttley, mais il dut s'arrêter sous les rires et les quolibets.

— Une telle mesure implique le recours à un nombre

considérable de membres des forces de l'ordre. Je dirais en gros un par promeneur. Nous devrions peut-être appeler le poste de police le plus proche, chaque fois que nous sortons, et attendre une escorte. Cela coûterait affreusement cher. Les impôts doubleraient ou tripleraient.

Il y eut des cris de désapprobation et de moquerie; un homme se mit à rire à gorge déployée.

— Vous ridiculisez mes propos! s'écria Uttley. Moi, je vous dis qu'il existe des moyens judicieux de ramener l'ordre dans nos rues.

— Dites-nous lesquels, l'invita Jack, en ouvrant les bras.

— Oui! cria la foule, qui portait ses regards de l'un à l'autre. Allez, dites-nous lesquels!

Uttley eut du mal à préciser sa position; il n'avait sans doute réfléchi qu'à des généralités, et, s'agissant de solutions concrètes, il n'en avait aucune. Très vite, il se trouva en butte aux lazzi de la foule et Jack n'eut pas besoin d'autre aide pour mettre à mal son rival. Finalement Uttley, furieux, se tourna vers lui.

— Que ferez-vous de mieux, Radley? Donnez-nous votre réponse!

Aussitôt la foule, d'un seul mouvement, se tourna vers Jack. On l'observait, les yeux plissés, prêt à l'anéantir sous les quolibets.

— C'est la faute des Irlandais! vociféra une femme, rouge de rage. C'est un de ceux-là, vous verrez!

Un homme aux cheveux noirs la contredit avec mépris.

— Pas du tout! C'est la faute aux juifs!

— Pendez-les, cria un homme vêtu de vert, en levant les bras. Pendez-les tous!

— Rétablissez la déportation en Australie! hurla un autre. On n'aurait jamais dû la supprimer!

— On ne peut rien faire tant que l'on n'a pas appréhendé les criminels, remarqua Jack. Je pense que nous avons besoin d'hommes formés au métier de policier, non de gentlemen élégants et beaux parleurs, incapables d'attraper un voleur même s'il était enfermé dans une pièce avec eux.

— Ça, c'est bien vrai ! hurla une voix.

Une femme maigre, vêtue de gris, agita la main pour manifester son approbation. Un gros homme à la moustache cirée se mit à siffler.

— Qu'est-ce que vous avez contre les gentlemen ? Vous seriez pas un peu anarchiste, vous ? De ceux qui voudraient se débarrasser de la reine, c'est ça ?

— Certainement pas, répondit Jack, qui avait du mal à garder sa sérénité. Je suis un loyal sujet de Sa Majesté. Et j'aime bien les gentlemen. Certains de mes amis en sont. En fait, il m'arrive d'en être un moi-même, de temps en temps.

Il y eut un rugissement de rires.

— Mais je ne suis pas policier, continua-t-il. Je n'ai pas cette capacité, tout comme la plupart des gentlemen.

— ... et certains de nos policiers, renchérit un vendeur de feuilletés, ce qui déclencha une cascade de rires. Qui est le coupeur de tête de Hyde Park, alors ? Pourquoi ils l'attrapent pas ?

— Ils le feront ! lança Jack spontanément. Il y a un policier de premier ordre sur cette affaire, et si le ministère de l'Intérieur l'aide au lieu de le brimer, il attrapera ce monstre !

À peine eut-il dit cela qu'il le regretta, mais les mots étaient lâchés.

Un grondement de scepticisme monta de la foule. Une ou deux personnes se tournèrent vers Uttley.

— Le commissaire Pitt, fit ce dernier avec un sourire goguenard. Le fils d'un garde-chasse. Je sais pourquoi Mr. Radley a tant confiance en lui : ils sont beaux-frères ! Seriez-vous au courant de quelque secret, Radley ? Eh bien, dites-le-nous ! Que fait la police ? Que fait Pitt ?

La foule regarda Jack, soudain soupçonneuse. L'humeur avait encore changé de camp.

— C'est un brillant policier, travaillant dur, autant qu'un homme puisse le faire! cria Jack. Et s'il n'était pas entravé par les autorités qui essaient de protéger les leurs, il mettrait la main sur le Bourreau.

Un mouvement de colère parcourut l'assistance, qui reporta son courroux sur Uttley.

— Oui, dit un gros homme, donnez-nous une vraie police, pas ces dandys de la haute qui veulent pas se salir les mains.

— C'est ça, ajouta la vendeuse d'eau mentholée. Débarrassons-nous de ceux qui pensent qu'à leur intérêt. M'est avis que le coupeur de tête n'est pas celui qu'on croit. C'est p't'êt'e bien un de la haute, finalement...

— Et si c'étaient des salopards, qui se sont fait trucider par des souteneurs parce qu'ils faisaient des drôles de trucs aux filles? dit une voix.

Uttley ouvrit la bouche pour les contredire, mais, devant ces visages fermés, il changea d'avis.

— C'est notre police, et c'est notre ville, conclut Jack. Soutenons-les et ils attraperont ce monstre, quel qu'il soit, gentleman ou fou, ou les deux.

Il y eut des acclamations, puis l'assistance commença à s'éparpiller. Uttley sauta du marchepied de sa voiture, sur lequel il était monté pour haranguer la foule, et se dirigea vers Jack et Emily, les yeux étrécis, les dents serrées.

— C'est facile de faire rire la populace, grinça-t-il. Il y avait là une demi-douzaine d'hommes qui pouvaient voter, et encore. Le reste ne compte pas.

— S'ils ne vous sont d'aucune utilité, que faisiez-vous donc ici? lâcha Emily sans réfléchir.

Uttley la regarda.

— Il est des sujets, madame, auxquels vous ne connaissez rien. Mais vous si, Radley, ajouta-t-il à l'adresse de Jack. Vous savez qui est de mon côté... et qui est du vôtre.

Ses lèvres esquissèrent un léger sourire.

— Vous avez commis une grave erreur la dernière fois. Vous vous êtes fait des ennemis. Cela suffira à vous discréditer.

Il tourna brusquement les talons, se dirigea vers sa voiture, y monta en criant des ordres au cocher. Celui-ci fouetta ses chevaux qui partirent au grand trot.

— Il parlait du *Cercle intérieur*, n'est-ce pas? murmura Emily en frissonnant. Son influence est donc si grande?

— Je l'ignore, avoua Jack. Mais si c'est le cas, aujourd'hui est un jour très noir pour l'Angleterre.

Ce matin-là, sitôt Pitt et les enfants partis, Charlotte et Gracie se mirent à la lessive. Certains vêtements avaient besoin d'un nettoyage particulier, notamment une chemise de Pitt maculée de minuscules taches de sang provenant d'une coupure qu'il s'était faite en se rasant. Il suffirait de la saupoudrer d'amidon et de la laisser sécher avant de la brosser; le dégât serait réparé. Quant à la tache d'huile sur la manche de sa veste, elle partirait avec de l'alcool fort saturé de camphre. Le chloroforme, lui, était plus adapté aux taches de graisse.

Par ailleurs, la dentelle noire de la robe qu'elle portait au service funèbre était un peu piquée; elle devait raviver sa couleur avant de la rendre à Emily. Pour ce faire, elle essaierait l'alcool mélangé à du borax, car elle refusait d'utiliser de la bile de bœuf diluée dans de l'eau chaude, dont on lui avait pourtant vanté l'efficacité. Il fallait aussi redonner une courbure aux plumes; Charlotte savait d'expérience qu'avec le fer à friser le résultat était désastreux! Le mieux était de se servir d'un manche de couteau en ivoire: travail fastidieux, mais indispensable, si elle voulait emprunter à nouveau des toilettes chères et à la mode. Et bien sûr, elle ne devait pas oublier de frotter les gants de cuir avec une tranche d'orange avant de les graisser.

— Gracie, si nous... Gracie? Vous m'entendez?

— Oui, Madame.

La petite bonne se retourna, toute rouge.

— Que se passe-t-il, Gracie?

— Rien, Madame.

— Bien. Alors mettez les fers à chauffer; je commence par la dentelle. Pourriez-vous vous occuper de la chemise?

— Oui, Madame.

Tandis que Gracie mettait les fers à chauffer sur la plaque de la cuisinière, Charlotte monta chercher les plumes et, en redescendant, prit un couteau à gâteau au manche d'ivoire.

— Madame... commença Gracie.

— Oui?

— Non, rien... ça n'a pas d'importance.

Charlotte recourba les plumes avec soin, puis, en jetant un coup d'œil à Gracie, s'aperçut que celle-ci versait de l'alcool sur la chemise tachée de sang au lieu de le faire sur la tache d'huile de la veste, et qu'elle avait oublié d'y mélanger le camphre.

— Gracie, quelque chose ne va pas? Dites-moi ce qu'il se passe avant de provoquer une catastrophe.

Les joues de la jeune fille étaient toutes rouges et son petit minois chiffonné par l'angoisse. Manifestement, elle ne trouvait pas ses mots.

Charlotte eut soudain très peur; elle aimait beaucoup Gracie, mais n'avait encore jamais réalisé à quel point.

— Que se passe-t-il? l'interrogea-t-elle avec davantage de brusquerie qu'elle ne l'aurait voulu. Êtes-vous malade?

Gracie se mordilla la lèvre.

— Oh non, Madame, c'est pas ça du tout. Je... je crois que je sais quelque chose sur le gentleman qui embête les filles dans le parc. Y se trouve que j'ai discuté un jour avec une de ces poules...

Son ton malheureux disait bien qu'elle mentait, du moins en partie; or Gracie avait horreur de mentir.

— Elle m'a dit qu'il y avait un grand monsieur qui aimait battre les femmes, les battre vraiment fort, pour leur faire mal. J'ai... j'ai pensé à votre capitaine Winthrop. C'est peut-être un souteneur qui lui a coupé la tête. Et l'autre gentleman, il avait peut-être vu quelque chose, et c'est pour ça qu'il s'est aussi fait couper la tête.

— C'est possible! s'exclama Charlotte, tout excitée. songeant que Gracie pouvait bien avoir raison. C'est fort possible!

Gracie eut un pâle sourire.

Tout à coup, Charlotte réalisa la portée des paroles de la jeune fille.

— Gracie! Vous vous êtes encore occupée de ce qui ne vous regardait pas...

La jeune fille baissa les yeux et regarda ses pieds, honteuse.

— Vous êtes allée dans Hyde Park, la nuit, pour voir ces femmes, c'est cela?

Gracie ne nia pas.

— Vous êtes complètement folle! explosa Charlotte. Vous rendez-vous compte de ce qui aurait pu vous arriver?

— Oui, mais qu'est-ce qui va arriver à Monsieur s'il attrape pas le Bourreau? répondit Gracie sans lever les yeux.

À cette idée, l'angoisse étreignit le cœur de Charlotte. Elle se sentit aussi coupable d'être si fréquemment absente de la maison.

— Je pourrais vous battre pour avoir couru un pareil risque! cria-t-elle, furieuse. Et je le ferai, je vous le promets, si vous recommencez! Comment vais-je raconter tout cela à Thomas, sans lui dire de quelle façon vous l'avez découvert? Pouvez-vous me le dire?

Gracie secoua la tête.

— Il va falloir que je trouve quelque chose de très malin!

Gracie hocha la tête.

— Mais ne restez pas là à agiter la tête dans tous les sens ! Vous feriez mieux d'y réfléchir et d'essayer de faire disparaître la tache d'huile de cette manche. Qu'il ait au moins des vêtements propres.

— Oui, Madame !

Gracie leva la tête et sourit timidement. Charlotte lui rendit son sourire, mais celui-ci s'élargit sans même qu'elle s'en rendît compte, pour se transformer en sourire conspirateur.

Charlotte passa l'après-midi dans sa nouvelle maison. Elle avait l'impression de découvrir tous les jours un nouveau désastre et d'avoir à prendre chaque fois une décision importante. Lorsqu'elle posait une question à l'entrepreneur, celui-ci prenait une expression angoissée et secouait la tête en se mordant la lèvre, avant même qu'elle ait fini de formuler sa phrase.

Cependant grâce à l'achat de l'excellent catalogue de chez Young et Marten, fournisseurs de matériaux pour le bâtiment, elle put réfuter la plupart de ses arguments de manière très technique et, lentement, finit par gagner son respect.

Le temps pressait. La maison de Bloomsbury étant vendue, ils avaient quatre semaines pour déménager, alors que la nouvelle maison était loin d'être habitable. Pour être honnête, elle ne parvenait pas à fixer son attention sur ce sujet. Elle ne pouvait s'empêcher de penser au ton des articles de presse critiquant la police en général et l'homme en charge de l'affaire de Hyde Park en particulier. C'était parfaitement injuste. Pitt récoltait les fruits amers semés, entre autres, par l'Éventreur de Whitechapel et les activistes irlandais. Il régnait dans la capitale une grande agitation, due aux changements politiques, à l'extension de la pauvreté, à la propagation d'idées anarchistes venues du continent, aux dissensions locales, et à l'instabilité du trône sur lequel siégeait une souveraine aigrie, enfermée dans un deuil sans fin, dont l'héritier

172

gaspillait l'argent au jeu, aux courses et avec les femmes. Les corps sans tête de Hyde Park ne faisaient que cristalliser la colère et la peur générales.

Savoir cela aurait dû alléger sa conscience, mais ne servait en rien la défense de Thomas, trop fraîchement promu commissaire. Micah Drummond, lui, avait été membre du *Cercle intérieur* jusqu'à ce qu'il le quittât, avec tous les risques que cela comportait. Mais il comptait beaucoup d'amis personnels parmi ses pairs et ses supérieurs. Thomas devrait encore faire ses preuves et, pas à pas, tracer sa voie dans sa nouvelle fonction.

Charlotte regarda la pièce autour d'elle, incapable de se concentrer. Serait-ce vraiment une bonne idée de la peindre en vert pâle, ou cette teinte était-elle trop froide ? À qui pouvait-elle demander un avis ? À sa mère ? Non, celle-ci était tout à sa liaison avec Joshua Fielding ; Charlotte ne tenait pas à la voir, pour éviter de penser aussi à ce problème-là.

Emily, elle, était très prise, car les élections approchaient.

Pitt rentrait si tard qu'elle avait à peine le temps de le voir. Ce soir-là, cependant, elle avait décidé d'attendre son retour pour lui parler de la découverte de Gracie — restait à trouver la manière de lui annoncer la nouvelle ; mais elle ne voulait pas le déranger pour un problème domestique aussi trivial que la couleur des murs. Depuis qu'ils étaient mariés, Pitt ne lui avait jamais fait de remarque à ce sujet.

C'est alors qu'elle se souvint qu'au cours du service funèbre d'Oakley Winthrop, elle avait parlé de décoration d'intérieur avec Mina, sa veuve. C'était un domaine auquel elle portait beaucoup d'intérêt, et dans lequel elle semblait exceller, à en juger par ses commentaires judicieux. Charlotte décida donc de lui rendre visite, tout d'abord pour lui demander son avis à propos du papier peint, et surtout pour tenter d'apporter une aide significative à Thomas. Après la découverte de Gracie, il devenait urgent d'en apprendre davantage sur la personnalité et les habitudes du capitaine.

Elle n'était pas habillée pour une visite de courtoisie, mais c'eût été perdre du temps que de retourner se changer à Bloomsbury, pour ensuite reprendre l'omnibus vers Curzon Street. Et il n'aurait pas été raisonnable de prendre un cab. Elle se lava le visage, arrangea sa coiffure et partit d'un pas vif vers l'arrêt d'omnibus le plus proche.

Elle ne comprit l'incongruité de sa visite qu'une fois arrivée sur le seuil de la maison du défunt capitaine ; à la vue des rideaux tirés et des couronnes de deuil placées sur la porte, elle se demanda comment s'annoncer.

— Madame ? fit la soubrette d'une voix feutrée.

— Bonjour, répondit Charlotte, rouge comme une pivoine. Mrs. Winthrop a eu la gentillesse de me donner d'excellents conseils pour mon intérieur, il y a quelques jours. J'aurais besoin de quelques précisions, et je me demandais si elle pouvait me consacrer un peu de son temps. Je comprends qu'elle puisse trouver cela inconvenant. Je suis confuse de me présenter ici sans prévenir. Sa gentillesse m'a fait oublier les bonnes manières.

— Je vais le lui demander, madame, fit la soubrette, hésitante. La maison est en deuil, vous savez. Qui dois-je annoncer ?

— Mrs. Pitt. Nous nous sommes rencontrées lors du service funèbre du capitaine Winthrop. J'étais avec Lady Vespasia Cumming-Gould.

— Je vais voir, madame. Si vous voulez bien attendre ici.

Mina en personne vint au-devant de la visiteuse, vêtue d'une robe noire à très haut col et à longues manchettes de dentelle. Elle était aussi grande que Charlotte mais beaucoup plus menue ; sa peau claire et son cou gracile lui donnaient une allure enfantine. Elle paraissait fatiguée, des cernes creusaient ses yeux comme si, dans l'intimité de sa chambre, elle avait pleuré jusqu'à épuisement, mais sur son visage se lisait le plaisir d'avoir de la visite.

— C'est très gentil d'être venue, Mrs. Pitt. Si vous saviez comme je me sens seule ici, jour après jour ! Personne ne vient jamais, sauf pour me présenter des condoléances. Et la décence veut qu'une veuve ne sorte pas de chez elle.

Elle eut un petit sourire, mi-gêné, mi-honteux, quêtant l'approbation de Charlotte.

— Peut-être ne devrais-je pas avoir ce genre de pensées, et moins encore en parler, mais rester seule ne me soulage en rien.

Charlotte eut un mouvement compatissant.

— Je vous comprends. La société devrait autoriser les gens à faire face à la disparition d'un proche de la façon la moins douloureuse pour eux, mais je crains que cela ne se fasse jamais.

— Oui, ce serait un miracle, fit précipitamment Mina. Impossible d'espérer une chose aussi incroyable. Mais je suis ravie de votre visite. Je vous en prie, venez avec moi au salon. Le soleil brille dans cette pièce. Je n'en fermerai jamais les rideaux, sauf si ma belle-mère me rend visite. Mais c'est peu probable.

Charlotte suivit Mina dans un couloir. En marchant, celle-ci se tenait très droite, comme si elle était trop raide pour se détendre.

— C'est justement au sujet de la décoration de mon salon que j'aimerais avoir votre avis, expliqua Charlotte, un peu gênée.

La pièce était en effet des plus agréables, et, à cet instant, éclairée par le soleil de l'après-midi.

— Je vous en prie, asseyez-vous, Mrs. Pitt, et dites-moi en quoi je peux vous être utile. Prendrez-vous un thé pendant que nous bavardons ?

— Bien volontiers, répondit Charlotte à la fois parce qu'elle avait très envie d'un thé, après ce long trajet en omnibus, et parce qu'elle pourrait ainsi rester plus longtemps sans avoir à chercher de prétexte.

Mina agita la clochette avec entrain et commanda du thé, des pâtisseries et des gâteaux secs, puis, quand la servante se fut retirée, elle s'assit sur une chaise, ses mains couvertes de dentelle croisées sur ses genoux, consacrant à sa visiteuse toute son attention.

Bien que Charlotte eût conscience du drame qui touchait cette maison, du silence anormal, de la tension de son hôtesse, elle lui expliqua qu'elle déménageait et lui parla des travaux qu'il restait à réaliser pour que la maison fût agréable à vivre.

— Je me demande si le salon ne serait pas trop froid au cas où je tapisserais les murs en vert pâle, conclut-elle.

— Qu'en dit votre mari? demanda Mina.

— Oh, rien. Je ne lui ai pas posé la question. Il ne me donnera pas son opinion avant la fin des travaux, et seulement si le résultat ne lui convient pas.

— Mon mari, lui, avait des opinions très arrêtées, soupira Mina. Je devais faire attention quand je décidais de changer quelque chose dans la maison. Mon goût était parfois vulgaire, conclut-elle avec un air de douloureuse culpabilité.

— Oh, sûrement pas! Son goût était peut-être trop traditionnel. Certains hommes détestent le changement, même s'il représente une amélioration.

— C'est très gentil à vous de dire cela, mais j'étais dans mon tort. J'ai fait redécorer la pièce où nous prenions le petit déjeuner alors qu'il était en mer. J'aurais dû auparavant lui demander la permission. Il a été contrarié quand il est rentré.

— La pièce avait donc changé à ce point? demanda Charlotte, hésitant à poursuivre une conversation qui semblait rappeler tant de détresse.

Revenir sur une querelle non réglée avec une personne qui n'est plus de ce monde, et avec laquelle il est donc impossible de se réconcilier, est l'un des aspects les plus douloureux du deuil. Charlotte cherchait les mots qui auraient pu réconforter la jeune femme.

— Oh, oui, j'en ai bien peur, répondit celle-ci, avec, dans sa voix tremblante, une intonation heureuse. J'avais fait retapisser la pièce en jaune d'or. On aurait dit qu'elle était pleine de soleil.

— Le résultat devait être saisissant, en effet. Mais vous parlez comme si elle n'existait plus. A-t-il insisté pour que vous changiez tout?

Mina détourna la tête.

— Oui. Il disait que l'effet était des plus vulgaires; toute la décoration était d'une seule et même teinte, sauf le mobilier, bien sûr, qui était en acajou.

Elle se mordit la lèvre, comme si elle avait encore besoin de s'excuser ou de s'expliquer.

— En fait, rien n'a été changé. Oakley a verrouillé la porte à clé en disant que nous nous servirions à nouveau de cette pièce quand elle aurait retrouvé l'aspect qu'elle avait auparavant. Voulez-vous la voir?

Charlotte sauta sur ses pieds.

— Oh, volontiers!

Elle mourait d'envie de voir la pièce en question, de comprendre en quoi Oakley Winthrop l'avait trouvée si choquante.

Mina l'entraîna hors du salon, traversa le vestibule pour se diriger dans la direction opposée. La pièce du petit déjeuner n'était apparemment plus fermée à clé; Mina l'ouvrit et s'effaça. Charlotte, ébahie, regarda tout autour d'elle : c'était l'une des plus charmantes pièces qu'il lui ait été donné de voir. On aurait dit en effet qu'elle était inondée de soleil, mais, plus agréable encore, elle donnait une impression d'espace, de grâce et de simplicité extrêmement reposante et accueillante.

— Oh! vous êtes très douée pour la décoration! s'exclama Charlotte en se retournant vers Mina qui se tenait sur le seuil de la porte.

— Vous le pensez vraiment? fit celle-ci, incrédule et ravie.

— Mais oui! J'adorerais avoir une pièce comme

celle-là. Si c'est votre œuvre, vous avez un grand talent. Je suis contente de vous avoir rencontrée au moment où j'ai besoin de décorer ma nouvelle maison. Si vous m'y autorisez, je vais assurément utiliser ce jaune, moi aussi. Prendriez-vous cela comme un compliment ou comme une incorrection de ma part?

Mina rayonnait de plaisir, tel un enfant à qui l'on a offert un cadeau auquel il ne s'attendait pas.

— J'en serais des plus flattées, Mrs. Pitt. C'est la chose la plus agréable que vous puissiez me dire.

Tout excitée, elle partit à reculons sans remarquer la servante qui apportait le thé. Charlotte voulut l'avertir, mais il était trop tard. Le bras de Mina heurta la théière brûlante. La servante poussa un cri strident et laissa échapper le plateau qui tomba sur le sol avec fracas. Effrayée, elle se couvrit le visage avec son tablier.

Charlotte vit la trace humide du thé bouillant sur la manche de Mina. Celle-ci poussa un gémissement.

— Vite! dit Charlotte en l'attrapant par le coude. Où est la cuisine?

Mina regarda vers la gauche, les traits crispés par la douleur. Charlotte la poussa vers le couloir, puis elle eut une meilleure idée en voyant un vase de lis posé sur le guéridon du vestibule. Traînant Mina par le bras, elle prit les fleurs, les jeta sur la table et plongea l'avant-bras de la jeune femme dans l'eau froide.

— Oh, comme cela fait du bien! soupira Mina.

Charlotte lui sourit, puis regarda la bonne qui continuait à gémir.

— Taisez-vous! s'écria-t-elle. Personne ne vous en veut. C'était un accident. Mais ne restez pas plantée là, rendez-vous plutôt utile. Allez à la cuisine et demandez que quelqu'un vienne nettoyer par terre. Quant à vous, rapportez de la glace et deux serviettes, l'une imbibée d'eau froide et de bicarbonate de soude, l'autre propre et sèche. Allez!

— Tout de suite, Miss, dit la fille sans bouger d'un pouce.

178

— Allez, Gwyneth, la pressa Mina. Faites ce que l'on vous dit.

Quand la servante eut disparu, Charlotte retira la main de Mina du vase.

— Allons à la lumière examiner la brûlure.

Elle amena Mina sous le lustre du vestibule : bien qu'il fît plein jour, les rideaux tirés en signe de deuil imposaient qu'il fût allumé. Sans lui demander la permission, elle défit les boutons des longues manchettes de sa robe et repoussa le tissu noir.

— Non ! haleta Mina.

Charlotte retint son souffle. Elle qui s'attendait à voir une brûlure rose vif, découvrit, horrifiée, une énorme ecchymose jaune et violet, accompagnée de profondes marbrures ressemblant à des traces de doigts sur la chair meurtrie. La peau était certes irritée à l'endroit de la brûlure, mais celle-ci n'avait apparemment rien de grave.

Mina ne bougeait pas, paralysée d'horreur.

Charlotte leva les yeux vers elle. Mina rougit violemment. Une expression honteuse et coupable passa dans son regard.

— Avez-vous besoin d'aide ? dit simplement Charlotte, dont l'esprit travaillait très vite.

Elle songea à ce que lui avait raconté Gracie à propos des prostituées battues dans Hyde Park ; à l'attitude protectrice de Bart Mitchell vis-à-vis de sa sœur, et à sa colère aussi.

— De l'aide ? Non... non. Je... Tout est...

Mina ne finit pas sa phrase.

— Êtes-vous sûre ?

Charlotte brûlait d'envie de demander si l'homme qui l'avait battue était bien le capitaine Winthrop et si Bart Mitchell était au courant. Dans ce cas, quand l'avait-il appris, avant la mort de Winthrop, ou après ?

Mina déglutit et reprit son souffle, le regard lointain.

— Oui, je vais très bien, merci. Je n'ai plus mal maintenant.

Charlotte ignorait si elle faisait allusion à la brûlure ou à l'ecchymose. Elle aurait aimé examiner l'autre poignet, et aussi la gorge et les épaules dissimulées sous le haut col et le foulard de dentelle noire. Était-ce l'explication de cette démarche si raide ? Mais comment procéder sans faire preuve d'une impardonnable indiscrétion ? Elle risquait de casser le fil ténu de l'amitié qu'elle cherchait à tisser.

— Ne devriez-vous pas voir un médecin ? s'inquiéta-t-elle.

Mina porta son autre main à sa gorge. Son regard croisa à nouveau celui de Charlotte et elle secoua la tête. Elle avait recouvré son sang-froid, du moins en apparence.

— Oh, non, dit-elle avec un faible sourire. Je guérirai très vite. En tout cas, votre présence d'esprit m'a sauvée. Je vous suis très reconnaissante.

— Si je n'avais pas été là à admirer votre jolie pièce, ce ne serait pas arrivé, répondit Charlotte, en jouant le jeu. Vous devriez vous asseoir un moment et prendre une tisane.

— Oui, ce serait une excellente idée. Je vous en prie, restez encore un peu. Je me sens une si mauvaise hôtesse ! Une telle maladresse, vraiment...

— Je serai heureuse de vous tenir compagnie, accepta Charlotte.

Elles étaient encore sur le seuil du salon quand la porte d'entrée s'ouvrit sur Bart Mitchell. Il lança un regard à Mina, vit la manchette ouverte, puis fixa Charlotte, soudain anxieux. Curieusement, il ne dit rien.

— Mrs. Pitt est venue me rendre visite, Bart, fit Mina pour briser le silence. N'est-ce point une délicate attention de sa part ?

— Bonjour, Mrs. Pitt.

Les yeux bleus de Bart se posèrent à nouveau sur Charlotte ; il scruta intensément son visage, puis interrogea sa sœur du regard.

— Je me suis brûlée, expliqua Mina. Mrs. Pitt m'a été d'un grand secours. Elle a réagi très vite...

À ce moment, comme pour confirmer ce qu'elle disait, Gwyneth réapparut avec les serviettes. Mina tendit son bras qui rougissait là où il n'était pas meurtri par l'ecchymose.

— Laissez-moi vous aider.

Bart posa sa canne et son chapeau sur le canapé, prit le linge humide et l'appliqua sur la brûlure. Ses mains étaient brunes et fortes ; il s'occupait du poignet de sa sœur avec délicatesse, comme s'il était en porcelaine.

— Merci, Mrs. Pitt, dit-il finalement quand tout fut bien fixé, je pense que Mrs. Winthrop devrait s'allonger un moment ; ce désagréable incident a dû l'affecter. Elle n'est pas assez...

— Ce n'est rien... commença Mina. Bart, Mrs. Pitt n'a pas bu son thé, par ma faute, s'excusa-t-elle, s'attachant à un ridicule problème d'étiquette, alors que de toute évidence un souci bien plus grave occupait son esprit.

Bart lui lança un regard pénétrant.

— Je le lui servirai, sois sans crainte. Va t'allonger un moment. Il te sera plus facile de garder ton bandage si ton bras repose sur un oreiller. Si tu persistes à vouloir rester assise, il va tomber.

— Je... je suppose que tu as raison, fit-elle avec réticence.

Pourtant, elle ne partit pas. Elle continua à fixer son frère et Charlotte avec anxiété.

— Dois-je appeler un docteur ? s'enquit Charlotte.

Bart secoua la tête avec vigueur.

— Non, cela ne sera pas nécessaire. Vous avez fait ce qu'il faut.

Il eut un bref sourire, très beau.

— Laissons Mina aller se reposer. De mon côté, je serais heureux de vous offrir du thé, Mrs. Pitt. Venez au salon.

Comment refuser sans se montrer impolie ? Charlotte acquiesça et Mina, obéissante elle aussi, monta dans sa chambre.

Charlotte suivit Bart dans le salon et s'assit en face de lui. Gwyneth avait compris qu'elle devait apporter le thé, à moins qu'elle ne le fît tous les jours à cette même heure, car elle réapparut quelques instants plus tard, tenant précautionneusement son plateau qu'elle posa sur la table basse. Elle esquissa une petite révérence et s'éclipsa.

Bart Mitchell servit le thé puis se laissa aller dans son fauteuil et observa la visiteuse avec une attention quelque peu méfiante.

— Il est rare de voir quelqu'un d'assez aimable pour rendre visite à une personne en deuil, Mrs. Pitt, lui fit-il remarquer.

Charlotte, s'attendant à cette réaction, avait déjà une réponse toute prête.

— J'ai porté le deuil de ma sœur aînée, Mr. Mitchell, répondit-elle d'un ton léger. Ce furent des moments très difficiles, même si mon autre sœur et ma mère se trouvaient chez moi à ce moment-là. Je désirais de tout mon cœur entretenir une conversation qui ne soit pas chuchotée et qui n'ait rien à voir avec la défunte.

Elle but une gorgée de thé.

— Bien sûr, j'ignorais si Mrs. Winthrop ressentait le même besoin, mais il me semblait naturel de lui donner l'occasion de parler d'autre chose, au cas où elle l'aurait souhaité.

— Vous me surprenez, dit-il avec franchise, sans la quitter des yeux. Mina était dévouée à Oakley. Certaines personnes ne voient pas l'extraordinaire courage dont elle fait preuve pour garder ce calme apparent aux yeux du monde.

Dans quelle mesure mentait-il ? Il avait déjà vu cette ecchymose, Charlotte l'aurait juré. Y en avait-il d'autres ? Avait-il deviné ou savait-il quelque chose ?

— Nous avons chacun notre façon de réagir face au deuil, dit-elle en usant de mots ordinaires pour masquer son malaise. Pour certains d'entre nous, reprendre une vie normale peut être une aide. Mrs. Winthrop m'a montré la pièce où elle prenait son petit déjeuner ; je l'ai trouvée tout à fait exquise.

— Oui. Mina a beaucoup de goût pour les couleurs, dit-il d'un ton crispé.

Il guettait sa réaction, se demandant pourquoi elle avait soulevé ce sujet-là.

— Je suis sûre que le capitaine aurait fini par s'habituer à cette couleur, ajouta Charlotte.

Entre eux planait, de façon informulée, mais palpable, la question des horribles bleus, ainsi que de l'humiliation et de l'embarras de Mina. Qu'avait-elle dit à son frère ? Et surtout, quand ? Avant la mort de Winthrop, ou après ?

Il fit mine de prendre la parole, puis se ravisa.

— Je suis moi-même en train de déménager, dit Charlotte pour combler le silence. C'est épuisant ! L'attention qu'il faut porter à chaque détail semble sans fin.

— L'entrepreneur doit vous aider, j'imagine ?

La conversation était sans intérêt, ils le savaient tous deux, mais il fallait bien parler de quelque chose. Charlotte ne cessait de se demander à quoi pouvait penser Bart Mitchell.

— Bien sûr, répondit-elle en souriant. Mais il me laisse décider de la décoration intérieure. Or, je n'arrive pas à choisir entre une couleur qui me plaît et une autre qui semblerait, à l'usage, plus pratique.

— Quelle complication !... Quelle est finalement votre décision ?

Il y eut un autre silence. Charlotte eut l'impression qu'il venait de lui demander ce qu'elle comptait faire à propos des marques de coups reçus par Mina. Allait-elle en parler ou garder le secret ?

Elle réfléchit quelques instants avant de répondre.

— Je crois que je vais en aviser mon mari, fit-elle avec une absolue franchise. Il sera de bon conseil.

— J'aurais dû m'en douter, répondit-il, impassible.

Charlotte se sentait submergée d'émotions contradictoires : colère contre Oakley Winthrop qui semblait avoir été une brute sadique — si Gracie ne se trompait pas —, pitié pour Mina, qui avait enduré sa violence sans mot dire et qui aujourd'hui vivait dans la crainte que son propre frère n'ait tué son mari.

Le silence devenait oppressant.

— Dans la mesure où il s'agit aussi de sa maison, il est normal que je lui en parle, ajouta-t-elle d'une voix qui sonnait faux.

Une expression amusée éclaira les lèvres de son vis-à-vis.

— Dois-je en déduire, d'après le choix de vos mots, que vous ne vous conformerez pas nécessairement à sa décision, Mrs. Pitt ?

— En effet.

— Vous êtes donc une femme volontaire et courageuse.

Charlotte se leva.

— Deux qualités contestables chez une épouse, fit-elle avec légèreté. Vous avez été charmant, Mr. Mitchell. Merci de votre hospitalité, dans des circonstances aussi difficiles.

Il se leva aussitôt, et s'inclina devant elle.

— Merci pour l'attention amicale que vous portez à ma sœur, en ces moments douloureux, Mrs. Pitt.

— Je compte bien l'entretenir, dit-elle sans se compromettre, en inclinant également la tête pour le remercier.

Il l'accompagna à la porte d'entrée. La soubrette lui tendit sa cape. Charlotte sortit et descendit Curzon Street vers l'arrêt de l'omnibus, mille questions en tête.

Pitt rentra très tard, ce soir-là. Gracie était allée se coucher, Daniel et Jemima dormaient depuis longtemps. Charlotte ne tenait pas en place. Il y avait des vêtements à repriser, mais ils demeurèrent tels quels dans la corbeille à ouvrage. De même, au lieu de s'occuper de sa correspondance, traîna-t-elle dans la cuisine.

Quand finalement elle entendit la clé tourner dans la serrure, elle tapota ses jupes pour la dixième fois, repoussa les mèches de cheveux qui lui tombaient sur les yeux et courut à la rencontre de son époux.

La première réaction de Pitt fut l'inquiétude puis, une fois rassuré, il la tint serrée contre lui, jusqu'à ce qu'elle le repousse.

— Thomas, j'ai découvert quelque chose de très important.

— Au sujet de la maison?

Il prit l'air intéressé, mais elle devina la lassitude dans sa voix.

— Non, pas exactement. Je suis allée voir Mina Winthrop à propos du papier peint de notre salle à manger.

— Quoi? Que voulez-vous dire? C'est absurde!

— Pour savoir quelle couleur choisir, fit-elle avec impatience tout en l'entraînant vers la cuisine.

— Comment pourrait-elle savoir, elle, quelle teinte vous devriez choisir? s'enquit Pitt, ahuri.

— Elle est très douée pour ce genre de choses.

— Qu'en savez-vous? dit-il en s'asseyant à la table. Tiens, c'est curieux, il y a des feuilles de thé par terre.

— J'en ai renversé un peu, dit-elle l'air de rien. J'ai discuté avec Mina Winthrop lors du service funèbre. Et je suis allée la voir aujourd'hui. S'il vous plaît, écoutez-moi, c'est important.

— J'écoute. Pourriez-vous mettre la bouilloire sur le feu? Cela fait des heures que je n'ai pas bu une tasse de thé.

— C'est fait. J'allais le préparer. Avez-vous faim aussi?

— Non, je suis trop fatigué pour manger.

Elle remplit d'eau une bassine, ajouta des sels d'Epsom et la posa sur le sol devant lui.

— Pieds, fit-elle l'air absent.

— Mais je n'arpente plus les rues, sourit-il. Avez-vous oublié que je suis commissaire, maintenant ?

— Est-ce que les commissaires n'ont pas chaud aux pieds dans leurs chaussures ?

Il se pencha, délaça ses bottes, libéra ses pieds et les plongea dans l'eau froide avec un plaisir intense.

— Mina Winthrop était une femme battue, annonça Charlotte. Il se peut qu'Oakley Winthrop ait été un sadique qui aimait faire souffrir les femmes. Je veux dire les prostituées.

Pitt lui lança un regard aigu.

— Comment savez-vous tout cela ? Elle vous l'a dit ?

— Bien sûr que non ! Figurez-vous que sa bonne a renversé du thé brûlant sur son poignet. J'ai défait sa manchette, et j'ai vu une énorme ecchymose sur son bras.

— Un accident...

— Non. Il y avait des marques de doigts. Et je suis presque sûre que son cou aussi est meurtri et qui sait quoi d'autre sur le reste de son corps. C'est pourquoi elle porte de longues manchettes et des cols serrés : pour cacher les bleus.

— Vous ne pouvez pas savoir.

— Si ! De plus, je mettrais ma main au feu que Bart Mitchell est au courant.

— Comment ?

— J'ai bien observé Mina. Elle était très honteuse, embarrassée, elle ne m'a pas dit comment cela était arrivé. Elle l'aurait fait s'il s'était agi d'un banal accident. Le bon et honorable capitaine Oakley Winthrop battait sa femme, Thomas.

— Qu'est-ce qui vous fait croire que Mitchell est au courant ?

— Il a vu les ecchymoses, lui aussi, et il n'a rien dit. S'il n'avait pas été au courant, il aurait été horrifié et lui aurait demandé ce qui s'était passé !

— C'est peut-être lui qui la bat.

— Ne dites pas de bêtises. Elle a peur pour lui, Thomas, j'en suis sûre. Elle est terrifiée à l'idée qu'il puisse avoir tué Winthrop.

— Ce qui signifie que vous n'en êtes pas sûre, la corrigea-t-il. Les gens disent toujours qu'ils sont sûrs quand ce qu'ils croient être vrai va dans le sens de leurs pensées, mais en fait ils ne sont sûrs de rien. Attention, l'eau bout.

— Aucune importance. Thomas, Mina a peur que son frère n'ait tué Oakley Winthrop à cause des mauvais traitements qu'il lui infligeait.

— Je vois... fit-il, pensif. Et comment avez-vous eu le renseignement sur l'homme qui bat les prostituées dans le parc ? Ce n'est tout de même pas Mina Winthrop qui vous en a parlé, n'est-ce pas ?

— Non, bien sûr.

— Charlotte ? J'attends.

Elle inspira un bon coup.

— S'il vous plaît, ne vous fâchez pas, elle l'a fait parce qu'elle a peur pour vous. Ne lui dites rien et pardonnez-lui, sinon c'est moi qui ne vous le pardonnerai pas.

Il haussa les sourcils.

— Mais que me chantez-vous là ? Vous ne me pardonneriez pas de quoi ?

— De ne pas l'avoir pardonnée, pardi !

— Mais de qui parlez-vous ? D'Emily ?

— Peut-être ferais-je mieux de ne pas dire son nom, répondit Charlotte, songeant qu'après tout ce n'était pas une mauvaise idée de rejeter la responsabilité sur sa sœur.

— Bon, expliquez-moi tout ça, par le début.

— Elle est allée se promener dans Hyde Park la nuit, et elle a parlé avec l'une des prostituées. Je veux dire que c'est venu dans la conversation, naturellement...

— Naturellement... ironisa-t-il. Jack est-il au courant ?

Je doute que les frasques nocturnes de son épouse fassent progresser ses chances d'être élu député...

— Non, il ne sait rien. Motus et bouche cousue, n'est-ce pas ? Vous promettez ?

Il sourit, bien qu'il ne fût qu'à moitié amusé.

— Promis.

— Merci !

Elle mit le thé à infuser, puis le versa fumant dans une tasse qu'elle apporta sur la table. Ensuite elle tendit une serviette chaude à Pitt, afin qu'il s'essuie les pieds.

— Merci.

— Pour le thé, ou pour la serviette ?

— Pour le renseignement. Pauvre Mina.

— Que comptez-vous faire ?

— Boire mon thé et aller me coucher. Je ne suis plus en état de réfléchir.

— Désolée. J'aurais dû attendre demain matin.

Il l'embrassa tendrement et, le temps d'un baiser, Mina Winthrop et ses ennuis furent oubliés.

Billy Sowerbutts conduisait lentement sa carriole le long de Knightsbridge en direction de Hyde Park Corner quand il fut obligé de s'arrêter au milieu d'un gros embouteillage. Billy en fut contrarié. Pour tout dire, cela le mit en colère. Quel est l'intérêt de se lever aussi tôt, alors que vous mourez d'envie de rester au lit et de vous rendormir, si c'est pour passer la matinée immobilisé au niveau du monument de Nelson, tout cela parce qu'un abruti bloque la circulation ?

Sur une centaine de mètres, les gens commençaient à crier et à protester. Un cheval se cabra, recula, et deux charrettes emmêlèrent leurs roues.

C'était la fin de tout. Billy Sowerbutts attacha les rênes de son cheval à la ridelle de son véhicule et sauta à terre. Dépassant tout le monde, il se dirigea à grands pas vers la voiture qui avait provoqué cette confusion, un cabriolet entre les brancards duquel, curieusement, il n'y

avait aucun cheval, comme si quelqu'un l'avait abandonné là.

— Quel est l'imbécile qui laisse son cabriolet dans un
endroit pareil? jura-t-il. Hé, qu'est-ce qui vous arrive,
mon vieux, c'est pas un endroit pour piquer un roupil-
lon!

Il se dirigea vers la silhouette allongée à l'arrière du
véhicule sur une pile de vieux vêtements.

— Réveillez-vous, foutu idiot! Sortez-moi de là!
Vous prenez toute la rue!

Il se pencha pour secouer l'homme par l'épaule et sentit de l'humidité sur sa main. Il la retira et, dans la
lumière de l'aube naissante, vit une tache foncée sur ses
doigts. Alors il se pencha en avant une nouvelle fois pour
mieux regarder l'homme allongé.

Il n'avait pas de tête.

— Jésus, Marie, Joseph, fit Billy Sowerbutts, avant de
tomber sur le brancard.

## 6

Pitt, assis à son bureau, regardait Tellman, abasourdi.

— Knightsbridge, juste à la sortie du parc, répéta ce dernier. Sans tête, bien sûr.

Ce matin-là il n'affichait pour une fois aucun signe de triomphalisme ni de supériorité.

— Ce monstre est toujours en liberté, Mr. Pitt, et nous ne sommes pas plus en mesure de l'attraper que nous ne l'étions au début de l'enquête.

— Qui est la victime ? demanda Pitt. Que savons-nous sur elle ?

— Peu de chose, fit Tellman avec une grimace. Un receveur d'omnibus. Un dénommé Yeats.

Pitt sursauta.

— Un receveur d'omnibus ? Pas un gentleman ?

— Un petit receveur d'omnibus très ordinaire et très respectable, répéta Tellman. Il rentrait chez lui après sa dernière course — non justement, ce qui est bizarre, c'est que ce n'était pas sur son chemin. Il habite non loin du terminus, qui se trouve à Shepherd's Bush. La compagnie d'omnibus m'a renseigné.

— Alors que faisait-il à Knightsbridge, près du parc ? Est-ce là qu'il a été tué ?

— Non. En tout cas, pas à première vue. Il est impossible de décoller une tête sans faire couler des ruisseaux de sang ; or il y en avait très peu dans le cabriolet.

— Le cabriolet ? Quel cabriolet ?

— Un cabriolet ordinaire, sans cheval.

— Que voulez-vous dire par cabriolet sans cheval ? fit Pitt en haussant le ton. Il s'agit soit d'un véhicule tiré par un cheval, soit d'une charrette à bras.

— Je veux dire qu'il n'y avait plus de cheval. Personne ne l'a encore trouvé, répondit Tellman, agacé.

— Le Bourreau l'aurait relâché ?

— Apparemment.

Pitt se cala contre le dossier de son fauteuil, en songeant que ce jour-là, il ne trouverait aucune position confortable.

— Quoi d'autre ? Vous avez la tête, je suppose, puisque vous savez son nom et son adresse. A-t-il d'abord été assommé ? Je présume qu'il n'avait rien de valeur sur lui.

— Oui, il a été assommé — un coup très violent — avant d'être proprement décapité. Un bien meilleur boulot que pour le pauvre Arledge. Il rentrait chez lui, encore en uniforme, après une journée de travail ; il avait à peu près trois shillings et six pence sur lui, plus une montre qui devait valoir dans les cinq livres. Mais qui chercherait à voler un receveur d'omnibus ?

— Personne, en effet. Avez-vous prévenu la famille ?

Tellman pinça les lèvres.

— Il n'est que huit heures et demie, remarqua-t-il, sans ajouter « monsieur ». Le Grange est parti avertir Mrs. Yeats. Je ne pense pas qu'elle nous sera d'un grand secours.

Il enfonça ses poings dans ses poches et regarda Pitt.

— Nous avons affaire à un fou qui s'attaque à n'importe qui quand ça le prend, sans raison particulière. Je vais retourner à l'asile de Bedlam. Peut-être ont-ils refusé quelqu'un ou laissé sortir un malade dernièrement.

Son regard éteint disait le peu qu'il attendait de cette visite à l'asile. Il laissa soudain éclater sa rage.

— Quelqu'un doit le connaître! Les habitants de la capitale se soupçonnent mutuellement, ils ont peur de leur ombre, plus personne n'a confiance en personne; pourtant, il doit bien y avoir quelqu'un qui connaît le tueur! Une personne qui l'a vu après ses forfaits et s'est aperçue qu'il avait l'esprit dérangé, ou bien qui a vu l'arme, ou qui sait où elle est, ce n'est pas possible autrement!

Pitt ignora cet éclat. Tellman avait raison, il avait lu la peur et le reproche dans les yeux des Londoniens, entendu le ton méfiant et agressif de leur voix.

— Ce cabriolet, d'où vient-il? À qui appartient-il?

Un bref instant, Tellman parut décontenancé.

— Nous n'en savons rien pour le moment encore, monsieur. Il n'y avait pas grand-chose à l'intérieur, peu de traces identifiables.

— Nous saurons bientôt s'il lui appartenait, bien que j'imagine mal un receveur d'omnibus rentrant chez lui en cabriolet, fit Pitt, pensif. Ce qui amène à se poser la question de savoir pourquoi il s'y trouvait.

Tellman eut un rictus méprisant.

— Ce serait trop beau s'il appartenait à notre fou. Il est bien trop malin pour se servir d'une voiture à lui!

Pitt s'enfonça plus profondément dans son fauteuil et fit signe à Tellman de s'asseoir.

— Il s'agit donc de savoir pour quelle raison l'assassin a utilisé un cabriolet, continua-t-il. Pourquoi avait-il besoin d'un véhicule?

— Pour déplacer le corps, répondit Tellman. Ce qui signifie qu'il a pu tuer Yeats n'importe où, comme dans le cas d'Arledge.

— Sans doute, mais dans un lieu où le cadavre était trop visible ou bien dans un endroit où sa présence posait un problème à l'assassin, réfléchit Pitt à haute voix.

— Vous voulez dire un endroit où le corps aurait été découvert trop vite?

— Possible. À quel arrêt Yeats a-t-il quitté son dernier omnibus ?

— À l'arrêt de Shepherd's Bush, Silgate Lane.

— C'est loin de Hyde Park. Est-ce là qu'il habitait ?

— Oui, à quatre cents mètres environ.

— Donc, il n'avait pas besoin d'un cabriolet pour parcourir cette distance. Vérifiez si l'on n'a pas volé cette voiture dans le voisinage. Cela ne devrait pas prendre beaucoup de temps.

Tellman se carra sur sa chaise et devança la question suivante.

— On ne sait pas encore où Yeats a été tué mais ça ne doit pas être loin de là. À moins qu'on l'ait assommé avant de le hisser dans le cabriolet pour l'emmener ailleurs, dans un lieu discret. Ce n'est pas une mince affaire de couper la tête d'un homme. Il faut sacrément y mettre du sien.

Il secoua la tête, mécontent.

— En tout cas, ça ne s'est pas passé dans le cabriolet. Il a dû entraîner Yeats quelque part, l'assommer, lui trancher le cou, puis remettre le corps et la tête dans le cabriolet pour les ramener à Hyde Park. Mais pourquoi ? Ça ne rime à rien.

— Il y a donc un élément qui nous échappe, conclut Pitt, logique. Trouvez-le, Tellman.

— Oui, monsieur.

Ce dernier se leva, hésitant. Pitt faillit lui demander ce qu'il voulait, puis se ravisa.

— Vous savez, reprit Tellman lentement, je me demande parfois s'il s'agit bien d'un fou. Car un fou choisirait ses victimes selon une certaine logique, en fonction d'un lieu, d'un métier, d'un aspect physique, je ne sais pas, moi, quelque chose qui le pousse à tuer. Nous savons déjà qu'il ne s'agit pas du lieu ; et les victimes ne se ressemblaient pas : Winthrop était corpulent, Arledge très mince et il avait bien dix ou quinze ans de plus ; quant au receveur, c'était un bonhomme chauve et bedonnant. Il portait encore son uniforme, donc n'importe qui pouvait voir qu'il ne s'agissait pas d'un gentleman. On ne pouvait le confondre avec qui que ce soit. Et pourquoi peut-on vouloir supprimer un receveur d'omnibus ? conclut-il avec irritation.

— Je ne sais pas, admit Pitt. Yeats avait-il vu quelque chose ayant un rapport avec les meurtres ? Mais comment notre fou l'aurait-il appris ? Cela dépasse l'entendement.

— Du chantage ? suggéra Tellman.

— Quand bien même Yeats aurait été témoin de l'un des meurtres, comment a-t-il su qui était l'assassin, et où le retrouver ?

— Il le connaissait peut-être, suggéra Tellman. Notre fou peut être un individu aisément reconnaissable par tout un chacun !

Pitt se redressa légèrement.

— Si c'était quelqu'un de connu, poursuivit Tellman avec force, cela expliquerait pourquoi il a fallu qu'il tue le receveur.

Son visage rayonnait de satisfaction.

— Et les autres ? Winthrop et Arledge ?

— Il doit y avoir un rapport, insista Tellman, buté. Je ne sais pas lequel, mais il y en a un. Quelque part dans son esprit dérangé, ce monstre avait une raison de tuer ces deux-là aussi !

— Que je sois damné si je la devine... soupira Pitt.

— Je la trouverai, grinça Tellman. Et je ferai en sorte que ce salaud se balance au bout d'une corde.

Pitt ne fit aucun commentaire.

La tempête éclata dans les journaux en milieu de journée. Le Bourreau de Hyde Park, comme on le surnommait, faisait la une de chaque édition. Les articles qui lui étaient consacrés laissaient entrevoir la panique que suscitait la découverte d'un nouveau cadavre. Vers une heure de l'après-midi, le préfet de police adjoint Farnsworth fit irruption dans le bureau de Pitt, blême de colère.

— Mais que diable faites-vous, Pitt? Ce... ce malade se déchaîne dans les rues de Londres en tuant les gens où et quand il veut. Trois corps sans tête et vous ne savez toujours rien sur lui? Vous n'avez pas la moindre idée de son identité?

Il se pencha par-dessus le bureau et regarda Pitt fixement.

— Par votre faute, tous les policiers passent pour des idiots incompétents. Lord Winthrop est venu me rendre visite. Le pauvre homme m'a demandé ce que nous faisions pour retrouver l'assassin de son fils. Et je n'ai aucune réponse à lui fournir. Aucune! On ne parle que de cela, dans les rues, les clubs, les théâtres, les bureaux; on improvise même des chansons à ce sujet dans les music-halls, m'a-t-on dit. Nous sommes la risée de la capitale, Pitt!

Il serrait et desserrait ses poings avec rage.

— Je vous ai fait confiance et vous m'avez déçu. J'ai bien voulu croire Drummond quand il m'a dit que vous étiez l'homme qu'il nous fallait, mais on dirait que la tâche est trop difficile pour vous. Vous n'êtes pas à la hauteur!

Pitt n'avait pas d'argument à lui opposer pour sa défense. Il commençait à douter de lui-même. Mais qu'aurait fait Drummond de plus que lui? Il n'avait reçu aucune formation de policier, pas plus que Farnsworth, d'ailleurs.

— Si vous souhaitez confier le dossier à quelqu'un d'autre, monsieur, décidez-le sur-le-champ, dit-il avec froideur. Je lui ferai part des informations que nous avons recueillies jusqu'à présent et de la conduite que nous comptions tenir.

Farnsworth demeura interdit.

— Ne soyez pas ridicule, mon vieux. Il serait trop facile d'abandonner vos responsabilités! Quelles informations avez-vous en votre possession ? Selon votre inspecteur, il y en a diablement peu.

C'était la vérité, hélas. Pourtant Pitt fut très irrité d'apprendre que Tellman en avait parlé à Farnsworth. Même si celui-ci le lui avait demandé, il aurait d'abord dû le mettre au courant. Il était pénible de penser qu'il ne pouvait espérer un comportement loyal du plus proche de ses hommes. Cela aussi était un échec.

Il commença à énumérer les faits qu'il connaissait.

— Winthrop a été tué dans une embarcation, ce qui indique qu'il n'avait pas peur de son assassin. Il a été frappé par-derrière, puis décapité, vers minuit. Arledge aussi a été assommé, mais tué ailleurs que dans le kiosque à musique où son cadavre a été trouvé. Il peut ou non avoir connu son meurtrier, mais, ce qui est sûr, c'est que son corps a été déplacé. J'ai en ce moment même une demi-douzaine d'hommes qui cherchent le lieu du crime.

— Bon sang de bon sang, il ne peut pas être loin ! Sur quelle distance peut-on déplacer un cadavre sans tête au cœur de Londres sans se faire remarquer, même au milieu de la nuit ? Et avec quels moyens a-t-il opéré ? Dans un attelage, un cabriolet, sur le dos d'un cheval ? Faites marcher vos méninges, mon vieux !

— Il n'y avait aucune trace de sabots ni de roues d'attelage près du kiosque à musique, observa Pitt sèchement. Nous avons examiné le sol avec soin, nous n'avons rien trouvé d'anormal.

Farnsworth s'éloigna de quelques pas puis fit demi-tour.

— Alors qu'y avait-il, pour l'amour du ciel ? Il ne l'a tout de même pas porté sur ses épaules !

— Rien d'anormal, répéta Pitt avec lenteur, tant les pensées se bousculaient dans sa tête. Ce qui signifie qu'Arledge a été transporté dans un véhicule quelconque qui passe par là en temps normal.

— Quel genre de véhicule ?

— Un matériel de jardinage...

— Lequel? railla Farnsworth. Une tondeuse de gazon?

— Une simple brouette a pu convenir.

Pitt se souvenait d'avoir entendu Le Grange parler d'un individu poussant une brouette.

— Oui, un témoin a vu une brouette. Ça doit être cela. Il ne peut pas avoir été tué bien loin de là. On ne peut pas promener longtemps un corps dans une brouette à travers les rues...

— Alors, trouvez-la! ordonna Farnsworth. Et ce malheureux receveur d'omnibus, ce matin? Qu'a-t-il à voir avec les deux autres? Que faisait-il dans le parc?

— Nous ignorons s'il était dans le parc.

— Bien sûr qu'il y était, mon vieux. Sinon pour quelle autre raison aurait-il été tué? Il doit y être allé. Où a-t-il été vu vivant pour la dernière fois?

— Près du terminus, à Shepherd's Bush.

— Shepherd's Bush?

La voix de Farnsworth monta d'un cran.

— Mais c'est à des kilomètres de Hyde Park!

— Ce qui pose la question de savoir pourquoi le tueur l'a ramené dans le parc.

— Parce que sa folie a un rapport avec le parc, pardi! grinça Farnsworth, à bout de patience. Il l'aura frappé jusqu'à ce qu'il perde connaissance et l'a ensuite ramené au parc pour lui couper la tête, c'est évident.

— Mais si ce n'est pas dans le parc qu'il se trouvait, pourquoi l'avoir tué? demanda Pitt en soutenant son regard.

Farnsworth se retourna, furieux.

— À vous de le découvrir, Pitt! J'ai l'impression que vous vous y prenez fichtrement mal. L'opinion publique attend davantage de vous, et c'est son droit. J'ai suivi l'avis de Drummond et vous ai promu commissaire, et ce, contrairement à mon intuition. Il semblerait que j'aie fait une erreur.

Il s'empara du journal qu'il avait jeté sur le bureau.

— Vous avez vu cela? Regardez!

Il désigna un dessin humoristique représentant deux policiers qui regardaient par terre, les mains dans les poches, tandis que l'ombre géante d'un homme masqué, armé d'une hache de bourreau, planait au-dessus de la capitale terrifiée.

Il n'y avait rien à dire. Farnsworth n'avait pas de meilleures idées, mais le lui faire remarquer ne servirait à rien. Il le savait et c'était d'ailleurs en partie pour cela qu'il était en colère. Lui aussi était impuissant, et de plus il devait répondre aux pressions gouvernementales. Un échec pouvait mettre fin à sa carrière. Sa hiérarchie se souciait peu de ses excuses ou de ses raisons, même si elles étaient valables. Elle ne jugeait que les résultats, l'opinion publique étant une maîtresse versatile et peureuse, qui oubliait très vite, pardonnait très peu et ne comprenait que ce qu'elle avait envie de comprendre.

Farnsworth reposa le journal sur le bureau.

— Finissez-en, Pitt. Je veux du nouveau dès demain.

Là-dessus, il tourna les talons et quitta la pièce, sans fermer la porte.

Dès que Farnsworth eut disparu dans l'escalier, le pâle visage de Bailey apparut dans l'entrebâillement de la porte. Il semblait gêné.

Pitt leva la tête.

— Que se passe-t-il, sergent?

Ce dernier fit une grimace.

— Vous occupez pas de lui, Mr. Pitt, dit-il, un peu gauche. Il ne ferait pas mieux, tout le monde le sait.

— Merci, Bailey. Mais nous devons nous surpasser, si nous voulons attraper cette créature.

Bailey frissonna légèrement.

— Vous croyez vraiment que c'est un fou, Mr. Pitt, ou quelqu'un qui connaissait ses victimes? Ce que je comprends pas, c'est pourquoi il a saigné ce pauvre receveur. Les gentlemen, encore, on peut comprendre. Ils avaient peut-être quelque chose à se reprocher.

Pitt ne put s'empêcher de sourire.

— C'est ce que je vais m'efforcer de découvrir, Bailey.

Il se leva.

— Pour commencer, je vais trouver quelles portes ouvrent les deux jeux de clés d'Aidan Arledge.

— Oui, monsieur. Dois-je le dire à Mr. Tellman, monsieur? Je sais pas vraiment où vous allez, mais je pourrais toujours prétendre que je me souviens pas de ce que vous m'avez dit.

— Donc si je ne vous le confirme pas, vous n'en saurez rien, c'est cela? fit Pitt en souriant.

— C'est ça, monsieur, acquiesça gaiement Bailey.


Pitt prit les deux jeux de clés et partit pour Mount Street. Dulcie Arledge le reçut avec courtoisie. Si elle fut surprise de le voir, elle n'en montra rien, avec la finesse qu'il lui connaissait désormais.

Elle ne se leva pas du sofa sur lequel elle était installée. Elle était vêtue d'une robe noire dont les épaules larges accusaient l'étroitesse de sa silhouette, comme le voulait la mode, et agrémentée d'une broche de deuil en jais. À son doigt brillait un anneau de deuil.

Elle ébaucha un sourire.

— Bonjour, commissaire. Que puis-je faire pour vous aider? J'ai entendu dire qu'il y avait un autre mort. Est-ce vrai?

— Oui, madame, en effet.

— Mon Dieu, c'est terrible. Qui... qui était-ce?

— Un receveur d'omnibus, madame.

— Un... un receveur? Mais pourquoi voudrait-on... je veux dire...

Elle se détourna légèrement.

— Je... je ne sais même pas ce que je veux dire. Était-ce encore à Hyde Park?

Il détestait l'idée de lui en parler, d'infliger à cette femme courageuse et sensible une blessure supplémentaire.

— Juste en dehors du parc. Du moins, c'est là qu'on l'a trouvé. Nous ignorons encore le lieu exact du crime.

Elle l'observa de ses beaux yeux sombres et troublés.

— Je vous en prie, asseyez-vous, commissaire. Dites-moi ce que je peux faire pour vous aider. Je ne vois aucun rapport entre la mort de mon mari et celle d'un receveur d'omnibus. J'essaie de me souvenir si Aidan a mentionné le nom du capitaine Winthrop devant moi, mais sans résultat. Il connaissait tant de monde ! Je n'avais pas rencontré la moitié de tous ces gens.

— Des personnes intéressées par sa musique ?

Pitt prit un siège comme elle l'invitait à le faire.

— Oui. C'était un grand chef d'orchestre, très demandé.

Ses yeux s'emplirent de larmes.

— Un homme remarquable, commissaire ; je ne suis pas la seule à qui il va manquer.

Pitt ne savait que dire. Les veuves gémissantes ou hystériques le mettaient dans l'embarras ; cette femme calme, digne, émouvante lui faisait ressentir davantage encore son impuissance à trouver des mots de réconfort.

Elle remarqua sa gêne et s'excusa aussitôt.

— Pardonnez-moi, commissaire. Je vous ai placé dans une situation impossible. Je n'aurais pas dû me laisser aller à mes émotions. J'aimerais tant pouvoir vous être utile.

Pitt sortit les deux jeux de clés de sa poche et les lui tendit. Elle en prit un.

— Ce sont les clés de notre maison. Voilà celle de la porte d'entrée. Il lui arrivait de rentrer tard ; il ne voulait pas que le personnel reste éveillé à l'attendre. Les petites sont celles des tiroirs de son bureau. Celle-ci doit être celle du cellier. Aidan y descendait sans déranger Horton, le majordome.

Elle regarda ensuite le second jeu, sourcils froncés.

— Je n'en reconnais aucune. Je n'ai aucune idée de leur provenance.

Elle compara les deux jeux.

— Elles ne se ressemblent guère, n'est-ce pas?

— Non, madame, en effet.

Elle lut dans ses yeux qu'ils venaient d'avoir la même pensée : ces clés étaient celles d'une autre maison. Elle les lui rendit.

— Navrée de vous n'être d'aucun secours, commissaire.

— Au contraire! l'assura Pitt. Peu de gens montreraient autant de courage que vous, en des circonstances aussi dramatiques; votre franchise et votre clarté d'esprit me sont d'une grande aide. Je suis désolé d'avoir à vous poser toutes ces questions.

Elle lui sourit avec chaleur.

— Vous êtes très généreux, commissaire. Avec une personne aussi bienveillante que vous, parler d'Aidan et de toute cette tragédie est moins difficile que vous devez l'imaginer. Pouvoir parler sincèrement est plutôt un soulagement.

Elle eut un petit geste d'impatience.

— Les gens croient bien faire en parlant d'autre chose... Alors, je vous en prie, posez-moi toutes les questions qui vous viennent à l'esprit.

— Merci. J'aimerais connaître les allées et venues et l'emploi du temps de votre mari au cours de la semaine passée. Sait-on jamais, il a peut-être croisé son agresseur. Ou il se peut qu'il y ait un lien, si ténu ou accidentel soit-il, avec ses activités.

— Vous avez là une excellente idée, approuva-t-elle. Je peux vous confier son agenda professionnel dans lequel il notait ses rendez-vous. Je l'ai gardé parce que je voulais savoir quelles avaient été ses dernières activités et aussi parce que j'ai beaucoup de faire-part à envoyer.

Elle esquissa une grimace de lassitude.

— Tout le monde a lu l'annonce de sa mort dans les journaux, ou en a entendu parler par les crieurs, mais cela ne remplace pas un faire-part.

— Je vous serais très reconnaissant de me l'apporter. Je ne vous l'avais pas demandé jusqu'à présent parce que les rendez-vous professionnels de votre époux me semblaient sans rapport avec son assassinat.

Dulcie Arledge se leva. Instinctivement, Pitt fit de même.

Elle alla vers un petit secrétaire de noyer marqueté, l'ouvrit, et en sortit un agenda relié de cuir vert foncé qu'elle tendit au policier. L'agenda s'ouvrit de lui-même à une page qui correspondait au jour de la mort d'Aidan Arledge. Il avait noté l'heure d'une répétition cet après-midi-là. C'était tout.

Pitt leva les yeux vers Dulcie et rencontra son regard.

— Votre mari n'a eu qu'un seul rendez-vous ce jour-là?

— Je n'en sais rien, répondit-elle. Il n'y en a qu'un qui soit noté ici, mais il lui arrivait quelquefois, et même très souvent, de sortir sous l'impulsion du moment. Cet agenda était surtout professionnel.

Pitt tourna les pages concernant la semaine qui s'était déroulée avant sa mort puis commença à lire. Répétitions, spectacles, rendez-vous à déjeuner ou à dîner en rapport avec des projets futurs étaient notés d'une écriture claire et élégante aux majuscules dessinées d'une main ferme, sans fioritures excessives.

— Puis-je l'emporter? Il me permettra peut-être d'apprendre quelque chose d'intéressant.

— Bien sûr. Je peux également vous donner le nom de deux personnes avec lesquelles il travaillait régulièrement : Sir James Lismore et Roderick Alberd. Tous deux à leur tour vous donneront d'autres noms. J'ai leur adresse quelque part ici. Lady Lismore est une amie de longue date. Je suis sûre qu'elle vous aidera, autant qu'elle le pourra.

Pitt ignorait si cet agenda lui serait d'une quelconque utilité. Il était partagé entre le désir de mieux connaître Aidan Arledge et l'amertume d'avoir deviné qu'il avait une maîtresse. Ajoutée au deuil, cette découverte serait pour sa femme un terrible fardeau à porter. Il décida que, si une telle révélation ne servait pas à faire avancer l'enquête, il la garderait secrète et l'oublierait comme si elle n'avait jamais existé. Il était prêt à lui rendre le second jeu de clés en faisant un pieux mensonge, comme lui dire qu'il n'avait pas trouvé quelles portes elles ouvraient.

Il la remercia une fois encore, cherchant toujours des mots de réconfort et d'espoir, mais ils ne lui vinrent pas.

— Vous me tiendrez au courant, n'est-ce pas, commissaire ? dit-elle en souriant, alors qu'il était sur le pas de la porte.

— Dès que j'aurai du nouveau, je vous le ferai savoir, lui promit-il.


Roderick Alberd était un excentrique aux cheveux en bataille, au visage encadré d'épais favoris, qui ressemblait un peu à Franz Liszt. Un piano à queue occupait tout le bureau dans lequel il reçut Pitt ; Alberd portait une redingote de velours lie-de-vin et une lavallière. Sa voix était grinçante et bizarrement haut perchée.

— Oui, j'ai de la peine, commissaire, fit-il avec un geste emphatique. Je suis effondré. Quelle manière absurde de mourir !...

Il fit face à Pitt et fixa sur lui son regard bleu.

— Ce genre de chose ne devrait arriver qu'à des brutes, à des voyous, à de grossiers personnages sans goût ni culture, pas à un homme comme Aidan. Il n'était en rien un prédateur ni un rustre. Cet acte est un affront à la civilisation !

Son regard se fit inquisiteur.

— Mais d'abord, pourquoi êtes-vous ici ?

— Je me renseigne sur les allées et venues et les rencontres de Mr. Arledge au cours de la semaine passée...

Alberd leva les bras au ciel.

— Pour quelle raison ? Pensez-vous que ce fou le connaissait ?

— À mon avis, leurs chemins ont dû se croiser. Pouvez-vous m'aider? C'est sa veuve qui m'a donné votre nom.

— Ah oui, pauvre Dulcie...

Alberd s'assit sur le tabouret du piano et fit craquer les jointures de ses doigts. Ses mains étaient larges, avec des extrémités spatulées. Pitt les regarda, fasciné. Si quelqu'un avait été étranglé, ces mains-là, avec leur force, auraient hanté ses rêves.

— Voyons, reprit Alberd, si ma mémoire est bonne, Aidan a été tué mardi soir et découvert le mercredi matin. Moi, je l'ai vu lundi après-midi. Nous avons parlé d'un récital, programmé le mois prochain. Mais j'y pense... il va falloir que je trouve un autre chef d'orchestre!

Il fit à nouveau craquer les jointures de ses doigts.

— En partant d'ici, il m'a dit qu'il allait rendre visite à un ami. J'ai oublié son nom. Il ne s'agissait pas de quelqu'un que je connaissais, en tout cas pas d'un musicien.

— Si vous pouviez essayer de vous souvenir...

— Bon sang, commissaire, vous ne pensez tout de même pas...? Non, je vous assure, je crois que c'était un ami de longue date, un ami très proche.

Il regarda Pitt, amusé.

— Pouvez-vous me parler de son travail? reprit celui-ci. Quelqu'un serait-il au courant de ses allées et venues de la semaine passée?

Roderick Alberd réfléchit, puis énuméra tous ses rendez-vous de la semaine écoulée, en précisant les occasions où son chemin avait croisé celui d'Aidan Arledge. Il lui cita aussi les endroits où il savait qu'Arledge s'était rendu, et en quelles circonstances. Quand il eut terminé, Pitt avait une image étonnamment complète de l'emploi du temps du chef d'orchestre.

Il se rendit ensuite chez Lady Lismore, et, sur ses

conseils, chez plusieurs autres personnes. Trois jours plus tard il connaissait tous les lieux où Adrian Arledge s'était rendu au cours de la dernière semaine de son existence. Il savait désormais le nom des personnes qu'il fréquentait régulièrement, et se promit de toutes les interroger.

Le soir, il retournait à Bow Street, souvent tard, pour entendre le rapport de Tellman.

— J'ignore où Arledge a été tué, admit un jour ce dernier avec aigreur. Mes hommes ont passé le parc au peigne fin. Chaque agent avait reçu la consigne de rester très vigilant pendant sa ronde. Résultat : néant !

— Du nouveau sur Yeats, le receveur de l'omnibus ? demanda Pitt, sans trop d'espoir.

— Je ne sais pas non plus où il a été tué. Sans doute près de Shepherd's Bush. Mais nous savons d'où vient le cabriolet. Un dénommé Arburthnot a signalé le vol de son véhicule devant sa maison, dans Silgrave Road.

— J'espère que vous avez fouillé les alentours immédiats ?

— Bien sûr, fit Tellman, dédaigneux. Nous avons ratissé la voie de garage qui se trouve à côté de Silgrave Road. Le sol est tellement saturé de graisse et couvert de cendres qu'il est difficile de dire s'il y a eu ou non du sang répandu.

— Personne n'a vu Yeats après qu'il fut descendu de l'omnibus ?

Tellman secoua la tête.

— Personne n'en a parlé. Le conducteur lui a dit au revoir et l'a vu s'éloigner dans Silgrave Road. Il habite Osman Gardens, à quatre ou cinq rues de là.

— Des passagers sont-ils descendus en même temps que lui ?

— Une demi-douzaine. Le conducteur dit qu'il ne se souvient d'aucun d'entre eux, puisqu'il leur tourne le dos tout au long du trajet ; et, à la fin de sa journée de travail, la seule chose à laquelle il pense, c'est à rentrer chez lui.

— Et les voyageurs habituels? Ont-ils remarqué quelque chose d'anormal? Que disent-ils?

Tellman fit la grimace.

— Je n'en ai trouvé qu'un. Ce n'est pas une heure à laquelle voyagent les gens qui travaillent ou ceux qui vont faire leurs courses. Il était tard; les théâtres avaient déjà fermé leurs portes. De toute façon, qui prendrait l'omnibus de Shepherd's Bush pour se rendre au théâtre en ville?

Pitt commençait à perdre patience.

— Qu'a dit votre habitué?

— Autant qu'il s'en souvienne, il y avait six ou sept personnes dans l'omnibus quand il est arrivé à Shepherd's Bush. Quatre hommes, dont un jeune et trois plus âgés. Il ne se souvient pas de leur visage. Il était fatigué et avait mal aux dents. Et vous, monsieur, qu'avez-vous appris de votre côté? conclut Tellman en relevant le menton.

— Je crois qu'Arledge avait une liaison; j'espère découvrir l'identité de cette femme d'ici un jour ou deux, répondit Pitt, plutôt sèchement.

— On tiendrait l'explication pour Arledge, si la dame était mariée, mais pour Winthrop? Ou alors était-il lui aussi son amant?

— Je ne le saurai que lorsque je l'aurai retrouvée, répondit Pitt en se dirigeant vers la fenêtre. Ah, pour répondre à la question que vous ne m'avez pas encore posée, j'ignore aussi ce que Yeats vient faire dans cette histoire, sauf dans l'hypothèse où, ayant eu vent de l'adultère, il aurait décidé d'exercer un chantage...

En bas, dans la rue, un cab s'arrêta pour déposer un client, un gros bonhomme qui eut du mal à s'extraire de la voiture, provoquant l'hilarité d'un petit balayeur.

Tellman haussa un sourcil ironique.

— La dame en question habite peut-être Shepherd's Bush...

— L'hypothèse du fou qui tue à l'aveuglette n'a pas plus de sens pour moi, répliqua Pitt.

— Il y a un rapport avec le parc, affirma Tellman. Sinon pourquoi l'assassin a-t-il pris la peine de ramener Yeats sur toute cette distance dans un cabriolet ? Il aurait été plus simple de le laisser à Shepherd's Bush.

— Il ne voulait pas qu'il reste où il était, suggéra Pitt qui quitta la fenêtre pour revenir s'asseoir sur le bord du bureau. Peut-être l'a-t-il ramené à Hyde Park parce que c'est par là qu'il vit.

Tellman ouvrit la bouche pour argumenter puis changea d'avis.

— Peut-être. La maîtresse d'Arledge, si elle a... l'esprit large, était peut-être également la maîtresse de Winthrop. Mais tout de même... pas celle du receveur.

Son long visage s'éclaira d'un sourire peu tendre.

— Je serais ravi de la rencontrer...

Pitt se leva.

— Je vais la chercher. Vous, trouvez où Yeats et Arledge ont été tués.

— Oui, monsieur.

Le sourire toujours aux lèvres, Tellman quitta la pièce.

Il fallut à Pitt encore deux journées de travail bien remplies pour retrouver la trace d'une douzaine de connaissances d'Arledge et éliminer celles qu'il ne pouvait considérer comme suspectes. Il commençait à se décourager, car la plupart étaient au-dessus de tout soupçon !

Il finit par se présenter à la porte d'un certain Jerome Carvell, respectable homme d'affaires qui avait versé des fonds au petit orchestre qu'Aidan Arledge avait souvent dirigé. Ce monsieur était peut-être marié à une très belle femme...

Un majordome de haute taille, au long nez busqué et à la bouche dédaigneuse, le reçut.

— Bonsoir, monsieur, dit-il en regardant ses bottes poussiéreuses avec perplexité.

L'assurance de ce visiteur inconnu contrastait en effet avec l'aspect plutôt négligé de sa personne.

— Bonsoir, répondit Pitt en lui tendant sa carte. Je m'excuse de venir si tard et sans m'être annoncé, mais l'affaire est urgente. Pourrais-je parler à Mr. ou Mrs. Carvell ?

— Je vais demander à Mr. Carvell s'il veut bien vous recevoir, monsieur.

— J'aimerais aussi parler à Mrs. Carvell.

— Impossible, monsieur.

— C'est important.

Le majordome haussa les sourcils.

— Il n'y a pas de Mrs. Carvell, monsieur.

Pitt se sentit excessivement déçu. Si Jerome Carvell était un ami d'Arledge, il ne raconterait pas la vie privée de celui-ci à la police.

— Souhaitez-vous toujours parler à Mr. Carvell, monsieur ? s'impatienta le majordome.

— Oui, s'il vous plaît.

— Si vous voulez bien me suivre, je vais voir si la chose est possible.

L'homme l'introduisit dans un petit bureau aux murs lambrissés, recouverts d'étagères chargées de livres reliés qui, visiblement, avaient été souvent lus. Resté seul, Pitt passa en revue les titres des volumes, classés par thèmes : voyages d'explorateurs, théâtre classique, entomologie, architecture du Moyen Âge ou culture des roses.

Soudain, la porte s'ouvrit sur un homme blond, d'environ quarante-cinq ans, dont les cheveux commençaient à grisonner aux tempes. Ses traits reflétaient une forte personnalité et une grande intelligence. On ne pouvait le qualifier de beau, car sa peau gardait les traces d'une maladie de jeunesse, sans doute la variole, mais il émanait de lui beaucoup de sensibilité et d'humour. Pitt se prit d'une immédiate sympathie pour le personnage.

— Mr. Carvell ?

— Commissaire Pitt? fit celui-ci d'un ton inquiet. Aurais-je commis quelque infraction? Je n'en ai pas conscience...

— Je suis venu vous voir en espérant que vous pourriez me fournir des renseignements sur...

— Oh, mon Dieu, je vous en prie, asseyez-vous, fit Carvell en prenant lui-même place dans un fauteuil. Que pourrais-je savoir qui soit utile à la police? Je suis un homme d'affaires. Je n'ai entendu parler d'aucun délit récent autour de moi. Un détournement d'argent, peut-être?

Il avait l'air si franchement innocent que Pitt faillit abandonner l'interrogatoire. Ce ne fut que pour lui expliquer la raison de sa venue qu'il poursuivit :

— Pas à ma connaissance, Mr. Carvell. Ma visite est en rapport avec la mort de Mr. Aidan Arledge. Je crois...

Il s'interrompit. Carvell, soudain livide, se mit à suffoquer. Il eût été absurde de lui demander s'il le connaissait bien.

— Mr. Carvell? Puis-je aller vous chercher un verre d'eau? proposa Pitt. Un brandy, peut-être? ajouta-t-il en regardant autour de lui, à la recherche d'une carafe ou d'un flacon.

— Non, non, veuillez m'excuser, bredouilla Carvell, en clignant des yeux. Je... je...

Pitt vit enfin la carafe. Son contenu ressemblait à du madère, mais c'était toujours mieux que rien. Il ne put trouver de verres, aussi porta-t-il la carafe aux lèvres de Carvell.

— Vraiment, je...

Carvell bégaya puis prit une profonde inspiration et s'appuya contre le dossier de son fauteuil. Ses joues reprirent un semblant de couleur.

— Merci, dit Carvell, d'un ton pitoyable. Je vous demande pardon. Je... Je ne sais pas ce qui m'est arrivé...

Mais le chagrin qu'on pouvait lire sur son visage ne laissait aucun doute quant à la cause de son désespoir.

— Vous n'avez nul besoin de vous excuser, murmura Pitt, envahi d'une étrange et immense pitié. C'est à moi de vous présenter des excuses. J'ai été très maladroit en abordant le sujet si brutalement. Je vois que vous aimiez beaucoup Mr. Arledge.

— Oui. Nous étions amis depuis toujours. Sa mort a été terrible... fit Carvell d'une voix rauque.

— Je puis vous assurer qu'il ne s'est rendu compte de rien. C'est surtout terrible pour ceux qui connaissent les détails.

— Vous êtes plein d'égards, commissaire. Je voudrais... Je ne sais que vous dire. Je me suis tellement demandé ce que j'aurais pu faire pour empêcher une telle horreur de se produire. Mais ce fut si soudain comme un coup de feu venu de nulle part...

Il esquissa un pâle sourire.

— Il n'y avait aucun nuage à l'horizon, pourtant. Tout était normal, les plaisirs que l'on tenait pour acquis étaient là : le soleil, l'arrivée du printemps, la jeunesse pleine d'espoir et d'ambition, les personnes âgées et leurs souvenirs, la bonne chère, le bon vin, la musique écoutée et les livres lus en bonne compagnie. Le monde dans sa course bien réglée. Et puis soudain...

Ses yeux s'emplirent de larmes. Il se détourna, honteux, clignant des yeux pour cacher son embarras.

— Nous sommes tous très marqués par ce décès, dit doucement Pitt, ému. Et effrayés, aussi. Voilà pourquoi je suis obligé de déranger les gens. Tout ce que vous pourrez nous dire sera utile pour nous aider à appréhender ce monstre. Connaissiez-vous le capitaine Winthrop ? Mr. Arledge vous a-t-il parlé de lui ?

Il essayait de retarder le moment où l'on allait aborder le vrai sujet, car il voulait donner à Carvell le temps de recouvrer son sang-froid. Il savait pourtant que c'était une erreur tactique. Tellman, lui, n'aurait pas hésité.

— Le capitaine Winthrop ? fit Carvell, décontenancé. Oh, oui, la première victime du... Non, je n'en avais jamais entendu parler. Ah, si, une fois. J'ai entendu quelqu'un citer son nom, un dénommé Bartholomew Mitchell avec qui j'ai eu quelques rapports d'affaires. Je crois que Mrs. Winthrop est sa sœur.

— Puis-je vous demander de quelle sorte d'affaire il s'agissait, monsieur ?

— Mr. Mitchell a acheté quelques actions au nom de sa sœur. Je ne vois pas le rapport avec le décès du capitaine Winthrop.

— Moi non plus. Quand avez-vous vu Mr. Arledge pour la dernière fois ?

Carvell pâlit à nouveau.

— La veille de sa mort, dans la soirée. Nous avons soupé ensemble après un spectacle. Il était tard et il savait que son personnel était couché...

Pitt sortit les clés de sa poche et les lui tendit. Il s'apprêtait à lui demander s'il les connaissait, mais l'expression de son interlocuteur l'en dissuada.

— Où les... commença celui-ci, puis il se tut, désespéré.

— Ces clés ouvrent-elles les portes de votre maison, Mr. Carvell ?

Celui-ci déglutit.

— Oui.

Pitt désigna la plus grande.

— Est-ce celle de la porte d'entrée ?

— Non, celle de la porte de service.

— Et ces deux-là ?

Carvell ne répondit pas.

— Je vous en prie, Mr. Carvell. Ne m'obligez pas à revenir avec un mandat de perquisition pour essayer toutes les portes de la maison ainsi que celles des placards et des tiroirs.

— Devez-vous... devez-vous nécessairement faire... tout cela ? balbutia Carvell.

— Que gardait-il ici ? s'enquit Pitt, gêné d'avoir à poser une question aussi indélicate.

— Des effets... personnels, répondit Jerome Carvell d'un ton saccadé, comme s'il avait dû extraire les mots de sa mémoire. Du linge propre, une tenue de soirée, des boutons de manchette et de col. Rien qui puisse vous être utile, commissaire.

— Une brosse à cheveux en argent?

— Oui, je crois que oui.

— Je vois.

— J'aimais Aidan, commissaire. Je ne sais si vous pouvez comprendre ce que cela signifie. Toute ma vie d'adulte, j'ai...

Il baissa la tête et se couvrit le visage de ses mains.

— À quoi cela sert-il? J'ai pensé que ce serait un soulagement d'en parler à quelqu'un. Que je puisse au moins admettre que je suis en deuil.

Sa voix tremblait de douleur.

— Il a fallu que je garde tout cela secret, que je prétende n'être qu'un simple ami. Avez-vous une idée de ce que signifie perdre la personne que vous aimez le plus au monde, en étant obligé de se comporter comme si elle n'était qu'une simple relation?

Il releva brusquement la tête. Son visage était baigné de larmes.

— Non, dit Pitt, sincère. Il serait malhonnête de ma part de vous dire que je sais combien vous devez souffrir. Je ne peux qu'imaginer votre douleur, qui doit être immense. Je vous présente mes condoléances, ce qui, je ne l'ignore pas, ne peut guère vous aider.

— Détrompez-vous, commissaire. Il est important d'avoir au moins une personne qui vous comprenne.

— Mrs. Arledge était-elle au courant de votre... amitié?

Carvell eut l'air affolé.

— Grand Dieu, non!

— En êtes-vous sûr?

Il secoua la tête avec force.

— Aidan en était sûr. Je ne l'ai jamais rencontrée

sauf un court instant, à un concert, tout à fait par accident. Je ne tenais pas à... Pouvez-vous comprendre cela ?

— Oui, dit Pitt, songeant à la peur coupable qui avait dû l'étreindre.

— Vraiment ? fit Carvell, d'un ton amer.

Pitt se rendait compte de la solitude absolue dans laquelle se trouvait cet homme, qui n'avait personne pour le soutenir et le réconforter.

— Qui a commis cet acte monstrueux, commissaire ? Y a-t-il en liberté dans Londres un être à ce point dément et assoiffé de sang qu'il ait tué Aidan ? Il ne faisait de mal à personne...

— Je l'ignore, Mr. Carvell. Plus j'en apprends sur les faits, moins j'en connais les causes.

Il n'y avait rien à ajouter. Pitt n'avait aucune autre question à poser, bien qu'il fût persuadé de recevoir une réponse honnête. Sa visite avait pour objet de prouver l'existence d'une maîtresse, d'un motif de jalousie, d'un lien avec Winthrop. Au lieu de cela, il avait rencontré un homme très doux, s'exprimant avec aisance, dévasté par le chagrin.

Il prit congé et sortit. Dehors, dans le ciel paisible et printanier, la lune s'était levée avant même que le soleil ne se soit couché.


— Vous avez trouvé la maîtresse ? s'exclama Farnsworth. Et le mari ? À quoi ressemble-t-il ? Qu'a-t-il dit ? A-t-il admis avoir un lien avec Winthrop ? Non ? Ce n'est pas grave, vous le trouverez bien. L'avez-vous arrêté ? Quand aurons-nous quelque chose à dire au public ?

— Son nom est Jerome Carvell, et c'est un homme d'affaires très respectable, commença Pitt.

— Pour l'amour du ciel ! éclata Farnsworth, écarlate, je me moque de savoir si c'est un diacre ou un archidiacre ! Sa femme avait une liaison avec Arledge, il s'en est rendu compte et s'est vengé. Vous en trouverez la preuve si vous la cherchez.

— Il n'y a pas de Mrs. Carvell.

La mine de Farnsworth s'allongea.

— Alors pourquoi diable m'avoir fait venir ? Je pensais que vous aviez trouvé l'origine de ce second jeu de clés. Si Arledge n'avait pas une liaison, pourquoi donc aurait-il eu les clés de la maison ?

— Il avait une liaison, dit Pitt lentement.

Comme il détestait d'avoir à expliquer tout cela !

— Soyez clair, grinça Farnsworth. Avait-il, oui ou non, une liaison avec la femme, la sœur de Carvell ? Je vous préviens, ma patience est à bout.

— Il avait une liaison avec Carvell lui-même. Si *liaison* est le mot juste. Il semble qu'ils se soient aimés depuis plus de vingt ans.

Farnsworth resta un instant confondu puis, quand il fut pénétré du sens des paroles de Pitt, il laissa échapper sa fureur.

— Bon sang, vous parlez de cela comme si... comme si c'était... normal !

Pitt ne répondit pas, se bornant à le regarder avec froideur. Comment oublier le désespoir de Jerome Carvell ?

Farnsworth se leva d'un bond.

— Que faites-vous là, assis à ne rien faire ? Allez l'arrêter !

— Rien ne prouve qu'il ait tué Arledge, et encore moins qu'il ait connu Winthrop.

— Pour l'amour du ciel ! Cet homme avait une relation illégitime avec Arledge !

Farnsworth se pencha par-dessus le bureau.

— Que voulez-vous de plus ? Ils se sont querellés et cet individu — j'ai oublié son nom... Je n'ai pas besoin de vous rappeler que de nombreux drames sont dus à des conflits domestiques ou naissent de disputes entre amants. Vous avez votre homme. Arrêtez-le avant qu'il ne tue encore.

Il se redressa, prêt à partir. Pour lui, l'affaire était réglée.

— Je ne peux pas, répéta Pitt. Il n'y a pas de preuves.

— Que voulez-vous, un témoin oculaire ? s'énerva Farnsworth, le regard assombri par la colère. C'est certainement dans sa maison qu'il l'a tué et c'est pourquoi vous n'avez pas trouvé le lieu du crime. Avez-vous fouillé le domicile ?

— Non.

— Espèce d'idiot incompétent ! explosa Farnsworth. Qu'est-ce qui vous arrive, vous êtes malade ? Je pensais bien que vous aviez été promu au-delà de vos capacités, mais pour le coup cela devient insensé ! Envoyez Tellman fouiller cette maison sur-le-champ, puis arrêtez cet individu.

Pitt se sentit rougir de colère et de honte devant l'arrogance et l'ignorance de cet homme comparées à la détresse et à la douleur de Jerome Carvell.

— Il n'y a pas de motif valable pour fouiller sa maison, dit-il froidement. Arledge s'y est rendu quelquefois. Ce n'est pas un crime. Rien ne permet d'établir un lien entre Carvell, Winthrop et le receveur de l'omnibus.

Farnsworth fit une grimace.

— Si l'homme est un pédéraste, il a certainement cherché à aborder Winthrop, et, rejeté par celui-ci, il est devenu fou furieux et l'a tué, dit-il avec conviction. Quant à Yeats, peut-être savait-il quelque chose. Peut-être était-il dans le parc et avait-il assisté à leur dispute. Il a essayé de faire chanter Carvell et celui-ci l'a tué. N'allez pas chercher plus loin : nous avons affaire à des crimes crapuleux et à du chantage.

— Il n'y a aucune preuve de tout cela, protesta Pitt tandis que Farnsworth se dirigeait vers la porte. Nous ne savons pas où était Carvell la nuit où Winthrop a été tué. Il peut bien être allé dîner avec le pasteur de son quartier.

— Eh bien, à vous de le prouver ! lâcha Farnsworth

entre ses dents, sa voix rendue aiguë par la peur. C'est votre travail. J'attends une arrestation dans les quarante-huit heures. Je vais prévenir le ministre de l'Intérieur que nous tenons notre homme, qu'il manque seulement une preuve irréfutable.

— Nous n'avons aucune preuve, répéta Pitt. Nous savons seulement que Carvell aimait Arledge. Si ce simple fait était une preuve de meurtre, nous devrions arrêter tous les maris et femmes de victimes dans ce pays.

— Pas de comparaisons oiseuses, Pitt, dit Farnsworth méchamment. Nous parlons de relations amorales et non des liens naturels du mariage!

— Vous venez de dire que la plupart des meurtres trouvaient leur origine dans des conflits domestiques, dit Pitt, s'autorisant une pointe de sarcasme.

Farnsworth tendit un index menaçant.

— Au travail, Pitt. Et tout de suite.

Et, sans attendre, il quitta le bureau, en laissant la porte grande ouverte.

Pitt le suivit sur le palier.

— Tellman! cria-t-il plus violemment qu'il n'en avait l'intention.

Le Grange apparut dans le hall, en contrebas, au moment où Farnsworth sortait dans la rue.

— Monsieur? Vous voulez parler à Mr. Tellman? demanda-t-il, l'air innocent.

— Évidemment! Pourquoi diable croyez-vous que je l'appelle?

— Il est en train d'étudier des dossiers, je crois. Je vais lui demander de monter, monsieur.

— Ce n'est pas une requête, Le Grange, c'est un ordre.

Ce dernier disparut aussitôt; Pitt arpenta son bureau une bonne dizaine de minutes avant que Tellman n'arrive, affichant une sorte de suffisance narquoise. De toute évidence, la scène avait été entendue et colportée dans la moitié du commissariat.

— Oui, monsieur ? s'enquit-il.

Pitt était persuadé qu'il savait très bien ce que l'on attendait de lui.

— Allez chercher un mandat pour fouiller la maison et les dépendances du numéro 12, Green Street.

— Green Street ?

— Après Park Lane, au sud d'Oxford Street. La résidence d'un certain Mr. Jerome Carvell.

— Oui, monsieur. Que dois-je chercher, monsieur ?

— La preuve que c'est là qu'Aidan Arledge a été tué ou que le propriétaire, Jerome Carvell, connaissait Winthrop ou le receveur de l'omnibus.

— Bien, monsieur.

Tellman alla vers la porte, puis fit volte-face et regarda Pitt bien en face.

— Qu'est-ce qui pourrait constituer la preuve qu'il connaissait un receveur d'omnibus, monsieur ?

— Une lettre avec son nom, ou une note avec son adresse, quelque chose qui soit en rapport avec lui, répondit Pitt d'un ton égal.

— Bien, je vais aller chercher un mandat.

Et avant que Pitt ait pu ajouter quoi que ce soit, Tellman dévalait déjà l'escalier. Pitt sortit sur le palier pour le héler.

— Tellman !

— Oui, Mr. Pitt ?

— Soyez courtois avec Mr. Carvell. C'est un homme respectable, qui n'a commis aucun délit, jusqu'à preuve du contraire. Ne l'oubliez pas !

— Non, monsieur, bien sûr.

Après le départ de Tellman, Pitt passa dix minutes devant la glace du bureau à arranger sa cravate, puis à mettre de l'ordre dans ses poches, tout cela pour retarder l'instant qu'il redoutait. Comme il devenait impossible d'atermoyer davantage, il prit son chapeau, descendit au rez-de-chaussée et s'arrêta devant le sergent de garde qui, médusé par son allure soignée, l'observa avec un certain respect.

— Je vais chez Mrs. Arledge, dit Pitt d'une voix rauque. Si l'inspecteur Tellman revient avant moi, dites-lui de m'attendre. Je veux savoir ce qu'il aura découvert.

— Oui, commissaire? fit Dulcie Arledge avec l'amabilité qui la caractérisait.

Elle portait une robe noire merveilleusement coupée avec de longues manches décorées au niveau des épaules de petits nœuds de velours discrets.

Une ombre traversa son regard.

— Avez-vous découvert quelque chose?

Ils se trouvaient dans le petit salon. Pitt attendit que son hôtesse s'assît, avant de prendre place face à elle sur le confortable divan.

— J'ai découvert quelles sont les portes qu'ouvrent ces clés, Mrs. Arledge.

— Oui? fit-elle d'une voix étouffée.

— Il s'agit de celles d'une autre maison.

Ses yeux très bleus le fixèrent sans ciller, mais la crispation de ses mains sur ses genoux s'accentua.

— Une femme?

Sa voix n'était plus qu'un murmure.

Il aurait aimé pouvoir lui dire « oui ». Cela aurait été infiniment plus facile, bien qu'il eût préféré ne rien lui dire du tout. Mais il était possible que la chose devienne publique, et ce, très vite, si Farnsworth s'en mêlait.

— Aviez-vous des raisons de penser que votre mari aurait pu être... aurait pu avoir de l'intérêt pour quelqu'un d'autre?

Très pâle, elle évita son regard, gardant les yeux baissés sur le motif chatoyant du tapis.

— C'est une chose à laquelle une femme doit apprendre à se résigner, Mr. Pitt. On essaie de ne pas y croire, mais...

Elle leva soudain les yeux vers lui.

— Oui, honnêtement, j'avoue que cela m'est venu à l'esprit. Il y avait des petits détails, des absences inexpliquées, des objets que je ne lui avais pas offerts. Je me demandais...

Inutile de lui dire que cela durait depuis tant d'années. Il pouvait lui épargner cela.

— Commissaire ?

— Oui, madame ?

Elle scrutait son visage.

— Est-elle... mariée ?

La raison pour laquelle elle posait cette question était évidente : elle avait eu la même pensée que Farnsworth.

— Pourquoi hésitez-vous à répondre, commissaire ? reprit-elle d'un ton anxieux. Est-elle... très jeune ? A-t-elle un père ou un frère...

— La maison en question appartient à un homme, Mrs. Arledge.

Elle fronça les sourcils.

— Je ne comprends pas. Vous disiez...

Il ne pouvait éluder davantage.

— La personne que votre mari aimait est un homme.

— Un... Un homme ?

— Je suis désolé.

Il se sentait brutal et indiscret.

Elle écarquilla les yeux.

— Mais c'est... impossible, voyons !

— J'aurais aimé m'être trompé, madame.

— C'est impossible, répéta-t-elle. Vous faites erreur...

— Cet homme a reconnu leur liaison ; certains effets personnels de votre époux, parmi lesquels une brosse à cheveux en argent assortie à celle que vous avez là-haut, se trouvaient dans le dressing.

Elle secoua la tête à plusieurs reprises, avec violence.

— C'est... horrible. Pourquoi m'avoir révélé cette... cette monstruosité ?

— J'aurais préféré ne pas avoir à le faire, Mrs. Arledge,

dit-il avec cœur. Si j'avais pu, j'aurais laissé ce secret mourir avec lui. Mais je dois vous poser d'autres questions. Vous auriez de toute façon soupçonné quelque chose, jusqu'à ce qu'un jour vous appreniez la vérité dans les journaux. Et c'est la vérité, croyez-moi.

Elle le dévisagea, désespérée.

— Quelles sont ces questions ?

Sa voix était toujours étouffée, mais il était clair que cette nouvelle et inimaginable douleur n'avait en rien altéré ses facultés d'intelligence.

— Votre mari avait-il d'autres amis proches ? fit-il doucement. Pourriez-vous me montrer les cadeaux que vous ne lui avez pas faits vous-même ou dont vous ignorez la provenance ? Avez-vous en mémoire des moments où il vous a semblé abattu au cours des trois ou quatre dernières semaines ? Des moments qui ont pu vous faire penser qu'il avait été impliqué dans une querelle ou souffert d'une situation bouleversante ?

Elle comprit aussitôt ce que cette question laissait supposer et pâlit.

— Vous voulez dire... qu'il se serait querellé avec cet homme devant d'autres personnes ?

— Ce n'est pas impossible, Mrs. Arledge.

— Oui... oui... En y repensant, je m'aperçois que beaucoup de choses s'expliquent...

Elle se couvrit le visage de ses mains et resta là, immobile, s'obligeant à respirer profondément pour se maîtriser.

Pitt se leva et alla voir s'il pouvait trouver une carafe de sherry ou de madère. Il revint avec un verre de sherry.

— Merci, dit-elle en prenant le verre d'une main tremblante. Vous êtes très attentionné, commissaire. Je suis désolée de ne pas être maîtresse de mes émotions. J'ai subi un choc que je n'aurais jamais imaginé, même dans mes rêves les plus terribles. Il me faudra un certain temps pour admettre cette situation...

Elle regarda son verre et but le sherry à petites gorgées, puis son visage se crispa.

— Car je suppose qu'il faut que je l'admette, n'est-ce pas?

— Cela n'efface pas ce qu'il avait de bon en lui, Mrs. Arledge, sa générosité, son amour et son respect du beau, son humour...

— Pauvre Aidan. Est-il vraiment nécessaire que tout cela soit rendu public, commissaire? Ne pouvons-nous pas le laisser reposer en paix? S'il était mort dans son sommeil, personne ne l'aurait jamais su.

— J'aimerais pouvoir vous le promettre. Mais si cet homme a un lien quelconque avec le meurtre de votre mari, cela deviendra public dès son arrestation, ou au cours du procès.

Elle le regardait, abasourdie, incapable de dire un mot. Pitt restait là, maudissant son impuissance, cherchant ce qu'il pouvait ajouter ou faire pour alléger sa peine.

— Pensez-vous que ce... cet homme ait tué Aidan? demanda-t-elle enfin d'une voix tendue.

— Je l'ignore, avoua-t-il. J'ai tendance à penser que non. Il n'y a pas de preuves, mais il semblerait quand même qu'il y ait quelque rapport avec leur amitié.

Elle plissa le front, s'efforçant de comprendre l'incompréhensible.

— Je ne vois pas le rapport qu'il peut y avoir avec la mort du capitaine Winthrop et avec celle du receveur de l'omnibus.

— Il y a peut-être une autre personne impliquée, dont j'ignore l'identité.

Elle regarda au loin, vers la fenêtre et la lumière du soleil dans le jardin.

— Quelle laideur, commissaire! C'est au-delà de mon entendement.

Elle frissonna soudain.

— Il faut que je m'habitue à l'idée que je ne connaissais pas Aidan aussi bien que je le pensais. Mais pour ce qui m'est accessible, vous n'avez qu'à me demander et je vous répondrai.

— Merci. J'apprécie votre courage.

Elle eut un faible sourire.

— Demandez-moi ce que vous voulez, commissaire.

Il passa encore trois heures en sa compagnie, l'interrogeant avec ménagement sur des détails de la vie d'Aidan Arledge. Puis il vérifia à nouveau les effets personnels du défunt et mit dans ses poches les quelques objets dont elle ignorait la provenance.

Elle lui montra ce qu'il souhaitait voir et répondit à ses questions en toute franchise comme si, trop choquée par la terrible révélation, elle ne pouvait préserver des souvenirs qu'elle aurait dû garder précieusement secrets.

— Nous avons été mariés durant vingt ans, fit-elle pensive, tout en regardant un vieux programme de théâtre. J'ignorais qu'il l'avait conservé. C'était le premier concert auquel il m'avait emmenée. J'arrivais à peine de la campagne où j'ai été élevée.

Elle tournait et retournait dans ses mains le morceau de papier usé.

— Vous m'auriez trouvé bien naïve à l'époque, commissaire.

— J'en doute, madame, dit-il doucement. J'ai été moi-même élevé à la campagne.

Elle lui jeta un rapide coup d'œil, un peu de couleurs revenant à ses joues.

— Vraiment? Où cela? Oh, je suis désolée, c'est...

— Pas du tout. Dans un grand domaine du Hertfordshire. Mon père était garde-chasse.

Pourquoi lui avoir fait cette confidence? C'était une chose dont il ne parlait jamais, une partie enfouie de sa jeunesse, chargée de douleur et d'injustice.

Ses yeux d'un bleu intense le dévisageaient avec un intérêt sans réserve.

— Ah bon? Alors, vous aussi vous aimez la terre,

vous comprenez sa beauté et quelquefois sa cruauté, la lutte pour la vie? Oh oui, bien sûr, vous comprenez.

Elle se détourna. Son regard se porta au-delà des fenêtres aux riches tentures, vers le haut des toits et le ciel.

— La nature est tellement plus... propre, n'est-ce pas? Plus honnête.

Il imaginait la colère et la confusion qui bouillonnaient en elle, après toutes ces années qui semblaient maintenant avoir été gâchées; tous ses souvenirs avaient un goût amer. Elle se remettrait un jour de la mort brutale de son mari, mais jamais de sa trahison qui gâchait non seulement son avenir mais aussi son passé. Toute sa vie de femme adulte, vingt ans, n'avait été qu'imposture.

— Oui. Beaucoup plus honnête, acquiesça Pitt, très ému. La mort rapide d'un animal tué par un autre est indispensable à la survie.

Elle le regarda avec étonnement.

— Vous êtes un homme remarquable, commissaire. Je suis heureuse que ce soit vous qui ayez la charge de cette... cette terrible affaire.

Il ne sut que répondre. Toute parole aurait été vaine, aussi reporta-t-il son attention sur un autre souvenir, une invitation à un bal de chasse. Lentement, avec hésitation, elle lui narra l'événement.

Pitt partit en fin d'après-midi épuisé et profondément attristé. Il arriva à Bow Street pour trouver Tellman qui l'attendait devant la porte de son bureau, les traits crispés par la colère et l'inquiétude.

— Qu'avez-vous trouvé? demanda Pitt.

— Rien.

Tellman le suivit dans son bureau.

— Absolument rien. Ils étaient amants, de toute évidence, et bien que ce soit un crime, nous ne pouvons les poursuivre, à moins qu'une plainte n'ait été déposée contre eux. Ce qui désormais est impossible, puisque Arledge est mort.

— Aidan Arledge n'a pas été tué chez Jerome Carvell?

— Non.

— En êtes-vous sûr?

— À moins qu'il n'ait été penché au-dessus de la baignoire et que Carvell n'ait nettoyé le sang aussitôt. Il est clair qu'il passait beaucoup de temps dans cette maison. Mais il n'a pas été tué là-bas.

— Vous avez fouillé le jardin, je suppose?

— Évidemment. Le sol est dallé entre les plates-bandes. Aucun trou n'a été creusé récemment. J'ai même regardé dans la cave à charbon et dans la remise à outils du jardin. Il n'a pas été tué là-bas.

Il regarda Pitt, sourcils froncés, lèvres pincées.

— Allez-vous l'arrêter?

— Non.

— Bien. Carvell est peut-être l'assassin, mais nous n'avons pas l'ombre d'une preuve contre lui. Je déteste arrêter quelqu'un, si son arrestation ne conduit pas à une condamnation.

Pitt chercha à deviner le fond de sa pensée.

— Je ne veux pas me tromper de coupable, bougonna Tellman. Dieu seul sait qui est le vrai.


Emily était partagée entre deux soucis : il était de première importance d'aider Jack, même si leurs efforts aboutissaient à un échec. Mais elle se sentait aussi très concernée par la campagne de dénigrement qui visait Pitt. Elle avait surpris différentes remarques de la part de personnes haut placées, et n'était pas sans ignorer le climat de peur qui régnait dans la capitale. Personne n'avait d'idée nouvelle à proposer, mais les clameurs de l'opinion publique faisaient craindre aux gens en place de se voir remerciés et les poussait à blâmer les autres.

La date des élections étant désormais fixée, Jack

devait prononcer des discours, rédiger des articles de presse, se montrer plus souvent en société, au théâtre, à l'Opéra. Certaines de ces apparitions publiques étaient régies par un code très formel, telles les réceptions d'ambassadeurs ou de dignitaires étrangers, d'autres plus simples, comme la soirée qu'Emily donnait ce soir-là.

Mina Winthrop et Dulcie Arledge, endeuillées, restaient confinées chez elles, mais Emily avait convié Victor Garrick, le violoncelliste, pour divertir les invités. Bien entendu, elle avait invité aussi Thora Garrick.

Presque tous les invités étaient là pour des raisons politiques, chacun jouissant d'une grande influence dans le domaine qui était le sien. Aussi la soirée s'annonçait-elle délicate pour la maîtresse de maison. Le moment n'était pas aux habituels potins de salon. Chaque parole prononcée devait être soigneusement pesée.

Du haut de l'escalier, Emily regardait les chevelures lisses des messieurs et les coiffures élaborées de leurs épouses, dont certaines hérissées de plumes, de tiares, ou d'épingles ornées de bijoux. Il y avait là au moins autant d'ennemis que d'amis, et, parmi les premiers, non seulement ceux de Jack, mais aussi ceux de Pitt. Nombre d'entre eux étaient membres du *Cercle intérieur,* dont certains devaient être très haut placés. Ce pouvait être n'importe lequel de ces gentlemen courtois aux tempes blanches et au sourire bénin. À cette pensée, Emily frissonna de crainte et de colère.

Apercevant la crinière blonde du jeune violoncelliste, elle descendit à sa rencontre.

— Bonsoir, Mr. Garrick.

Il tenait son violoncelle tout contre lui, comme l'on serre un être aimé. C'était un magnifique instrument dont le bois verni luisait à la lumière. Elle avait envie d'en caresser les courbes, mais cela aurait été malvenu.

— Je vous suis très obligée d'avoir accepté mon invitation, Mr. Garrick. Après vous avoir entendu jouer au service commémoratif du capitaine Winthrop, j'ai pensé que vous étiez le musicien rêvé pour cette soirée.

— Merci, Mrs. Radley.

Il plongea son regard dans le sien, comme s'il cherchait à savoir si elle était sincère ou si elle se montrait simplement polie. Apparemment il fut satisfait. Un lent sourire se dessina sur ses lèvres.

— J'aime jouer, murmura-t-il.

— C'est un bel instrument que vous avez là. Est-il très ancien ?

Le visage du jeune homme s'assombrit, une expression douloureuse traversa son regard.

— Oui. Ce n'est pas un guarnerius. Mais il est italien, à peu près de la même époque.

Elle se sentit gênée.

— N'est-ce pas un bon instrument ?

— Il est merveilleux, dit-il d'une voix douce et ardente. Il est sans prix. L'argent n'a aucune valeur comparé à cette sorte de beauté. Cet instrument représente à lui seul passion, éloquence, amour, chagrin, toutes choses qui ont du sens. Il est la voix de l'âme humaine.

Emily s'apprêtait à lui demander s'il s'était senti insulté par quelqu'un qui lui aurait donné la valeur marchande du violoncelle, quand elle remarqua une éraflure sur la surface parfaitement lisse de l'instrument. Celui-ci possédait toutes les qualités d'un être vivant, mais n'avait pas hélas la possibilité de cicatriser. Cette marque resterait indélébile.

Elle leva les yeux et rencontra les siens, emplis d'une rage impitoyable. Un court instant, elle partagea avec lui l'impuissance et la haine de l'artiste pour le vandale qui avait irrémédiablement abîmé la Beauté.

— Le son en est-il altéré ? demanda-t-elle.

Il secoua la tête.

À ce moment, ils furent rejoints par Thora, très belle dans une cascade de dentelle ivoire descendant de l'épaule au coude et s'entrecroisant sur son profond décolleté. La tournure était petite, comme le voulait la mode.

Elle regarda son fils, sourcils froncés.

— Tu n'es pas en train de parler à Mrs. Radley de ce malheureux accident, mon chéri ? Mieux vaut l'oublier. Nous n'y pouvons rien, tu le sais.

Il la regarda fixement.

— Je le sais, maman. Quand un coup est donné, on ne peut le reprendre, n'est-ce pas, Mrs. Radley ? La chair est blessée et l'âme aussi.

Thora ouvrit la bouche, regarda le violoncelle, puis son fils, et choisit de se taire.

Victor attendait.

— En effet, se hâta de répondre Emily, on ne peut le reprendre.

— Pensez-vous que nous devrions faire semblant de croire qu'il ne s'est rien passé ? reprit Victor sans la quitter des yeux. Que nous devrions répondre aux questions de nos amis avec le sourire, en leur assurant que tout va bien ? En essayant de nous convaincre que cela ne nous fait pas souffrir, que le mal sera bientôt réparé ? Que ce n'était qu'un accident, que personne n'avait l'intention de nuire ?

Sa voix devenait de plus en plus rauque ; il y avait en elle une nuance de panique.

— Je ne suis pas sûre d'être d'accord avec vous, répondit Emily, tentant d'allier tact et honnêteté. Une réaction démesurée ne servirait à rien. Toutefois je pense que la personne qui a abîmé votre violoncelle, volontairement ou non, a une dette envers vous. Pourquoi devriez-vous prétendre le contraire ?

Victor eut l'air très étonné.

Thora rougit, embarrassée, et plissa le front, comme si elle n'avait pas tout à fait compris les propos d'Emily.

— Certains accidents se produisent par manque d'attention, affirma cette dernière. Or nous sommes responsables de nos actes. N'êtes-vous pas d'accord ? Nous ne pouvons pas attendre des autres qu'ils portent le poids de nos erreurs.

— Ce n'est pas toujours aussi simple... commença Thora.

Victor adressa à Emily un charmant sourire.

— Merci, Mrs. Radley. Vous avez trouvé le mot juste : un manque d'attention, c'est cela. On doit être responsable. L'honnêteté est la clé de tout.

— Savez-vous qui a abîmé votre violoncelle ?

— Oh oui, je le sais.

— Victor... fit Thora, confuse.

Mais, avant qu'il puisse répondre, une grosse dame aux cheveux très noirs s'approcha d'Emily.

— Excusez-moi, Mrs. Radley, il fallait que je vous dise à quel point j'ai apprécié le dernier discours de Mr. Radley. Il a parlé si justement de la situation actuelle en Afrique. Voilà des années que je n'avais entendu quelqu'un qui ait si bien saisi l'essentiel.

Elle ignora Victor, comme s'il s'était agi d'un domestique. Apparemment, elle n'avait pas compris que Thora faisait aussi partie du groupe.

— Nous avons besoin d'hommes tels que lui au gouvernement, c'est ce que j'étais en train de dire à mon époux.

Elle eut un large geste du bras en direction d'un militaire en uniforme, grand, maigre, au nez proéminent qui faisait irrésistiblement penser à un vautour.

— Le général de brigade Gibson-Jones, ajouta-t-elle, persuadée que ce nom était familier à tout le monde.

Emily, ne se souvenant ni du général ni de son épouse, fut soulagée d'entendre citer leur nom. Elle se préparait à prononcer des paroles de bienvenue et présenter ses deux invités, lorsque Mrs. Gibson-Jones, consciente d'avoir fait une entorse aux bonnes manières, se tourna vers Victor.

— Allez-vous jouer pour nous, monsieur ? Quelle

excellente idée! La musique a sa place en toute occasion, n'est-ce pas?

Et, sans attendre la réponse, elle partit car elle venait d'apercevoir l'une de ses connaissances.

Emily se tourna vers Victor.

— Je suis désolée, fit-elle dans un murmure.

Celui-ci sourit.

— Que pense-t-elle que je vais jouer? Une gigue?

— Vous la voyez danser une gigue? chuchota Emily.

Le sourire de Victor s'élargit encore. Il semblait avoir un instant oublié l'éraflure de son violoncelle.

Emily s'excusa auprès d'eux et partit accomplir sa tâche de maîtresse de maison. Elle passait de groupe en groupe, s'enquérant de la santé des uns et des autres, échangeant quelques propos sur les derniers événements mondains, la mode, les enfants ou le temps qu'il faisait, tout sujet abordé dans les conversations de salon.

De son côté, Jack s'entretenait avec des gentlemen fortunés, nouant de discrets contacts. Emily se demandait combien d'entre eux étaient membres du *Cercle intérieur*, quels étaient ceux qui vivaient dans la crainte ou la culpabilité, ceux qui avaient d'obscurs services à rendre en retour, quel était celui qui allait trahir.

— Nous avons besoin de changement, disait un homme mince en rajustant ses lunettes. La police métropolitaine n'est pas assez efficace. Grand Dieu, si un homme tel que Oakley Winthrop peut être décapité dans Hyde Park, c'est signe que nous sombrons dans la plus totale anarchie!

— L'officier de police chargé de l'enquête est totalement incompétent, renchérit son interlocuteur, un homme bedonnant, qui avait glissé ses pouces dans les emmanchures de son gilet et dont les pans de redingote flottaient derrière lui. Je vais soumettre la question au Parlement. Il faut agir. Si les honnêtes gens ne peuvent plus se promener la nuit tombée, où va-t-on? On parle d'anarchistes, de bombes, d'Irlandais, chacun suspecte son voisin. Tout le pays est en émoi.

— Pour moi, la faute incombe aux responsables des asiles d'aliénés ! renchérit un troisième interlocuteur. Comment pareil malade peut-il encore être en liberté ? J'aimerais bien le savoir ! Et personne ne fait rien ! C'est un scandale !

— J'ai entendu Uttley en parler, reprit son interlocuteur, regardant ses compagnons à tour de rôle. Il a raison : nous avons besoin de changement. Mais je ne suis pas d'accord avec vous, cher ami, en ce qui concerne le tueur. Je pense qu'il sait ce qu'il fait. Il y a un rapport entre les victimes, je vous le dis.

— Vraiment, Ponsonby ? s'étonna l'homme bedonnant. La deuxième victime était un musicien. Plutôt bon. Connaissiez-vous Winthrop ? Un type de la marine royale, non ?

— Un bonhomme bizarre, fit le dénommé Ponsonby, avec une grimace. Famille respectable, pourtant. Le père remue ciel et terre, pauvre homme. C'est dur pour lui. On ne peut pas le lui reprocher.

— Le connaissiez-vous ?

— Qui, Marlborough Winthrop ?

— Non, Oakley, le fils !

— Je l'ai rencontré une fois ou deux. Pourquoi cette question ? Je ne l'aimais pas beaucoup. Un peu trop arrogant.

— Je vois. Très style marine, et tout ça. Le genre d'officier qui se croit toujours sur le pont d'un navire.

Ponsonby hésita :

— Non, pas exactement. Il tenait à être le centre d'intérêt. Il parlait haut et fort, avait toujours une opinion sur tout. Je ne l'ai croisé que deux ou trois fois. J'ai rencontré son beau-frère, aussi. Un certain Mitchell. Un type intéressant. Sérieux. Il était en Afrique jusqu'à il y a peu de temps, d'après ce que je sais.

— Sérieux ? Qu'entendez-vous par là ?

— Qui réfléchit plus qu'il ne parle, si vous voyez ce que je veux dire. Il ne pouvait pas supporter son beau-frère. Il m'a donné de bons conseils de placement, m'a fait rencontrer un excellent homme d'affaires en ville, un dénommé Carvell, et acheter des actions qui m'ont bien rapporté.

— Très utile, cela.

— Quoi?

— Très utile d'avoir un bon conseiller financier.

— Oh, oui. À propos de finances, que pensez-vous de...

Emily s'éloigna, songeant qu'elle devait mettre de l'ordre dans toutes ces bribes de conversation afin d'en faire part à Charlotte.

## 7

— Oui, bien sûr, je lis les journaux tous les jours, fit Micah Drummond d'un air sombre.

Il se tenait près de la fenêtre, dans la bibliothèque de la petite maison qu'il avait achetée six mois plus tôt, juste avant son remariage, n'ayant pas trouvé d'appartement qui lui convienne. Il avait donné sa démission pour épouser Eleanor Byam, une femme qui avait vécu des événements tragiques et dont le nom avait été entaché de scandale, sans qu'elle en fût le moins du monde responsable. Il l'aimait si fort que, pour lui, donner sa démission de la police n'était qu'un prix bien mince à payer comparé au bonheur de vivre à ses côtés.

Il dévisageait Pitt avec inquiétude.

— J'aimerais pouvoir vous aider, mais plus les événements progressent, moins je comprends la situation.

Il enfonça les mains dans ses poches.

— Avez-vous trouvé un lien entre les trois victimes ?

— Non. Il est possible que Winthrop et Arledge se soient connus ou, plus exactement, que le beau-frère de Winthrop, Bart Mitchell, les ait connus tous deux, répondit Pitt, installé dans un grand fauteuil vert. Quant au receveur, c'est un mystère total. Un homme comme Winthrop ne voyage pas en omnibus. Arledge peut l'avoir fait, mais c'est tout de même improbable.

Drummond vint se planter devant la cheminée.

— Qu'est-ce qui vous fait penser qu'Arledge ait pu prendre l'omnibus ? Pourquoi un homme de sa classe sociale l'aurait-il fait ?

— C'est seulement une hypothèse. Il avait un... un amant.

Un sourire se dessina sur les lèvres de Drummond.

— Un amant ? Vous voulez dire une maîtresse ?

Pitt soupira.

— Non. Vous m'avez bien entendu. Il ne pouvait pas laisser cette liaison s'ébruiter. Il pourrait avoir pris l'omnibus, mais...

Drummond scruta son visage avec curiosité.

— Mais vous n'y croyez pas. Que s'est-il passé ? Se sont-ils disputés ? Non, l'idée ne vous satisfait pas...

— J'aurais pu y croire, si je n'avais pas rencontré l'homme en question. Il était effondré. Bien sûr, cela n'exclut pas qu'il soit un assassin. Il arrive que des gens tuent ceux qu'ils aiment, avant d'être dévorés par le chagrin et le remords. Mais je pense qu'il n'est pas de ceux-là.

Drummond se mordilla pensivement la lèvre.

— À mon avis, Giles Farnsworth ne voit pas les choses sous cet angle... Me trompé-je ?

Pitt partit d'un petit rire amer.

— Non, vous avez raison. Jusqu'à présent, rien ne prouve qu'il y ait un rapport entre Carvell, Winthrop ou Yeats ; seulement une vague histoire financière. Je refuse de croire que l'argent soit la cause de tout cela.

— Moi aussi. Il y a dans cette affaire une folie qui, Dieu merci, ne trouve pas son origine uniquement dans la cupidité. Mais je n'imagine pas la vraie cause. Elle est peut-être...

Drummond hésita, troublé. Pitt se garda de l'interrompre. Il voyait que son ancien supérieur hiérarchique trouvait difficilement les mots qui exprimeraient le fond de sa pensée.

— Il pourrait y avoir un rapport avec... le *Cercle inté-*

*rieur,* reprit enfin Drummond. C'est improbable en ce qui concerne le receveur, mais pas impossible pour autant.

— Une trahison? fit Pitt, surpris. Vous voulez dire une espèce de punition interne? N'est-ce pas un peu...

— Excessif? Peut-être. Parfois, Pitt, je pense que vous ne réalisez pas l'étendue de leurs pouvoirs. Ces gens sont sans pitié.

— Une exécution, en quelque sorte? reprit Pitt, incrédule, songeant que les anciens liens de Drummond avec le *Cercle* altéraient quelque peu sa vision des choses. Je croyais qu'en guise de châtiment, ils étaient capables de ruiner un homme, de l'exclure de tous les clubs, de lui ôter tout crédit, d'exiger le remboursement immédiat de ses emprunts. Une méthode très efficace. Certains se sont brûlé la cervelle pour moins que ça.

— Certains, en effet. Mais Winthrop était capitaine de vaisseau dans la marine royale. Peut-être n'arrivaient-ils pas à l'atteindre.

Pitt ne put cacher son incrédulité. Drummond s'avança vers lui, très tendu.

— Écoutez-moi. J'en sais plus que vous sur le *Cercle intérieur.* Vous n'en connaissez que les basses sphères, celles vers lesquelles des hommes comme moi ont été attirés, sans savoir ce qui se cachait derrière les œuvres de charité qui ont pignon sur rue. On les appelle les Chevaliers du Vert.

Drummond rougit un peu en disant cela, mais il était bien trop sérieux pour que la gêne le fasse taire.

— C'est ce que j'étais, un Chevalier du Vert, quelqu'un qui avait des obligations, mais n'avait pas vraiment été mis à l'épreuve. Ensuite, viennent les Chevaliers du Pourpre. Ceux-là ont fait leurs preuves, des frères de sang, en quelque sorte; leur engagement est irrévocable. Puis il y a les Seigneurs de l'Argent. Eux ont le droit de punir et de récompenser. Et au-dessus de tous, Pitt, il y a un homme, un seul, le Seigneur du Pourpre.

Il vit l'expression sceptique de Pitt.

— Oui, bien sûr, vous pouvez toujours sourire, dit-il d'un ton coléreux que Pitt ne lui connaissait pas. Cela peut sembler absurde, mais le pouvoir de cet homme est absolu ; s'il prononce une sentence de mort, elle sera exécutée. Croyez-moi, ceux qui s'en chargeront iront jusqu'au gibet s'il le faut, mais ne le trahiront pas.

Un tel discours aurait pu n'être que pure fiction, née d'une imagination morbide. Mais, à voir le visage de Drummond, la tension qui crispait les muscles de son corps, l'horreur dans ses yeux, Pitt ne put s'empêcher de frissonner.

Drummond vit qu'il était parvenu à ses fins.

— Cela pourrait ne rien avoir à faire du tout avec le *Cercle*, reprit-il, radouci. Mais souvenez-vous de ceci : qui que soit le Seigneur du Pourpre, vous l'avez croisé quand vous avez démasqué Lord Byam et Lord Anstiss [1] Il ne l'aura pas oublié. Soyez prudent, Pitt, et faites-vous autant d'amis que d'ennemis.

Pitt connaissait assez son ancien chef pour savoir qu'il n'était pas en train de lui suggérer de se défaire du dossier. Il n'y aurait même pas songé ! Parfois Pitt l'avait jugé un peu trop rigide, marqué par son éducation aristocratique et sa carrière militaire, ignorant ce que signifiaient pauvreté et désespoir. Il s'était même demandé si Drummond avait jamais éclaté de rire ou éprouvé une grande passion. Mais pas un instant il n'avait douté de son courage ou de son sens de l'honneur. Il était ce genre d'Anglais timide, courtois à l'extrême, capable de faire face aux situations les plus invraisemblables sans se plaindre, quitte à en mourir, et qui n'abandonnerait jamais son poste, même s'il était le dernier homme sur terre.

— Merci de m'avoir mis en garde, dit Pitt simplement. Je ne mettrai pas cette possibilité de côté, bien que,

1. Voir *Belgrave Square*, 10/18, n° 3438.

dans l'affaire en question, l'intervention du *Cercle* ne me semble guère probable.

Drummond se détendit. Il s'apprêtait à changer de sujet de conversation quand on frappa à la porte. Les deux hommes se retournèrent.

La porte s'ouvrit sur Eleanor. Pitt ne l'avait pas vue depuis le jour de son mariage auquel il s'était rendu en compagnie de Charlotte. Elle respirait la sérénité, comme si elle croyait enfin au bonheur et ne se sentait plus obligée de s'y accrocher comme s'il allait disparaître. Elle portait une robe d'un bleu profond et doux qui mettait en valeur sa chevelure noire striée de mèches grises, sa peau mate et ses yeux gris clair.

Elle entra dans la pièce, sourit à Drummond, puis à Pitt. Ce dernier se leva.

— Bonjour, Mrs. Drummond. Pardonnez-moi d'abuser ainsi du temps de votre époux, mais j'avais besoin de quelques conseils.

— Mr. Pitt ! Cela fait si longtemps que nous ne vous avons vu. J'imagine que c'est cette malheureuse affaire de Hyde Park qui vous amène ici, n'est-ce pas ?

— Hélas, oui, j'en ai bien peur.

Pitt se sentait coupable de ne jamais avoir osé lui faire une visite de courtoisie : même si une grande estime réciproque les unissait, Drummond avait toujours été son supérieur hiérarchique.

— Mrs. Pitt et vous-même viendrez peut-être dîner avec nous, quand cette triste affaire sera terminée ? demanda-t-elle. Nous pourrions parler de sujets plus agréables.

Un radieux sourire éclaira son visage.

— Je suis si contente que vous ayez été nommé commissaire. Mais vous devez vivre des moments affreux. J'ai été désolée d'apprendre la mort tragique d'Aidan Arledge. C'était un homme charmant. Quant au capitaine Winthrop, je n'arrive pas à le regretter autant que je le devrais, peut-être.

— Vous le connaissiez? s'étonna Pitt.

— Oh, non. La haute société étant très restreinte, j'ai eu l'occasion de rencontrer Lord et Lady Winthrop, mais je ne peux pas dire que je les connaisse vraiment. Ce sont des personnes avec lesquelles il n'est pas aisé d'avoir des relations autres que superficielles. Nous échangions les mêmes propos aimables, année après année, dans les réunions mondaines. Ils sont très prévisibles, très corrects. Je suis sûre qu'ils ont leur propre personnalité, mais...

Elle s'interrompit. Ils savaient tous deux ce qu'elle allait dire.

— Et le capitaine Winthrop? demanda-t-il.

— Je l'ai rencontré une fois ou deux. Le genre d'homme qui vous toise avec condescendance, sans doute parce qu'il n'y a pas de femmes dans la marine. J'avais l'impression qu'à ses yeux tous les civils étaient d'une espèce inférieure. Il était poli, mais de cette politesse que l'on réserve aux subalternes, si vous voyez ce que je veux dire.

— Pensez-vous qu'il ait pu connaître Arledge?

— Non. Je ne peux imaginer deux hommes aussi dissemblables.

Drummond lança un regard sévère à Pitt. Celui-ci comprit l'avertissement, mais il n'avait nullement l'intention d'évoquer devant Eleanor la liaison d'Arledge avec un autre homme[1].

Cette dernière s'avança vers son époux, qui mit son bras autour d'elle, un peu gauchement, tant ce geste de tendresse devant témoin était nouveau pour lui.

— J'aimerais pouvoir vous aider, Pitt, fit Drummond. Ce peut être l'œuvre d'un fou, mais, pour le prouver, il vous faut découvrir ce que ces hommes avaient en commun.

La conversation qu'ils venaient d'avoir sur le *Cercle intérieur* demeurait présente dans leur esprit.

1. Voir *Belgrave Square*, *op. cit.*

— Il semble tout à fait improbable qu'ils aient pu se connaître, poursuivit-il. En revanche, il est possible qu'une quatrième personne les ait connus tous trois. J'imagine que vous avez pensé à un chantage ?

Son bras se resserra autour de la taille d'Eleanor.

— Je pensais que Yeats aurait pu être au courant de quelque chose, répondit Pitt. Mais comment ?

— Le trajet de son omnibus passe-t-il devant Hyde Park ? demanda Drummond.

— Non, pas du tout. Tellman l'a vérifié.

— À propos, où en sont vos relations avec lui ?

Pitt avait décidé de garder son opinion pour lui.

— Il est zélé et efficace. Lui non plus ne veut pas arrêter Carvell.

Eleanor les regarda à tour de rôle, sans mot dire.

Drummond sourit.

— Je le reconnais bien là. S'il y a une chose qu'il ne supporte pas, c'est arrêter quelqu'un, puis avoir à le relâcher. Il lui faut des preuves irréfutables pour faire pendre un homme. C'est un adversaire redoutable, Pitt, mais un excellent ami.

— Je n'en doute pas, fit celui-ci sans se compromettre.

— C'est aussi un chef naturel, enchaîna Drummond. Il entraînera les autres hommes, si vous le laissez faire.

— Je m'en suis aperçu, dit Pitt, pensant à Le Grange.

— Puis-je vous offrir quelque chose, Mr. Pitt ? s'enquit Eleanor. Il est trop tôt pour une collation, mais au moins un verre de vin ? Ou une citronnade, si vous préférez.

— Une citronnade, merci. Avec grand plaisir.

Il savait où ses pas le mèneraient ensuite et tout ce qui pouvait retarder son départ et lui permettre de prendre des forces était bienvenu.

Une demi-heure plus tard, il prit un cab qui traversa Lambeth Bridge en direction de la rive sud, longea Lambeth Palace, résidence officielle de l'archevêque de Canterbury, puis s'engagea dans Lambeth Road jusqu'à l'énorme et massive bâtisse de l'asile d'aliénés de Bethlehem, plus connu sous le nom de Bedlam. Il avait déjà eu l'occasion de s'y rendre[1]. Des souvenirs pénibles mêlés d'angoisse et de pitié lui revinrent à l'esprit.

Il descendit du cab, régla la course et s'approcha des grilles. Il fut accueilli avec méfiance et n'obtint le droit d'entrer qu'après avoir montré patte blanche. Il attendit ensuite un quart d'heure dans un bureau obscur qui sentait la poussière et le renfermé, avant d'être conduit dans le bureau du médecin-chef.

C'était un petit homme aux yeux ronds, aux épais favoris. Quelques rares mèches de cheveux gris couvraient le sommet de son crâne. De toute évidence, il était mécontent.

— J'ai déjà informé votre subordonné, commissaire Pitt, que nous n'avons eu aucune évasion, déclara-t-il sans se lever de sa chaise. Cela n'arrive jamais. Nous avons un excellent système de surveillance. Si quelqu'un quitte les lieux sans autorisation, cela se sait sur-le-champ. Et s'il s'agit de personnes dangereuses, la chose est immédiatement rapportée aux autorités compétentes. Je ne vois pas ce que je peux vous dire d'autre. Apparemment, mes efforts pour me faire comprendre ont été une perte de temps.

Sa main droite pianota sur une pile de papiers qui attendaient d'être lus.

Pitt songea que s'il lui répondait sur le même ton il gâcherait ses chances d'apprendre quoi que ce soit d'intéressant.

— Je ne mets pas votre parole en doute, docteur Melchett. Je suis venu pour avoir votre avis.

Le médecin-chef parut sceptique, puis lui fit signe de s'asseoir.

— Vraiment ? Ce n'est pas l'impression que m'a lais-

1. Voir *L'Égorgeur de Westminster Bridge*, 10/18, n° 3326.

sée votre inspecteur, loin de là. Selon lui, nos méthodes seraient laxistes ! Nous avons laissé échapper un fou dangereux, ou nous avons relâché un patient que nous aurions dû garder aux fers.

— Mon adjoint s'exprime parfois de façon brutale, reconnut Pitt, mais il était naturel qu'il vous posât cette question. Quelqu'un d'assez fou pour couper la tête de trois personnes a pu faire un séjour dans cet établissement.

Melchett bondit de sa chaise, écarlate.

— S'il était malade au point de décapiter trois personnes qui lui étaient totalement étrangères, Pitt, je vous assure qu'il n'aurait pas « fait un séjour » ici ! Il y serait encore.

Il se leva et fit le tour de son bureau.

— Venez avec moi. J'aurais dû faire visiter l'hôpital à votre inspecteur. Mais je doute qu'il ait assez d'intelligence pour comprendre ce qu'il aurait vu.

Il ouvrit la porte à la volée et partit à grands pas dans le couloir, sans se retourner.

Pitt détestait cet endroit. Il avait espéré ne jamais y revenir. Et pourtant, il était là, en train de suivre un médecin-chef très contrarié, le long de ces couloirs hantés de longs silences, de soudains hurlements, de gémissements, de sanglots, de rires sauvages sur lesquels retombait à nouveau le silence.

Melchett était loin devant. Pitt eut envie de faire demi-tour et de rebrousser chemin. Mais il résista à cette tentation, allongea le pas et rejoignit le médecin-chef qui l'attendait devant une porte qu'il tenait ouverte.

— Entrez là-dedans, dit-il sourdement.

Pitt pénétra dans une salle monumentale, tout en longueur et très haute de plafond. À environ un mètre du sol courait une sorte de galerie qui donnait l'impression que les murs étaient couverts de gens. La plupart étaient assis, par terre ou sur des chaises, blottis les uns contre les autres ; certains se balançaient d'avant en arrière en marmonnant des paroles inintelligibles. Un homme hirsute grattait jusqu'au sang une croûte qu'il avait sur la jambe. Ses bras étaient couverts de plaies identiques, certaines à moitié cicatrisées, d'autres toutes récentes. Il avait sur les poignets et les avant-bras des traces qui ressemblaient à des morsures. Il ne vit même pas Pitt debout au-dessus de lui, tant il était absorbé par son occupation.

Un autre regardait dans le vide, la salive lui coulant sur le menton. Un troisième venait vers eux, tentant de saisir dans l'air une chose invisible en poussant des sons gutturaux, à la recherche de mots qu'il ne trouvait pas. Un quatrième était assis, les poignets cerclés de chaînes rembourrées de cuir. Il tapait sur la rambarde avec des petits gestes désordonnés comme s'il voulait scier quelque chose. Lui aussi était tellement absorbé par sa tâche qu'il n'entendit pas Melchett quand celui-ci s'adressa à Pitt.

— Combien voulez-vous en voir ? demanda Melchett d'une voix dure. Nous en avons des dizaines comme ceux-là, tous enfermés dans un monde impénétrable. Croyez-vous que ce genre de créature puisse être le fou que vous cherchez ? Pensez-vous que nous en avons laissé sortir un accidentellement et qu'il se soit procuré une hache et ait commencé à décapiter les gens dans Hyde Park ?

Pitt ouvrit la bouche pour dire que, justement, il ne le pensait pas, mais Melchett s'emballa, de plus en plus furieux.

— Où habite-t-il ? Dans le parc ? Où dort-il ? Que mange-t-il ? Tous vos policiers qui le cherchent n'arrivent donc pas à mettre la main sur lui ?

Pitt n'avait aucune réponse à apporter. À voir la folie des malheureux occupants de cet asile, l'idée semblait en effet grotesque. Si Tellman était entré dans cette salle, il aurait réfléchi avant d'accuser Melchett de laxisme.

Le silence de Pitt sembla radoucir ce dernier, qui se racla la gorge.

— Si votre homme est fou, Pitt, son obsession n'a pas atteint le stade de ceux qui sont internés ici. Il doit avoir l'air tout à fait normal — si tant est qu'il s'agisse d'un malade mental. Êtes-vous sûr qu'il n'y a pas d'explication logique à ce carnage ?

— Non, je n'en suis pas certain. À première vue, il n'y a pas de rapport entre les victimes, en tout cas, nous n'en avons découvert aucun jusqu'à présent.

Il s'écarta d'une pauvre créature qui cherchait à étirer ses bras, prisonniers de sa camisole, pour le toucher.

Melchett vit que ses remarques avaient porté. Il fit demi-tour et ils sortirent de la salle pour reprendre le chemin de son bureau.

— Si l'assassin est un malade mental, poursuivit Pitt, quel genre d'obsession dois-je chercher ? Quel terrible passé peut conduire un homme à une telle violence aveugle ?

— Détrompez-vous, corrigea Melchett, elle n'est pas aveugle. Dans sa tête, en tout cas, il y a un rapport entre les victimes : il peut s'agir d'un moment, d'un endroit, d'une physionomie, d'une parole, d'un acte, qui l'aura rendu fou de rage, ou de peur. Ce peut être une passion religieuse. Beaucoup de fous ont un sens aigu du péché.

Il haussa les épaules.

— Sale question, je sais, mais il est possible que ses trois victimes aient commis un acte, qui, pour lui, était un péché. Des avances à une femme, par exemple. C'est une psychose très commune que celle qui consiste à croire que les rapports intimes avec une femme sont un piège tendu par le diable. Une maladie, bien sûr, surgie des sombres recoins de l'esprit, que nous commençons à peine à connaître et dont nous ignorons ce qu'ils peuvent receler.

Pitt ne lui posa pas d'autres questions avant leur retour dans le bureau, une pièce impersonnelle, encombrée de livres et de papiers, loin de la folie et du désespoir qu'il venait de voir, qui lui collaient encore à la peau et lui laissaient une sensation de malaise dont il ne pouvait se débarrasser.

— Quelle sorte d'homme dois-je chercher, docteur Melchett, s'il a ce genre d'idée fixe ? finit-il par demander. Quelle sorte de personnalité ? Quel mode de vie, quelle famille ? Quel événement a pu déclencher cette folie meurtrière, maintenant, plutôt qu'après ou avant ?

Melchett haussa à nouveau les épaules, avec lassitude.

— Dieu seul le sait. Ce peut être n'importe quoi, une tragédie, telle que la mort d'un proche, ou un léger incident, une insulte, par exemple, qui lui a soudain rappelé un choc ancien et lui a fait perdre le sens de la réalité.

Il balaya l'air de sa main, d'un geste impuissant.

— Je suis désolé, mes spéculations vous sont de bien peu d'utilité. À mon avis, vous devriez plutôt chercher du côté d'une motivation morale ou religieuse. Quand je vous ai demandé si vos victimes pouvaient avoir été en contact avec des prostituées, vous ne m'avez pas répondu. Était-ce par discrétion ?

— Peut-être. Mais l'un des trois hommes assassinés entretenait une relation de longue date avec un amant.

— Vous voulez dire avec une maîtresse, corrigea Melchett, cela ne l'empêche pas de...

— Non, c'est bien ce que je viens de dire, insista Pitt.

Melchett haussa les sourcils.

— Oh, je vois... Il y a donc fort peu de chances qu'il ait sollicité des prostituées. Et les deux autres ?

— Rien ne le laisse supposer.

Melchett partit d'un petit rire dur.

— Comme je viens de vous le dire, le déclenchement d'une crise de folie meurtrière peut partir d'une broutille, une parole, un geste, une plaisanterie, la couleur d'un vêtement, que sais-je encore ?... Franchement, commissaire, j'aurais tendance à penser que votre homme est aussi sain d'esprit que vous et moi. Désolé, je ne peux vous aider davantage, conclut-il en lui tendant la main.

Pitt jugea inutile d'insister.

— Merci, dit-il en reculant d'un pas. Merci pour le temps que vous m'avez consacré.

Melchett esquissa un sourire contraint. Il répondit poliment aux remerciements de son visiteur et le raccompagna à la porte.

Pitt était à peine arrivé à Bow Street que Farnsworth faisait irruption dans le commissariat. Il regarda tour à tour le sergent en faction, qui se mit presque au garde-à-vous, puis Tellman et Le Grange debout derrière lui.

— Trouvez quelque chose !

Le Grange bougea d'un pied sur l'autre et regarda au loin. Ce n'était pas à lui de répondre.

Le sergent rougit.

— Le commissaire vient de rentrer de Bedlam, dit Tellman avec aigreur.

Farnsworth se tourna vers Pitt avec colère.

— Pour l'amour du ciel, si ce malade y était enfermé, nous n'aurions pas tout ce désordre ! N'êtes-vous pas déjà allé là-bas pour vérifier qu'il n'y avait pas eu d'évasion ? ajouta-t-il à l'adresse de Tellman.

— C'est la première chose que j'ai faite, monsieur.

— Pitt ? J'exige une explication !

— Je voulais voir le Dr Melchett afin qu'il me décrive la personnalité de l'homme que nous recherchons, répondit Pitt, au prix d'un terrible effort pour garder son flegme.

— L'homme que nous recherchons ? C'est pourtant simple ! s'exclama Farnsworth en faisant quelques pas vers l'escalier qui menait au bureau de Pitt. Jerome Carvell ! Il a un sérieux mobile et aucun alibi. Un jour ou l'autre nous trouverons l'arme du crime. Que vous faut-il d'autre ?

— Pourquoi aurait-il tué Winthrop et le receveur ? grommela Pitt. Jusqu'à présent, rien ne laisse entendre qu'il les ait rencontrés, l'un ou l'autre, et encore moins qu'il ait eu une raison de les craindre ou de les haïr

— S'il a tué Arledge, il a tué les deux autres, affirma Farnsworth. Pas besoin de preuves. Il a pu faire des avances malheureuses à Winthrop et celui-ci l'a repoussé, en menaçant de rendre la chose publique.

Sa voix s'affermissait.

— Affolé, Arledge l'a tué pour le faire taire. La pédérastie n'est pas seulement un crime, c'est aussi la ruine sociale. Votre avis, Tellman?

— Je ne crois pas, monsieur, fit ce dernier en se redressant.

— Ah bon?

Farnsworth se tourna alors vers Pitt.

— Et pourquoi pas? J'imagine que vous avez un motif, une preuve que vous ne nous avez pas encore fait connaître?

Pitt eut du mal à s'empêcher de sourire. Pourtant la situation était loin d'être réjouissante.

— L'endroit, dit-il simplement.

— Quoi?

— Si Winthrop n'avait pas de disposition naturelle pour les hommes, que faisait-il dans un canot sur la Serpentine à minuit? Et Carvell aurait apporté une hache pour lui décoller la tête, se doutant qu'il allait être éconduit?

Les joues de Farnsworth s'enflammèrent.

— Nom d'un chien, qui aurait l'idée de se promener avec une hache sur la Serpentine? En fait, vous n'apportez aucune réponse, hein? Je présume que vous avez lu les journaux? Avez-vous vu ce que ce damné Nigel Uttley dit de vous, et par contrecoup de nous tous?

On pouvait désormais déceler une véritable panique dans sa voix.

— Je suis contrarié, Pitt. Très contrarié. Et je ne suis pas le seul. Tous les policiers de la capitale sont critiqués et blâmés à cause de votre incompétence. Que vous arrive-t-il, Pitt? Vous étiez pourtant un bon élément.

Il décida de ne plus monter à l'étage dans le bureau de

Pitt où ils auraient pu discuter en privé. Pitt l'avait humilié. C'était en public qu'il allait se venger, devant Tellman, Le Grange, le sergent de garde, et aussi Bailey qui avait rejoint leur petit groupe.

— Il y a suffisamment de preuves. Pour l'amour du ciel, servez-vous-en, avant que ce cinglé ne tue encore ! Attention, Pitt, je vous tiendrai pour personnellement responsable, si vous ne l'arrêtez pas avant qu'il ait commis un autre meurtre !

Un silence tendu s'installa dans le commissariat. Farnsworth défiait Pitt du regard, décidé à ne retirer aucune de ses paroles. Le Grange avait l'air mal à l'aise, mais, pour une fois, il ne se posa pas de question : l'accusation était injuste et il prit le parti de Pitt.

— Nous ne pouvons pas arrêter Carvell, monsieur, intervint Tellman. Il pourrait nous poursuivre en justice pour avoir été accusé à tort, sans preuves. Nous serions obligés de le relâcher et nous aurions l'air encore plus idiots.

— Ce serait difficile... grimaça Farnsworth. Et le receveur ? Que sait-on de lui ? Avait-il un casier judiciaire ? Des dettes de jeu ? De mauvaises fréquentations ? Est-ce qu'il buvait ? Est-ce qu'il forniquait ? Répondez !

— Pas de casier judiciaire, répondit Tellman. D'après les dires de ses voisins, c'était un receveur d'omnibus ordinaire, respectable, et plutôt suffisant.

— En quoi un receveur d'omnibus peut-il être suffisant ? ironisa Farnsworth.

— Une tendance à l'autorité, je crois, expliqua Tellman. Dire aux gens s'ils peuvent monter ou non dans l'omnibus, s'asseoir ou pas.

Farnsworth afficha un complet mépris.

— Je vois... Pas de vices cachés ?

— S'il en avait, ils le sont encore, répondit Tellman.

— Il doit y avoir quelque chose. Que vous a-t-on dit au poste de police de son quartier ?

— Rien de spécial. Il allait régulièrement à l'église où

il était bedeau ou quelque chose comme ça. Il aimait bien indiquer aux gens la place où ils devaient s'asseoir. Il fallait aussi qu'il le fasse le dimanche...

— On ne lui a pas coupé la tête parce qu'il était trop zélé, décréta Farnsworth en se dirigeant vers la sortie. Bon, il faut que je m'occupe de Nigel Uttley.

Il regarda Pitt et ajouta, en baissant la voix :

— Vous auriez dû m'écouter. Je vous avais fait une bonne proposition, et si vous aviez suivi mes conseils vous ne seriez pas dans ce pétrin.

Tellman les observa à tour de rôle, cherchant à saisir le sens de la phrase de Farnsworth. Bailey, de son côté, essayait de s'imaginer ce que pouvaient faire Winthrop et Carvell dans une embarcation sur la Serpentine, les rames et la hache posées entre eux. Il n'aimait pas Farnsworth et il en avait toujours été ainsi. Quant à Le Grange, il attendait qu'on lui donnât des ordres et dansait d'un pied sur l'autre sans savoir que faire.

Pitt savait que Farnsworth faisait référence au *Cercle intérieur*, cette fois attaqué dans son réseau de fidélités. Les mots de Micah Drummond lui revinrent en mémoire. Farnsworth devait savoir qu'Uttley était membre de la société secrète mais pas Jack.

Il attendait, espérant voir Pitt changer d'avis. Celui-ci le dévisagea, impassible.

— C'est possible, dit-il simplement.

Farnsworth eut un instant d'hésitation puis fit volte-face et quitta le commissariat.

Bailey poussa un grand soupir et Le Grange se détendit.

Tellman se tourna vers Pitt.

— Nous ne pouvons pas encore arrêter Carvell, monsieur, mais si nous prenions la peine de chercher plus loin, nous aurions une idée plus précise du personnage. Je jurerais qu'il sait ou qu'il a deviné quelque chose.

— Qu'avez-vous en tête ? demanda Pitt.

Tellman leva le menton avec dédain.

— Il est coupable d'un crime, il l'a reconnu. La pédarastie est passible de nombreuses années de prison, Carvell n'a peut-être pas réalisé que nous ne pouvons le prouver. On peut le faire coffrer pour ça. Carvell ne supportera pas un séjour à Pentonville ou à Coldbath Fields, conclut-il avec un léger mépris.

— C'est vrai, renchérit Le Grange.

— Vous n'avez aucune preuve, fit Pitt, écœuré.

— Il l'a admis.

— Pas devant vous, inspecteur.

Les traits de Tellman se durcirent.

— Êtes-vous en train de me dire que vous le nieriez, monsieur ?

— Je ne dirais rien, inspecteur. Carvell a seulement reconnu aimer Arledge. Interprétez cela comme vous voudrez. Le sentiment n'est pas un crime. J'imagine que c'est ce que dira Carvell ; ses avocats vous attaqueront pour harcèlement moral.

— Vous êtes trop prévenant, fit Tellman, dégoûté. Si vous vous prêtez aux exigences de ces gens-là, vous n'apprendrez jamais rien. Vous vous ferez avoir.

Bailey toussa bruyamment pour marquer son désaccord, mais Tellman l'ignora.

— Nous ne pouvons tenir compte de vos états d'âme, si nous voulons mettre la main sur l'ordure qui terrorise la moitié de Londres. Les gens n'osent plus sortir seuls le soir. Les caricaturistes s'en donnent à cœur joie, dans les gazettes. Nous sommes la risée de tous. Ça ne vous dérange pas ? Ça ne vous met pas en rage ?

Le Grange acquiesça en silence avec un vigoureux hochement de tête.

— Votre réaction est celle d'un homme en colère qui a perdu toute capacité de jugement, répondit Pitt. Vous avez le réflexe de quelqu'un qui craint pour sa réputation et jette des coups d'œil furtifs alentour pour voir ce que les autres pensent de lui.

— Les « autres », comme vous dites, paient nos

salaires, le vôtre comme le mien ! explosa Tellman, in-différent à la présence des trois policiers présents. Et « les autres » ne sont pas contents de vous !

Sa voix monta d'un cran.

— On se moque de savoir si vous avez été un brillant policier dans le passé. Seul aujourd'hui compte. Vous mettez la réputation de ces messieurs en miettes. Vous les faites passer pour des idiots, et ça, ils ne vous le pardonneront pas.

— Si vous voulez que j'arrête Carvell, apportez-moi des preuves de sa culpabilité ! remarqua Pitt d'un ton sévère. Où était-il quand Yeats a été tué ?

— À un concert, monsieur, intervint Le Grange. Mais il ne trouve personne qui l'y ait vu. Il peut nous dire de quelle musique il s'agissait, mais n'importe qui en est capable, s'il a lu le programme.

— Et quand Arledge a été tué ? poursuivit Pitt.

— Seul, chez lui.

— Ses domestiques, que disent-ils ?

— Il y a une porte-fenêtre dans le bureau. Carvell peut être sorti et rentré par là sans que personne dans la maison s'en aperçoive.

— Et quand Winthrop a été tué ?

— Carvell était parti faire une promenade dans le parc, d'après ce qu'il prétend, répondit Tellman, visible-ment incrédule.

— Seul ?

— Oui.

— A-t-il croisé quelqu'un ?

— Il ne s'en souvient pas. Il aurait fallu que la per-sonne en question passe très près de lui pour le reconnaître. Il faisait nuit noire.

— Et les prostituées ? Allez leur demander si elles se souviennent d'avoir vu Carvell, dans le parc. Cherchez aussi des témoins qui pourraient l'avoir aperçu dans la rue sur le chemin du retour. Quelqu'un doit bien l'avoir remarqué à un moment ou à un autre. Ses domestiques ne se souviennent-ils pas non plus de l'heure de son retour, ce soir-là?

— Non, monsieur. Il avait des horaires bizarres et préférait qu'ils aillent se coucher et le laissent se débrouiller tout seul.

Tellman eut un reniflement de mépris.

— Sans doute pour qu'ils ne remarquent pas les allées et venues d'Arledge...

— Parlez aux filles de Fat George. Elles travaillent dans ce coin-là du parc.

— Qu'est-ce que cela prouvera? fit Tellman avec un dégoût ostensible. Si personne ne l'a vu, ça ne prouve pas qu'il n'y était pas. Et personne ne l'a vu à Shepherd's Bush. Nous avons interrogé les passagers du dernier omnibus.

— Je suppose que vous n'avez toujours pas trouvé l'endroit où Arledge a été tué, dit Pitt, narquois. Vous feriez bien de vous mettre au travail.

Là-dessus, il monta dans son bureau. Les accusations de Tellman le poursuivaient. Se montrait-il vraiment trop tatillon dans cette affaire? Sa compassion pour Carvell influençait-elle son jugement, au point de faire pencher la balance en sa faveur? La pitié, même sincère, ne devait pas l'aveugler. Mais si l'assassin n'était pas Carvell, qui était-ce? Un fou furieux tuant au hasard des impulsions surgies du sombre chaos de son esprit? Bart Mitchell, pour venger sa sœur battue par Winthrop? Mais pourquoi Mitchell se serait-il débarrassé d'Arledge et de Yeats? Pitt songea qu'il devait s'intéresser de plus près à la vie privée du capitaine Winthrop et à celle de son beau-frère.

Emily appréciait chaque jour davantage la nouvelle maison de Charlotte. Il lui arrivait même de la lui envier! Comme ce devait être excitant d'acheter une maison en mauvais état, puis de la réparer et la décorer selon son goût!

250

Les deux sœurs se trouvaient dans la chambre qui surplombait le jardin. Charlotte avait en fin de compte choisi une tapisserie vert tilleul ; aujourd'hui, éclairée par les rayons du soleil où jouaient les feuilles des arbres, la pièce donnait l'impression d'être installée sous une tonnelle emplie d'ombre et de lumière.

— J'adore cette pièce, déclara Emily avec conviction. Elle est tout simplement merveilleuse.

Puis elle prit une expression désolée et enfouit ses mains baguées de pierres étincelantes dans la mousseline de sa jupe.

Charlotte fut très déçue. Elle était si fière de sa chambre ! Comment Emily osait-elle émettre des réserves ?

— As-tu vu la chambre de Maman ? soupira cette dernière. Elle est si... si... Je ne sais comment la décrire. Ce n'est plus Maman. C'est comme si elle était devenue quelqu'un d'autre ! C'est... c'est pire que romantique. C'est luxuriant. Oui, c'est le mot, luxuriant.

— Tu fais encore mine de croire qu'il ne s'agit que d'une passade, dit Charlotte.

Elle alla s'accouder sur le rebord de la fenêtre pour contempler son jardin. La pelouse fraîchement tondue s'étendait sous les arbres jusqu'à un mur couvert de roses.

— Ce n'en est pas une, tu sais. Je me suis faite à l'idée qu'elle l'aime pour de bon.

Emily s'approcha et observa à son tour le jardin tacheté de soleil.

— Cela se terminera en tragédie, tu verras, murmura-t-elle.

— Pourquoi ? Elle pourrait l'épouser.

— Et ensuite ? La bonne société la reniera ! Elle ne sera jamais vraiment en harmonie avec les gens du théâtre. Et combien de temps son bonheur durera-t-il ?

— Combien de temps dure-t-il en général ? remarqua Charlotte.

— Oh, allons, tu m'as très bien comprise. Je suis très heureuse, et ne me dis pas que tu ne l'es pas, parce que je ne te croirais pas.

— Bien sûr que je le suis. Pourtant, combien de cassandres avaient prédit que tout se terminerait mal pour moi.

— C'est différent.

— Pas du tout. J'ai épousé un homme dont on disait qu'il était au-dessous de mon rang et qu'il n'avait pas un sou vaillant.

— Oui, mais Thomas a ton âge. Ou plutôt, quelques années de plus, ce qui est parfait, dans un couple. Et il est chrétien !

— Soit, Joshua est juif, admit Charlotte. Cela ne simplifie pas la situation. Mais Mr. Disraeli aussi était juif, ce qui ne l'a pas empêché de devenir Premier ministre. La reine l'aimait beaucoup.

— Parce qu'il la flattait sans vergogne, ce que n'aurait jamais fait Mr. Gladstone. C'était un vieux bonhomme qui parlait sans cesse de vertu. Encore que j'aie entendu dire qu'il aimait beaucoup les femmes... Je tiens cela d'Eliza Harrogate.

Elle baissa la voix.

— Il paraît qu'il pouvait difficilement se contrôler en présence d'une jolie femme, quels que soient son âge ou sa situation. Ce qui donne de lui une tout autre image, non ?

Charlotte la regarda, se demandant si elle était sérieuse ou si elle plaisantait. Puis elle éclata de rire.

— Peut-être a-t-il fait des propositions à la reine, continua Emily, qui commençait à pouffer à son tour.

— Tu racontes des bêtises, dit Charlotte. Et je ne vois pas le rapport avec Maman.

Emily redevint sérieuse.

— Que pouvons-nous faire ? Je refuse de rester là, bras croisés, à regarder Maman courir droit à la catastrophe.

— Tu n'as pas d'autre choix. La seule chose que nous puissions espérer est que cette histoire s'achève d'elle-même avant que le mal soit irréparable.

— C'est sans espoir, nous ne pouvons pas la laisser faire ! protesta Emily en se détournant de la fenêtre.

— Il n'y a pas à laisser faire ou non. Nous n'avons pas à nous mêler de sa vie privée et à l'empêcher de vivre sa vie !

Charlotte quitta la fenêtre à son tour.

— Et où en sont les élections ? dit-elle en changeant délibérément de sujet de conversation.

Emily haussa les épaules.

— Pour le moment, tout va bien, très bien même. C'est assez surprenant, ajouta-t-elle en ouvrant de grands yeux. Il y a eu dans la presse quelques articles très favorables à Jack, ces deux derniers jours. C'est curieux. Certaines personnes ont pris parti pour lui, ou, plus exactement, contre Nigel Uttley.

— Étrange, en effet, fit Charlotte, pensive. Il doit y avoir une raison...

— Jack n'a pas rejoint le *Cercle intérieur*, si c'est ce à quoi tu penses ! s'insurgea Emily. Je peux le jurer.

— Je n'en ai jamais douté, dit Charlotte d'un ton apaisant. Mais cela ne veut pas dire que ce changement n'a rien à voir avec le *Cercle*.

— Pourquoi ? Jack n'a pas l'intention de leur céder.

Charlotte prit une profonde inspiration.

— Ce n'est pas ce que je voulais dire. Uttley a attaqué la police. Or beaucoup de gens haut placés dans la police font partie du *Cercle intérieur*. Uttley ne s'en est peut-être pas rendu compte.

— Tu penses au préfet de police adjoint ?

— Micah Drummond était membre du *Cercle*, lui rappela Charlotte.

— Mais il n'en a pas tiré avantage ! Oui, je vois... Cela ne veut pas dire qu'il en soit de même pour Giles Farnsworth. Lui ferait appel aux bonnes personnes pour se défendre, bien sûr.

— Au ministre de l'Intérieur, par exemple. S'il fait partie du *Cercle*. Le problème avec les organisations secrètes, c'est que, par définition, l'on ne sait rien d'elles. On ignore quels sont les liens unissant leurs membres. Il peut y avoir des alliances inimaginables.

Emily la regarda, soudain très grave.

— D'après toi, Uttley se serait proprement sabordé en attaquant la police ? N'était-il pas au fait des risques encourus ?

— Non, s'il ignorait que Farnsworth en était membre, ou s'ils appartiennent à des sphères différentes. Mais c'est idiot de sa part de ne pas avoir envisagé cette hypothèse.

Emily fronça les sourcils.

— Il devait se croire protégé. Charlotte, se pourrait-il qu'il y ait une rivalité à l'intérieur du *Cercle* ?

— Pourquoi pas ? Uttley n'est pas au courant de tout. Selon Micah Drummond, un affilié ne connaît que les membres de sa propre sphère. Une protection, en quelque sorte, pour éviter les trahisons. Seuls les gradés les plus anciens connaissent les noms de tous les autres.

— Alors comment sait-on qui en fait partie ou non ? raisonna Emily, logique.

— À mon avis, ils ont des signes secrets de reconnaissance, au besoin.

Emily frissonna.

— C'est épouvantable. Imagine le pouvoir que possèdent les chefs de cette organisation. Tous ces gens qui leur sont aveuglément acquis, des centaines, peut-être des milliers d'hommes occupant des postes de responsabilité, partout dans le pays, et qui ont tous prêté serment d'allégeance, sans discuter, souvent même sans savoir à qui !

— Il peut s'écouler des années avant qu'on leur demande d'agir, lui fit remarquer Charlotte. Je présume que c'est le cas de la plupart d'entre eux. Lorsque Micah Drummond est devenu membre, il pensait travailler pour une organisation bénévole dont le but était d'œuvrer en faveur des indigents. Ce n'est qu'après le meurtre à Clerkenwell, quand on lui a demandé d'aider Lord Byam[1], qu'il a commencé à comprendre le prix à payer. Il en est peut-être de même pour Uttley.

— Uttley, innocent? fit Emily, dubitative. Je peux le penser de Micah Drummond, qui est plutôt... naïf. Les hommes font confiance à des personnes en qui aucune femme sensée n'aurait l'idée de se fier. Mais Uttley est retors et ambitieux. Les gens qui, comme lui, utilisent les autres, s'attendent à ce que l'on en fasse de même avec eux. Il est prêt à profiter du moindre avantage. Mais n'aurait-il pas compris qu'il jouait un jeu dangereux?

Elle frissonna à nouveau, en dépit du soleil qui dansait sur le rebord de la fenêtre.

— Je pourrais presque commencer à le plaindre.

— Attends que ce soit fini avant d'avoir pitié, l'avertit Charlotte.

— Tu as peur?

— Un peu. J'aurais préféré que ces gens-là défendent la police pour des motifs honorables; mais la raison en est, hélas, qu'un membre plus haut placé dans le *Cercle* que ne l'est Nigel Uttley appartient à la police. Peut-être Farnsworth, ou un autre...

Emily soupira.

— Je présume que Thomas n'en sait pas davantage sur le tueur de Hyde Park?

— Pas à ma connaissance.

— Et nous ne faisons pas grand-chose pour l'aider, n'est-ce pas? Ah, si seulement je pouvais avoir une idée!

— Je ne sais par où commencer, fit Charlotte découragée. Nous n'avons pas le moindre indice.

— Et nous ne connaissons personne qui pourrait nous aider. La folie est effrayante et triste, mais vraiment pas...

— Intéressante, c'est ce que tu veux dire? conclut sa sœur à sa place.

1. Voir *Belgrave Square, op. cit.*

Pitt redoublait d'efforts pour trouver un lien, si ténu fût-il, entre Winthrop et Aidan Arledge. Aussi retourna-t-il voir la veuve du chef d'orchestre, qui le reçut dans le petit salon, avec la même affabilité que la fois précédente.

Il fut attristé de lui trouver l'air las et anxieux. Lorsqu'il l'avait vue pour la première fois, il y avait comme une lumière sur son visage, en dépit du choc qu'elle avait subi. Aujourd'hui, cette lumière n'existait plus, comme si les trop longues journées et les nuits interminables l'avaient éteinte.

— Bonjour, Mr. Pitt, dit-elle avec un sourire triste. Êtes-vous venù m'annoncer une nouvelle découverte?

Elle avait dit cela sans espoir, mais ses yeux cernés scrutaient son visage.

— Rien dont nous comprenions encore le sens.

Sa détresse le touchait bien davantage que les aboiements de Farnsworth ou les critiques acerbes de la presse.

— Rien du tout?

— Nous n'avons toujours pas trouvé de lien entre votre époux et le capitaine Winthrop. Et encore moins avec le receveur.

— Je vous en prie, asseyez-vous, commissaire.

Elle lui indiqua un fauteuil et s'assit en face de lui, les mains sur les genoux, dans une pose gracieuse. Elle semblait à l'aise, le dos très droit, comme on le lui avait certainement enseigné depuis sa plus tendre enfance. Pitt savait par Charlotte que gouvernantes et préceptrices passaient derrière les petites filles et leur piquaient le dos avec une règle en fer ou tout autre objet dur et pointu, pour les obliger à se tenir droites.

Pitt s'installa confortablement. En dépit des pénibles circonstances qui l'amenaient, il éprouvait un agréable bien-être en sa présence. Les confidences partagées lors de ses précédentes visites restaient vivaces dans son souvenir.

— Que puis-je faire pour vous, commissaire ? s'enquit Dulcie. J'ai beau réfléchir, je n'ai rien à vous apprendre. Voyez-vous, il y avait tant de moments de la vie d'Aidan auxquels je ne participais pas.

Elle se mordit soudain la lèvre.

— Oh, mon Dieu, ne vous méprenez pas sur ce que je viens de dire ! Je pensais à son métier. J'aime beaucoup la musique mais je ne pouvais me rendre à tous ses concerts et je n'assistais pas à toutes ses répétitions. Vous me comprenez ?

— Une femme accompagne rarement son époux sur son lieu de travail, la rassura-t-il. Beaucoup ne savent même pas en quoi consiste la profession de leur mari et seraient incapables de dire où il travaille et avec qui.

Elle se détendit un peu.

— Vous avez raison, fit-elle avec gratitude. Peut-être était-ce idiot de dire cela. Je suis désolée. Je pense que... Mon Dieu, excusez-moi, je ne sais plus où j'en suis. Le service funèbre a lieu dans deux jours et je ne sais comment m'y prendre pour l'organiser.

Pitt aurait aimé pouvoir l'aider, mais la présence d'un policier à une telle cérémonie n'était pas souhaitable.

— Votre mari avait sûrement beaucoup d'amis. Ils seraient sans doute ravis de vous rendre ce service.

— Oh, oui, bien sûr. Lady Lismore est merveilleuse. Je peux compter sur elle. Sir James connaît toutes les personnes qu'il faut inviter. Et Mr. Alberd aussi. C'est lui qui prononcera l'éloge funèbre. Il est très estimé, savez-vous ?

— Ce seront pour vous des moments difficiles, murmura-t-il, imaginant l'émotion qui envahirait cette femme en entendant la musique bien-aimée et l'hommage que ses amis rendraient au défunt ; amis ignorant encore le terrible secret qui serait trop vite révélé dans les journaux ou affiché sur les panneaux dans les rues.

Dulcie déglutit.

— Oui, j'en ai peur. Tant de pensées tourbillonnent

dans ma tête, commissaire. La plupart me font honte, cependant, malgré tous mes efforts, je ne parviens pas à les contrôler.

Elle se leva, se dirigea vers la fenêtre et poursuivit, le dos tourné :

— Je... je redoute ce service funèbre. Je ne connais pas l'homme qu'Aidan... Pardonnez-moi, il m'est difficile d'utiliser le mot « aimait ». Je finirai par regarder tout le monde en me posant des questions.

Elle se retourna.

— J'ai tort, n'est-ce pas ?

— Votre inquiétude est très compréhensible, Mrs. Arledge. N'importe qui ressentirait la même chose que vous.

— Croyez-vous ?

Un très léger sourire effleura ses lèvres. Bailey avait raison, Dulcie Arledge possédait cette sorte de visage que l'on trouve plus beau chaque fois qu'on le regarde.

— Vous m'êtes d'un grand réconfort, commissaire. Viendrez-vous à la cérémonie ? J'aimerais beaucoup que vous y assistiez, en tant... qu'ami. Pensez-vous pouvoir venir ?

— Je vous le promets.

En prononçant ces mots, il se sentit coupable mais néanmoins satisfait. L'enquête criminelle l'obligeait à assister au service funèbre. Peut-être s'en doutait-elle et l'avait-elle officiellement invité afin qu'il se sente moins importun.

— Il y aura ensuite une petite réception, reprit-elle. Mais elle n'aura pas lieu ici. Je ne m'en sens pas la force. Sir James a suggéré qu'elle soit organisée chez l'un des amis d'Aidan qui admirait son travail. Ce serait pratique pour tout le monde, et beaucoup moins pénible pour moi. J'aurais moins de responsabilités à prendre et je pourrais rentrer chez moi à tout moment, pour rester seule avec mes pensées.

Un petit sourire triste passa sur son visage et disparut.

— Bien que je ne sois pas certaine que ce soit tout à fait ce dont j'ai envie.

Pitt ne trouva rien à dire qui ne fût banal.

— À propos, reprit-elle, la réception se tiendra chez Mr. Jerome Carvell, à Green Street.

Un instant, Pitt resta sans voix.

— Je... je connais bien cette rue, répondit-il enfin, la gorge nouée, espérant de tout cœur que son trouble ne transparaissait pas sur son visage. C'est... c'est une bonne solution, comme vous venez de le dire. Cela vous soulagera de vos obligations.

Sa réponse était-elle aussi stupide qu'il en avait l'impression?

Dulcie se força à sourire.

— Ils se sont chargés de tout : du buffet, des rafraîchissements et de la musique du service funèbre. Aidan connaissait tant d'excellents musiciens qu'il sera difficile de faire un choix! Il aimait particulièrement le violoncelle. Un instrument si triste, si sombre comparé au violon. Il sera très approprié pour la circonstance. Qu'en pensez-vous?

Pitt pensa aussitôt à Victor Garrick, présent lors du service funèbre d'Oakley Winthrop, comme le lui avait raconté Charlotte.

— Qui jouera? Le savez-vous déjà?

— Un jeune homme que mon mari appréciait beaucoup. Je crois qu'il l'a aidé et encouragé. Aimez-vous le violoncelle, Mr. Pitt?

— Oui, bien que j'aie rarement l'occasion d'aller au concert.

— Je crois savoir que ce jeune homme est des plus doués. D'après Sir James, c'est un virtuose, possédant à la fois technique et sensibilité. Aidan lui avait consacré beaucoup de son temps. Il lui en est, je crois, fort reconnaissant.

— Comment s'appelle ce jeune homme, Mrs. Arledge?

— Vincent Garrick. Oui, c'est cela. Non, non, pas Vincent, Victor. Oui, j'en suis sûre, Victor.

— Votre époux le connaissait-il bien ? fit Pitt, s'efforçant de contenir l'excitation de sa voix.

Mais Dulcie avait remarqué ce changement de ton. Il vit ses épaules se raidir sous la soie de sa robe.

— Pourquoi cette question, Mr. Pitt ? Connaissez-vous Victor Garrick ?

— Cela n'a peut-être aucun rapport, mais le capitaine Winthrop était son parrain.

— Victor Garrick... Le filleul du capitaine Winthrop ? fit Dulcie, perplexe. J'ai cru, à votre réaction, que vous aviez trouvé une piste...

— Mr. Arledge connaissait-il bien Victor Garrick ? répéta Pitt.

— Je n'en sais rien, commissaire. Interrogez plutôt Sir James. Il pourra vous répondre. Il a encouragé nombre de jeunes talents, en fait, plus qu'Aidan lui-même. Pour être honnête, commissaire, je crois que c'est Sir James qui a suggéré cette idée, car Mr. Garrick est l'un de ses protégés.

— Je vois... dit Pitt, un peu déçu. J'irai lui rendre visite. Je... je vous remercie de votre amabilité et de votre patience, Mrs. Arledge.

C'était un euphémisme. Jamais une personne en deuil n'avait suscité chez lui autant d'admiration.

— Vous me préviendrez, commissaire, si vous découvrez quelque chose, n'est-ce pas ?

— Bien sûr. Dès que j'aurai du nouveau.

Dulcie Arledge le raccompagna jusqu'à la porte d'entrée, en le remerciant chaleureusement. Dès qu'il fut dans la rue, Pitt chercha un cab pour se rendre au domicile de Sir James Lismore.

Le visage de Dulcie restait gravé devant ses yeux. La mort tragique et précoce d'Aidan Arledge éveillait en lui une grande compassion, mais il éprouvait en même temps une violente colère contre cet homme qui avait trahi une femme remarquable, à qui il ne laissait que stupeur et chagrin.

— Victor Garrick ? dit Sir James, surpris.

C'était un homme d'aspect ordinaire, de taille moyenne, presque chauve, au regard aigu, aux traits intelligents et bons.

— Un jeune violoncelliste amateur, ajouta Pitt.

— Oh, oui. Je vois de qui vous parlez... Très doué, une grande intensité de jeu. Mais en quoi cela vous concerne-t-il, commissaire ?

— A-t-il rencontré Aidan Arledge ?

— Certainement. Ce pauvre Aidan connaissait un grand nombre de musiciens, tant amateurs que professionnels.

Il fronça les sourcils.

— Vous ne soupçonnez pas l'un d'entre eux d'être impliqué dans sa mort ? Ce serait absurde.

— Il y a diverses façons d'être impliqué dans la mort de quelqu'un, Sir James. J'essaie de trouver un lien entre le capitaine Winthrop et Mr. Arledge.

— Je saisis la nuance, commissaire. Je m'excuse d'avoir sauté à une conclusion aussi rapide.

Il enfonça ses mains dans ses poches et observa Pitt avec intérêt.

— Êtes-vous sûr que Winthrop était en relation avec Victor Garrick ? Ce Winthrop ne montrait aucun amour pour la musique et Victor n'a jamais émis le souhait d'entrer dans la marine. C'est un jeune homme paisible, un artiste, un rêveur, pas un homme d'action. Il hait la violence, la cruauté, l'agressivité, sans parler de la discipline, inévitable à bord d'un vaisseau de guerre.

Pitt sourit intérieurement. Victor Garrick aurait sans doute apprécié ces propos.

— Ce n'était pas une amitié choisie, expliqua-t-il, mais une relation de famille.

— Ils étaient parents ? s'étonna Lismore. J'avais cru

261

comprendre que le père de Victor était mort et que sa mère n'avait pas de famille, en tout cas pas de famille avec laquelle elle fût en contact.

— Ils n'avaient pas de liens de sang. Le capitaine Winthrop était son parrain.

Le visage de Lismore s'éclaira.

— Ah, voilà qui change tout. Oui, je comprends mieux.

— Excusez-moi, Sir James, à vous entendre, j'ai l'impression que vous connaissiez le capitaine Winthrop...

— Navré de vous avoir involontairement induit en erreur, commissaire. En fait je ne l'ai jamais rencontré. C'est Mrs. Winthrop que je connais un peu. Une charmante jeune femme, qui adore la musique.

— Vous connaissez Mrs. Winthrop ?

Pitt s'accrocha à ce détail, ne sachant pas s'il avait une signification quelconque, mais, dans l'état de l'enquête, le plus minuscule indice était précieux.

— Savez-vous si elle fréquentait Mr. Arledge ?

— Oh, oui, bien sûr. Cependant je ne peux dire s'il s'agissait d'une relation profonde, de longue date, ou d'une simple affinité due à un amour partagé de la musique. Aidan était très gentil, très doux, vous savez, et enclin à la compassion.

— Compassion ? Mrs. Winthrop était-elle affligée de quelque peine ?

Lismore hocha la tête.

— J'ignore quelle en était la cause, mais je me souviens de l'avoir vue profondément attristée. Elle pleurait et Aidan essayait de la réconforter. Je ne sais s'il y a réussi. Elle est partie avec un gentleman au visage hâlé. Son frère, je crois. Il paraissait très en colère.

— Son frère, Bartholomew Mitchell ?

— J'ai oublié son nom, s'excusa Lismore, car je ne crois pas l'avoir jamais rencontré. Aidan a dit quelque chose par la suite, je pense que c'est comme cela que j'ai

262

eu l'impression que c'était son frère. Vous semblez intéressé, commissaire. Est-ce que cela a une signification pour vous ?

— Je n'en suis pas sûr, répondit Pitt, sentant son pouls s'accélérer. Est-il possible que Mr. Arledge et Mrs. Winthrop se soient querellés ? Ou que Mr. Mitchell ait pu le supposer ?

— Aidan et Mrs. Winthrop ? Se quereller ? Pensez donc !

— Mais est-ce possible ? insista Pitt.

— Tout est possible, concéda Lismore avec réticence. Il se peut que Mr. Mitchell ait mal compris la situation. Il était en colère, très en colère.

— Vous souvenez-vous d'un détail de la scène, Sir James ? Un mot, voire un geste ?

Lismore pinça les lèvres, mal à l'aise.

— Je vous en prie, réfléchissez... le supplia Pitt, contenant mal son impatience.

Lismore prit une profonde inspiration.

— J'ai... J'ai surpris des bribes de conversation, commissaire. Je déteste l'idée de répéter ce qui était un échange privé, mais je comprends que ce peut être important. J'ai entendu ce gentleman, le frère de Mrs. Winthrop, lui dire avec véhémence : « Ce n'est pas ta faute ! » Il a ajouté : « Ne dis pas cela. C'est absurde et mensonger. Si Thora est assez stupide pour le croire, c'est son problème, pas le tien ! Tu n'y es pour rien, tu m'entends ? Ôte-toi cette idée de l'esprit. » Peut-être ne sont-ce pas exactement ses mots, commissaire, mais le sens en tout cas en est exact.

Il regarda Pitt et attendit.

Pitt était troublé. De quoi Bart Mitchell parlait-il ? De la mort de Winthrop ? Et Thora Garrick, que savait-elle de tout cela ?

— Avez-vous entendu la réponse de Mina Winthrop ? demanda-t-il.

— En partie seulement. Elle était bouleversée et s'exprimait avec difficulté.

— Qu'avez-vous entendu ?

— Oh, elle affirmait que c'était sa faute, que sa bêtise avait été la cause de ce qui s'était passé ; qu'il ne devait pas se mettre en colère, que cela arrivait souvent, ou quelque chose d'approchant. J'étais très gêné d'avoir entendu tout cela malgré moi.

— Avez-vous ensuite vu Mr. Mitchell en compagnie de Mr. Arledge ? insista Pitt.

Lismore secoua la tête.

— Non. Autant que je m'en souvienne, Aidan est parti car il devait diriger l'orchestre dans la deuxième partie du spectacle et Mr. Mitchell a emmené Mrs. Winthrop vers la sortie. Je présume qu'ils ont quitté les lieux. Il semblait que le différend avait été réglé. Selon toute apparence, il l'avait persuadée qu'il avait raison, et elle semblait convaincue.

Pitt se leva, l'esprit en effervescence.

— Votre franchise m'a été d'une grande aide, monsieur. Merci pour le temps que vous m'avez consacré.

— Au revoir, commissaire.

Lismore semblait troublé et surtout très intrigué.


Emily avait passé une agréable soirée, bien que celle-ci se fût révélée exclusivement consacrée à la politique. La plupart des aspects de la campagne électorale ne l'intéressaient guère. Les prises de parole dans les rues étaient parfois amusantes, mais le plus souvent ennuyeuses, démoralisantes ou même dangereuses. Aider Jack à rédiger ses articles et ses discours était une corvée qu'elle acceptait par amour et parce qu'elle tenait à l'assister au maximum dans son combat, même si c'était une bataille qu'il avait objectivement peu de chances de gagner.

Pourtant, depuis quelques jours, les choses avaient changé de manière significative. Au début les signes en avaient été très subtils : ainsi le ton du principal chroniqueur du *Times,* qui s'interrogeait sur les motifs qu'avait eus Nigel Uttley de critiquer l'action de la police, suggérant même que l'intégrité de Jack Radley était exactement ce que l'opinion publique réclamait.

Mais ce soir-là elle s'était bien amusée. Elle avait dansé et bavardé, avec un naturel apparent, alors qu'en fait tous ses gestes étaient parfaitement étudiés. Elle avait flatté certaines personnes, ri avec d'autres, elle s'était montrée pleine d'humour et, selon le moment, s'était même autorisé quelques fines observations sur la situation politique, ce qui avait étonné et ravi plusieurs gentlemen influents. Dans l'ensemble, on pouvait considérer que la réception avait été un succès.

En quittant la soirée, Jack et elle-même partirent à pied pour faire le court trajet qui les séparait de leur domicile. Emily avait l'impression de marcher sur un nuage. La lune était haute dans le ciel, tel un immense réverbère argenté au-dessus des arbres. Les silhouettes des attelages, lanterne allumée, passaient à côté d'eux dans un grand bruit d'essieux ; puis, l'obscurité de la nuit les enveloppait à nouveau.

Jack fredonnait une chanson. Sa démarche légèrement zigzagante n'était pas due à un excès de boisson, mais à un merveilleux sentiment d'allégresse. Emily, ravie, se mit à chantonner avec lui.

Ils quittèrent la grande avenue bien éclairée pour s'engager dans une artère plus petite, bordée de hauts murs d'où dépassaient des branches d'arbres qui assombrissaient la lumière des lampadaires.

Soudain Jack poussa un cri, trébucha, chercha à se rattraper au bras d'Emily, la bouscula au point qu'elle tomba dans le caniveau. Lui-même chuta, mains en avant, évitant de justesse de se blesser au visage en heurtant le trottoir.

Emily laissa fuser un cri de surprise qui se mua en terreur à la vue de la sombre silhouette qui se dessinait au-dessus de Jack. Le visage était couvert pour ne pas être reconnu, et dans la main levée, il y avait une énorme lame triangulaire.

Jack se laissa rouler sur le dos et lança ses jambes en avant, de toutes ses forces. Un de ses pieds toucha l'agresseur au tibia, juste au-dessus de la cheville, lui faisant perdre l'équilibre.

Emily s'égosilla à se brûler les poumons. « Pour l'amour de Dieu, que quelqu'un m'entende ! » pria-t-elle. Horrifiée, elle vit la silhouette se précipiter à nouveau sur Jack en brandissant sa lame.

Jack se mit à genoux puis chargea son adversaire, qu'il heurta au plexus. L'homme suffoqua, ses épaules heurtèrent le mur de pierre. On entendit le bruit métallique de l'arme qui tombait au sol.

Plus loin, sur le trottoir, quelqu'un s'approchait en criant fort ; on distinguait son pas lourd sur le pavé.

L'assaillant tourna les talons, prit la fuite en boitant à une vitesse surprenante et disparut dans les ténèbres.

Un gentleman âgé arriva en courant, la chemise de nuit dépassant de sa robe de chambre.

— Oh, mon Dieu, mon Dieu ! Que se passe-t-il ? madame, monsieur... êtes-vous blessés ?

Il s'agenouilla près de Jack, affalé sur le trottoir : il avait mal estimé le poids de son assaillant et été projeté par le choc sur le sol.

— Monsieur, êtes-vous blessé ? demanda-t-il en l'aidant à se relever. Qui était-ce ? Des voleurs ? Avez-vous été détroussé ?

— Non, non, je ne pense pas, fit Jack, répondant aux deux questions en même temps.

— Madame, êtes-vous blessée ? reprit le vieil homme. Vous a-t-il...

— Non, tout va bien, je n'ai rien, se hâta-t-elle de répondre. Merci d'avoir volé à notre secours. Si vous n'étiez pas arrivé à temps...

Un autre homme arriva en courant et s'arrêta tout net.

— Que se passe-t-il ? Qui est blessé ? Tout va bien, madame ?

Il regarda Jack et l'homme qui les avait secourus.

— Ces hommes vous ont-ils...

— Tout va bien, monsieur, le rassura Emily, hale-
tante. Mon mari a été attaqué, mais il s'est défendu et
grâce à l'arrivée de ce gentleman, l'agresseur s'est enfui.

— Dieu merci. Où va le pays, vous pouvez me le
dire? Voudriez-vous venir chez moi? Mon domicile se
trouve à une centaine de mètres. Je serais heureux de
vous faire servir un cordial...

— Non, merci, fit Jack, encore sous le choc. Notre
maison n'est pas loin. Mais je vous sais gré de votre proposition. Vous venez, ma chère?

Il prit Emily par le bras. Elle sentit qu'il était ébranlé,
tout son corps tremblait.

— Encore merci, monsieur! lança-t-elle. C'est très
aimable à vous d'être venu. Vous nous avez sauvés
d'une situation épouvantable.

— Bon, si vous êtes certains que tout va bien... À
votre guise. Bonne nuit, monsieur... madame.

Jack et Emily les remercièrent encore et s'éloignèrent
en hâte. Le bruit de leurs pas résonnait bruyamment sur
le trottoir.

— Ce n'était pas un voleur, fit Emily d'une voix
rauque.

— Je le sais, répondit Jack. Il... Il a essayé de me
tuer!

— Il avait une hache. Jack, c'était le Bourreau! Le
Bourreau de Hyde Park!

8

Le lendemain matin, la frayeur d'Emily s'était muée en fureur. Elle en tremblait encore, à la table du petit déjeuner, quand Jack entra, très pâle, la démarche un peu raide.

— Que comptez-vous faire? s'écria-t-elle. C'est monstrueux! Un membre du Parlement attaqué en pleine rue par un fou meurtrier!

Il s'assit avec précaution, comme si le moindre mouvement brusque le faisait souffrir.

— Je ne suis pas membre du Parlement, dit-il lentement, le front plissé par l'effort qu'il faisait pour trouver ses mots. Je ne vois pas pourquoi je serais épargné...

— Voyons, vous n'avez rien à voir avec les trois victimes, et nous ne nous promenions pas dans Hyde Park!

— C'est bien ce que je croyais, dit Jack en regardant son assiette.

— Que voulez-vous dire? Expliquez-vous! Tout d'abord, pourquoi n'avez-vous pas averti la police, hier soir? Je sais qu'ils n'auraient arrêté personne cette nuit, mais, tout de même, ils auraient dû être prévenus.

— Je veux réfléchir...

— Réfléchir? À quoi? Le Bourreau vous a attaqué! Pour l'amour du ciel, avez-vous besoin de réfléchir?

Elle se pencha au-dessus de la table et l'observa avec insistance.

— Jack, êtes-vous souffrant? Vous a-t-il blessé?

Il fit une petite grimace pour prouver qu'il ne prenait pas cela trop au sérieux, mais son attitude n'était pas convaincante.

— Pas du tout. Je suis juste un peu contusionné.

— En êtes-vous certain?

— Tout à fait!

Il sourit, mais son visage était toujours très pâle.

— Je veux réfléchir avant de prendre une décision.

— Quelle décision? Vous devez prévenir la police, et de préférence Thomas. Il doit être mis au courant.

— Thomas, oui, bien sûr. Mais personne d'autre.

— Je ne vous comprends pas. Pourquoi personne d'autre? Être victime d'une agression à main armée en pleine rue n'est pas une affaire d'ordre privé!

Elle servit le thé et lui passa distraitement sa tasse.

— Emily... Je crois qu'il vaut mieux ne pas en parler.

— Quoi? Personne ne vous reprochera de vous être fait agresser! Au contraire, cela va créer un mouvement de sympathie parmi les électeurs.

— Pour moi peut-être, fit Jack, pensif. Quoique... certains pourraient se demander si je n'avais pas un lien secret avec les trois autres victimes. Les suppositions iraient bon train. Mes ennemis vont...

— Vous n'allez pas garder le silence pour le seul motif que l'on peut dire du mal de vous! Les méchantes langues ne vous épargneront pas, de toute façon. Vous ne pouvez y échapper.

— Ce n'est pas à moi que je pensais, mais à Thomas.

— Mais cela peut l'aider, au contraire, protesta-t-elle avec justesse. Plus il a de renseignements, plus il a de chances d'attraper le Bourreau.

— Je ne suis pas sûr qu'il s'agissait du Bourreau, reprit Jack dès que la porte fut refermée.

— Mais... Voyons... Je l'ai vu! J'ai vu la hache!

— Certes, vous avez vu une silhouette armée d'une hache, mais cela ne veut pas dire que c'était le Bourreau. Comme vous l'avez justement remarqué, je n'ai aucun lien avec les trois victimes. Et l'on m'a attaqué alors que j'étais accompagné. Ce ne sont pas les méthodes du Bourreau.

— Il n'a pas de méthode particulière! fit Emily avec véhémence.

— Écoutez, je vais en parler à Thomas, dit-il d'un ton grave, mais je ne porterai pas plainte auprès du commissariat du quartier. Imaginez-vous la une des journaux, après une nouvelle agression? Cela ferait le jeu de Nigel Uttley.

— Oui, bien sûr, soupira Emily en s'appuyant contre le dossier de sa chaise. Je n'avais pas vu les choses sous cet angle. Nous ne devons lui donner aucune arme qui pourrait se retourner contre nous.

— Je vais envoyer un message à Thomas.

Jack abandonna son petit déjeuner, repoussa sa chaise et se leva. À ce moment, Jenkins, le majordome, entra dans la pièce, une pile de journaux sur les bras. Il avait l'air sombre.

— Merci, Jenkins. Je les regarderai plus tard, dit Jack en passant devant lui. Je dois aller rédiger une note au commissaire Pitt.

— À mon avis, il est déjà au courant de votre mésaventure, Monsieur, remarqua le majordome d'un ton grave.

Jack avait atteint la porte.

— Impossible. Je n'ai rien dit à l'homme qui s'est porté à notre secours, simplement que j'habitais non loin de là. Il faisait trop sombre pour qu'il ait pu me reconnaître, s'il avait eu l'intention d'en parler à quelqu'un.

Le majordome s'éclaircit la voix et posa les journaux sur le coin de la table.

— Je suis désolé, Monsieur, mais vous vous trompez sur son compte. Votre agression fait les gros titres de la presse du matin. Dans le *Times*, il y a un article de Mr. Uttley, très critique sur la police, j'en ai bien peur.

— Quoi ?

Abasourdi, Jack revint sur ses pas, saisit le journal qui était sur le dessus de la pile et le regarda avec horreur.

— C'est invraisemblable ! Comment Uttley a-t-il pu être mis au courant, et de si bonne heure ?

— Je l'ignore, Monsieur. Voulez-vous toujours envoyer un message au commissaire Pitt, Monsieur ?

Jack se laissa tomber sur sa chaise.

— Oui... Non ! C'est une honte !

À cet instant, on frappa à la porte et la servante entra.

— Le commissaire Pitt est là et veut vous voir, Monsieur. Dois-je le faire entrer ?

— Oui, bien sûr ! fulmina Jack. Apportez-lui une tasse et ramenez du thé. Et du poisson, s'il en veut.

À peine avait-il été annoncé que Pitt entra, l'air fatigué et profondément soucieux.

— Jack, Emily, comment vous sentez-vous ? Tout va bien ? demanda-t-il en les regardant à tour de rôle. Que s'est-il passé ? Bon sang, pourquoi ne m'avez-vous pas prévenu hier soir ?

Emily regarda ailleurs.

— Asseyez-vous, dit Jack en lui indiquant une chaise. On va vous apporter du thé. Voulez-vous manger quelque chose ? Du haddock ? Des œufs ?

— Merci, Jack. Du thé seulement. Je n'ai pas faim.

— Je ne vous ai rien dit, reprit celui-ci, parce que je n'ai rien dit à personne hier soir. Nous sommes rentrés directement à la maison. Personne, hormis nos domestiques, n'est au courant. On ne peut rien leur cacher, n'est-ce pas, surtout lorsque l'on rentre couvert de bleus en claudiquant comme un vieillard. Je m'apprêtais à vous envoyer un message quand Jenkins a apporté les journaux. Je veux bien être pendu si je sais comment ils ont appris notre agression !

— Qu'est-il arrivé au juste ? demanda Pitt avec lassitude.

Jack lui narra les événements de la veille avec soin,

sans qu'Emily l'interrompît. Il raconta les faits depuis le moment où ils avaient quitté la réception jusqu'à leur retour chez eux.

Pitt buvait son thé en l'écoutant.

— Êtes-vous sûr de ne rien avoir oublié? s'enquit-il lorsque Jack eut terminé son récit.

Celui-ci regarda Emily.

— Rien, affirma-t-elle. C'est exactement ce qui est arrivé.

— Le nom de la personne qui vous est venue en aide?

— Aucune idée. Je ne lui ai pas demandé son nom, pas plus que je ne lui ai donné le mien, répondit Emily.

— La reconnaîtriez-vous si vous étiez amené à la rencontrer à nouveau?

Cette fois ce fut au tour de Jack de répondre.

— Peut-être. Je n'en suis pas sûr. La rue était mal éclairée, et j'étais fortement commotionné. Ajouté à cela que le pauvre homme était en robe de chambre...

— Et vous, comment étiez-vous habillés?

Jack haussa les épaules.

— En tenue de soirée. Je n'avais pas pris de manteau car la nuit était douce. Emily portait une robe vert foncé, sous sa cape, dont elle avait relevé la capuche.

— Aurait-il pu vous reconnaître? fit Pitt, songeur.

Emily secoua la tête.

— Je ne l'avais jamais vu auparavant. Et pourquoi m'aurait-il reconnue? Je ne me présente pas aux élections!

Elle secoua à nouveau la tête, avec une vigueur accrue.

— Non, non, j'ai été projetée dans le caniveau. Je suis restée quelques instants par terre, pendant que ce monsieur aidait Jack. Ensuite je me suis relevée, mais je ne l'ai pas vraiment regardé.

Pitt réfléchissait.

— Alors, comment a-t-il su qui vous étiez? Vous êtes sûrs qu'il n'y avait personne alentour?

— Un autre homme est arrivé alors que nous repartions. Nous lui avons simplement dit que nous n'étions pas blessés.

— Plusieurs personnes se sont approchées par la suite. Je m'étais tellement égosillée ! J'imagine que j'ai réveillé tout le quartier.

— Mais nous étions à plus d'un kilomètre et demi de Hyde Park, fit remarquer Jack. Et je ne sais rien de Winthrop ni d'Arledge. Pourquoi moi ?

— Je ne sais pas, dit Pitt d'un air si découragé qu'Emily en oublia sa propre colère.

— Jack pense qu'il ne s'agissait peut-être pas du Bourreau, dit-elle. Pourtant, il avait une hache. Je l'ai très bien vue. Pensez-vous qu'il puisse s'agir d'une manœuvre politique ?

Pitt la regarda avec tant d'insistance qu'elle se sentit gênée d'avoir posé la question.

— Je veux savoir comment Uttley a pu être mis au courant, dit-il enfin, en se levant. Cette histoire me paraît bizarre...


Pitt s'attendait à avoir des difficultés pour rencontrer Nigel Uttley en pleine campagne électorale, mais en fait il le trouva chez lui, non loin de Manchester Square. Celui-ci reçut le policier sans le faire attendre. Mais, plutôt que de l'accueillir dans son cabinet de travail, il vint à sa rencontre dans le vestibule, une très belle pièce de facture classique, au plafond de laquelle courait une frise de style roman.

— Bonjour, commissaire, dit-il, le sourire aux lèvres. Je me doute que vous venez me parler de la malheureuse agression d'hier soir. Je n'ai, hélas, que des informations de seconde main. Que puis-je vous apprendre que vous ne découvrirez pas par vous-même ?

— J'aimerais entendre de votre bouche le récit des événements que vous avez si bien décrits dans le *Times*, Mr. Uttley.

Celui-ci haussa un sourcil.

— Je crois déceler une note de sarcasme dans votre voix, commissaire.

La porte d'entrée étant restée ouverte, le soleil pénétrait dans le vestibule. Sur les marches du perron, un jeune homme semblait attendre qu'Uttley s'occupât de lui.

Pitt aurait préféré que leur conversation restât sans témoins, mais, de toute évidence, Uttley avait décidé du contraire. Il essaierait sans doute de tirer un avantage politique de la situation.

Pitt choisit d'ignorer le ton narquois de son interlocuteur.

— Comment avez-vous été mis au courant, Mr. Uttley ?

— Comment ? fit ce dernier, amusé. Par un policier du commissariat le plus proche, bien sûr. Pourquoi cette question ?

Pitt était furieux. Quel pouvait être l'agent irresponsable qui, au lieu d'en référer à ses supérieurs, avait parlé de cette affaire à un particulier, et, qui plus est, à un politicien bâtissant sa campagne électorale sur le thème de l'incompétence de la police ! Cela prouvait un manque de loyauté et de civisme impardonnable.

— Son nom, Mr. Uttley ?

— Son nom ? Diable, je ne le lui ai pas demandé. Vraiment, commissaire, n'êtes-vous pas en train de perdre votre temps ? Il n'aurait peut-être pas dû me faire cette confidence, mais il est possible que la violence qui nous entoure le préoccupe tout autant que n'importe quel habitant de la capitale.

Il enfonça ses mains dans ses poches et poursuivit en élevant la voix :

— Vous ne réalisez pas à quel point les gens sont inquiets, commissaire. Les femmes sont épouvantées à l'idée de sortir de chez elles et craignent pour la vie de leur époux, de leur père ou de leurs fils. Elles les supplient de ne pas quitter la maison la nuit tombée. Les parcs sont déserts. Même dans les théâtres, on se plaint d'une chute de fréquentation du public.

Pitt savait que la peur des gens, bien qu'exagérée, était réelle. La panique s'était à nouveau installée dans les rues de Londres. Ce n'était pas la remarque d'Uttley qui le faisait enrager, mais l'étincelle de triomphe qui brillait dans ses yeux.

— J'en ai bien conscience, Mr. Uttley, répliqua-t-il aussi courtoisement qu'il le put. Nous faisons tout ce qui est en notre pouvoir pour appréhender ce criminel.

— Eh bien, ce ne doit pas être suffisant !

Dehors, sur le perron, le jeune homme fut rejoint par un autre visiteur.

— Que vous a dit l'agent, Mr. Uttley ? reprit Pitt.

— Que Radley avait été attaqué par un individu armé d'une hache, répondit Uttley tout en tournant le regard vers le nouvel arrivant. Je suis à vous dans un instant, messieurs !

Puis il s'adressa de nouveau à Pitt, avec un large sourire.

— Vraiment, commissaire, n'avez-vous pas mieux à faire ? Le plus haut gradé de Bow Street devrait avoir d'autres préoccupations que de me harceler avec des questions, dans le seul but de sanctionner une jeune recrue qui m'a révélé ce que peut-être vous vouliez garder secret.

Les deux jeunes gens se rapprochèrent imperceptiblement.

— Si je le retrouve, Mr. Uttley, répondit Pitt entre ses dents, je lui demanderai pourquoi il vous en a parlé plutôt qu'à moi. Ce grave manquement à son devoir de policier exige des explications.

— Il ne vous a donc rien dit ?

Uttley parut ébahi, puis si amusé que Pitt crut qu'il allait éclater de rire.

— Vous voulez dire... que vous êtes venu ici pour

apprendre les faits, parce que vos propres hommes ne vous ont rien dit ? Décidément, votre incompétence va au-delà de toute imagination ! Si vous pensez que j'ai pu vous critiquer, cher ami, je vous assure que ce n'était qu'un début...

— Non, Mr. Uttley, je ne suis pas venu pour apprendre les faits. Mr. Radley m'en a déjà fait part, en précisant bien qu'il n'a pas fait appel à la police et n'a donné son nom à personne.

— Il n'a pas fait appel à la police ?

Uttley fut un instant désemparé. Sa mine s'allongea.

— Il... il a failli se faire tuer par son agresseur et il n'a pas averti la police !

— Il a été attaqué, en effet, dit Pitt en montant le ton, mais ce matin il était en parfaite santé. Au dire de Mrs. Radley, il a rapidement mis son agresseur en fuite, aussi n'a-t-il souffert que de quelques contusions.

— C'est ce qu'il dit ? ironisa Uttley. Comme c'est courageux de sa part ! Remarquez, il reste fidèle à sa position de farouche défenseur de la police.

— N'est-ce pas la vérité ? demanda Pitt d'une voix douce.

— Il a été attaqué par le Bourreau, d'après ce que j'ai entendu dire, répondit Uttley, un peu moins sûr de lui. Un homme avec un minimum de sens commun irait se plaindre à la police, qu'il soit blessé ou non.

— C'est à moi qu'il a fait part de l'agression, répliqua Pitt, prenant quelque liberté avec la véracité des faits, mais sans les dénaturer pour autant.

Uttley eut une moue dédaigneuse et se détourna.

— Je présume que vous savez tout ce que vous avez besoin de savoir. Il semble assez évident que vous m'avez posé toutes ces questions dans l'intention de persécuter ce malheureux agent, n'est-ce pas ?

— S'il s'agit du policier à qui la scène a été relatée, il est important que je lui parle, répliqua Pitt, reprenant confiance en lui. Puisque Mr. Radley n'est resté sur le lieu de l'agression que le temps nécessaire pour rassurer celui qui était venu à son secours, il est possible que cet agent ait trouvé sur place une piste intéressante, la hache par exemple.

Un instant désarçonné, Uttley reprit contenance.

— Alors vous feriez mieux de le retrouver. Ce ne devrait pas être bien difficile, pour un policier de votre qualité.

Il rit bruyamment.

— Quelle farce ! Gilbert et Sullivan pourraient écrire une chanson satirique, commissaire ! Attendez-vous à ce qu'on lise dans les journaux que le responsable de l'enquête passe la capitale au peigne fin pour retrouver l'un de ses hommes. Les caricaturistes vont se régaler.

— À vous entendre, il me sera difficile de le trouver, Mr. Uttley. Il ne me suffirait donc pas de me rendre au commissariat de Mayfair et de demander le nom de l'agent qui faisait sa ronde hier soir ?

— Je n'en ai pas la moindre idée, répondit Uttley, qui avait légèrement rougi et dont le regard fuyait celui de Pitt. À présent, veuillez m'excuser, mais j'ai de nombreuses affaires à régler. Désolé de ne pouvoir vous aider à un moment où vous paraissez en avoir bien besoin.

— Vous m'avez beaucoup aidé, répliqua Pitt, avant d'ajouter, par bravade : en fait il est possible que vous m'ayez fourni la solution. Au revoir, monsieur.

Il quitta la maison et passa devant les deux jeunes gens qui attendaient sur le perron, en touchant son couvre-chef.

— Bonne journée, messieurs.

Ils se retournèrent pour le regarder descendre, sidérés.

Pitt prit la direction du commissariat de Mayfair. Il traversait la chaussée, entre la carriole d'un marchand de poissons et une charrette pleine de choux et de pommes de terre, quand il fut accosté par un énorme bonhomme impeccablement habillé, aux yeux verts globuleux et au visage bouffi auréolé de cheveux grisonnants tombant en boucles sur son col d'astrakan. Une longue chaîne de montre en or traversait son gros ventre. À ses côtés, lui arrivant à peine à l'épaule, se tenait un homme courtaud et bizarrement déformé. De son visage aigu, à l'expression vicieuse, on ne retenait que ses dents pointues, à l'émail abîmé.

— Bonjour Fat George, bonjour Wee Georgie, fit Pitt en les regardant à tour de rôle.

— Ah, Mr. Pitt, dit Fat George d'une voix curieusement triste et haut perchée, vous nous avez bien laissés tomber, hein ? Le parc n'est plus un endroit tranquille. Les temps sont durs pour les affaires. Très durs.

— Vous vous y prenez pas comme y faut, Mr. Pitt, renchérit Wee Georgie sur un ton qui imitait la voix de son acolyte, mais avec un sifflement qui la rendait plus dure et plus désagréable. Ça nous plaît pas. Et ça nous coûte beaucoup d'argent.

— Si je savais qui est le Bourreau, je l'arrêterais, répondit Pitt d'une voix égale. Nous faisons notre possible.

— Ça ne suffit pas, Mr. Pitt. Pas du tout.

— La plupart de ces messieurs n'osent plus venir prendre leurs petits plaisirs, Mr. Pitt, ajouta Fat George en grattant le sol de sa canne à pommeau d'argent. Ils ne sont pas contents, pas contents du tout.

— Eh bien, faites aussi votre possible pour découvrir le Bourreau, riposta Pitt. Ce ne sont pas les yeux et les oreilles qui vous manquent, dans le parc !

— On sait rien, dit Fat George d'une voix plaintive. J'imaginais qu'on s'était fait comprendre. Vous croyez que si on savait qui c'était, on serait là, debout entre deux carrioles, à vous faire des reproches, Mr. Pitt ? On se serait déjà occupés de lui. C'est pas quelqu'un du milieu. Si vous pensez qu'il a quelque chose à voir avec nous, vous vous trompez.

— Pas futés, les roussins ! renchérit Wee Georgie. Vous croyez que ça nous plaît, ce qui se passe ? Si l'envie prenait à un des nôtres de couper la tête des gens, il se retrouverait dans la Tamise avec un couteau entre les omoplates. On sait donner des leçons aux gars qu'ont les dents trop longues ou qui cherchent à travailler en solo, mais jamais on touche un cheveu à un type de la haute. C'est pas bon pour les affaires, et c'est idiot.

Il effleura un objet invisible sous son manteau, le long de sa jambe — sûrement un couteau, songea Pitt —, et passa une langue pointue sur ses lèvres en le fixant du regard.

— C'est vrai ce que dit Georgie, Mr. Pitt, chuchota Fat George. C'est pas nous. Croyez-moi, c'est un truc qui se passe entre gentlemen.

— Un fou qui se serait échappé d'un... commença Pitt.

Fat George secoua la tête.

— Vous me décevez, Mr. Pitt. Vous me faites perdre mon temps. Y a aucun fou qui habite dans le parc, on le sait bien tous les deux.

Wee Georgie commençait à manifester des signes d'énervement. Pitt ne chercha pas à les contredire. La piste d'un malade mental massacrant les gens au hasard ne lui avait jamais paru sérieuse.

— Vous feriez mieux de le trouver, Mr. Pitt, répéta Fat George en dodelinant de la tête, sinon nous serions contrariés, Wee Georgie et moi-même.

— Je le serais aussi, rétorqua Pitt avec aigreur. Mais si cela vous embête vraiment, commencez à faire quelque chose par vous-mêmes.

Wee Georgie le regarda, l'œil mauvais. Fat George sourit, mais, dans son sourire, il n'y avait ni humour ni amabilité.

— C'est votre boulot, Mr. Pitt, susurra-t-il. Nous aimerions beaucoup que vous vous en occupiez.

Et, sans attendre de réponse, il tourna les talons et disparut entre les carrioles. Wee Georgie regarda Pitt une dernière fois, de ses petits yeux méchants, puis suivit son compère, contraint, pour rester à sa hauteur, de trottiner à ses côtés.

Pitt continua son chemin sans penser davantage à cette rencontre, mais il savait que les craintes des deux proxénètes reflétaient celles de l'opinion publique.

Au commissariat de Mayfair, il s'entretint avec un inspecteur, un homme grand et maigre, au visage émacié, qui, en entendant sa question, prit un air offensé.

— Nous n'étions au courant de rien, commissaire! s'insurgea-t-il. Aussi incroyable que cela paraisse, on ne nous a rien signalé. Je n'en sais pas plus sur cette agression que ce que j'ai lu ce matin dans les journaux.

— On ne vous a rien signalé? s'étonna Pitt. Je suis dans le bon commissariat?

L'inspecteur soupira.

— Oui. J'ai contrôlé tous les agents. Je voulais moi-même savoir quel était l'idiot irresponsable qui avait parlé de cela à Uttley, mais personne ne patrouillait dans ce coin-là hier soir. J'ai vérifié. Aucun de mes hommes ne ment pour cacher la stupide erreur qu'il aurait commise. Chacun peut préciser l'endroit où il était. Ce n'est pas de la bouche d'un policier de ce commissariat que Nigel Uttley a obtenu ces informations.

— C'est étrange, dit Pitt d'un ton pensif.

Il ne mettait pas en doute les propos de son collègue; la ronde d'un policier est aisément vérifiable. Pourquoi un agent aurait-il pris le risque d'être renvoyé du corps de la police métropolitaine?

— C'est bien pis que cela, dit l'inspecteur d'un ton acerbe. Je suppose que ce ne peut être que l'une des personnes qui sont venues à leur secours. Radley ne l'aurait pas dit à la presse. Au moins, lui, il a l'air d'être de notre côté. C'est à peu près le seul. Avez-vous vu les journaux?

— Oui, oui, c'est par eux que j'en ai entendu parler, en dehors du fait que Jack Radley est mon beau-frère.

L'inspecteur haussa un sourcil.

— Il n'avait pas l'intention de signaler l'agression ?

— À moi si, parce que l'homme brandissait une hache, mais pas à vous. Il voulait éviter que la publicité faite à cette nouvelle attaque du Bourreau porte à nouveau tort à la police.

— On nous fait passer pour des imbéciles, remarqua l'inspecteur. Il est bien triste qu'un candidat à la députation utilise pour se faire élire l'aversion qu'une partie de l'opinion publique éprouve à notre endroit. Curieuse coïncidence, n'est-ce pas ? Le Bourreau attaque le rival politique d'Uttley !

— Certainement plus qu'une simple coïncidence. Merci de m'avoir consacré votre temps, inspecteur. Je vais tenter de retrouver les personnes qui se sont portées au secours de Mr. Radley, pour voir ce qu'elles ont à dire.

— Si vous pensez que cela en vaut la peine... Bonne chance, commissaire.


— J'aurais pris là une liberté inexcusable ! s'exclama Mr. Milburn. Au nom du ciel, pourquoi aurais-je fait une chose pareille ?

— Par civisme, dit Pitt d'un ton apaisant. Ou peut-être auriez-vous pu le laisser échapper, dans un moment d'affolement.

Mr. Milburn se redressa, vexé.

— Le seul moment d'affolement, monsieur, a été celui où ce pauvre gentleman a été attaqué. Et la dame aussi, vous vous rendez compte ? Dans ce quartier ! Décidément, on n'est à l'abri nulle part.

Il secoua la tête.

— Où allons-nous, je vous le demande ! Loin de moi l'idée de critiquer l'action de la police, monsieur le commissaire, mais je pense qu'elle devrait pouvoir mieux faire. Nous vivons dans la plus grande ville du monde, d'aucuns diraient la plus civilisée, et pourtant nous marchons dans nos rues dans la crainte des anarchistes et des fous.

— Je le regrette, monsieur. Mais je ne vois pas comment nous pourrions agir autrement.

Milburn hocha la tête, embarrassé.

— La peur ne nous aide pas à révéler ce qu'il y a de meilleur en nous, hélas. Peut-être ai-je parlé trop vite. Y a-t-il quelque chose que je puisse faire pour vous aider ?

— Avez-vous reconnu quelqu'un, monsieur ?

— Mon cher monsieur, je n'ai même pas assisté à l'agression. J'étais dans ma chambre et m'apprêtais à me coucher quand j'ai entendu des cris éperdus. Je me suis précipité dehors pour voir si je pouvais porter secours.

— C'est une attitude très honorable et, je me permets de l'affirmer, très courageuse.

Milburn rougit légèrement.

— Merci, monsieur. J'avoue ne pas avoir pensé au danger, sinon j'aurais peut-être réfléchi à deux fois avant de sortir. Non, je crains de ne pouvoir vous être utile.

— Je voulais seulement savoir si vous aviez reconnu les victimes de l'agression.

— Non, monsieur. Tout s'est passé très vite. Il faisait nuit, et je n'avais pas mis mes lunettes. Le gentleman avait l'air jeune, agile et vigoureux, oui, très vigoureux. Je ne peux rien dire de plus. Quant à la dame, elle avait du caractère et d'excellents poumons, mais, mis à part cela, je n'ai rien remarqué, pas même si elle était blonde ou brune, belle ou ordinaire. Je suis désolé, il semblerait que je ne vous sois pas d'une grande utilité. Je réalise à présent quelles sont vos difficultés.

— Au contraire, Mr. Milburn, vous m'avez rendu grand service. En fait il se peut que vous ayez résolu le problème dans sa totalité. Merci, monsieur, et bonne journée à vous.

Il prit congé et laissa là l'homme bouche bée, cherchant en vain une réponse appropriée.

À Bow Street, l'accueil fut beaucoup moins amical. En entrant dans son bureau, Pitt trouva Giles Farnsworth qui faisait les cent pas, un journal à la main.

— Je présume que vous avez lu ceci ? hurla-t-il en lui agitant le journal sous le nez. Comment l'expliquez-vous ? Qu'allez-vous faire ? Un membre potentiel du Parlement se fait attaquer au cœur de Mayfair ! Savez-vous quelque chose sur ce Bourreau, Pitt ? Au moins une chose ?

— Ce n'était pas le Bourreau, répondit Pitt avec calme.

— Pardon ?

Farnsworth n'en croyait pas ses oreilles.

— Êtes-vous en train de me dire qu'il y a deux malades qui se promènent dans Londres une hache à la main ?

— Non, il n'y en a qu'un seul. L'autre est un opportuniste cherchant à profiter de la situation.

— Que me chantez-vous là ? Quel profit un homme normal peut-il tirer de ce cauchemar ?

— Politique, répliqua Pitt, laconique.

— Politique ?

Farnsworth resta cloué sur place, les yeux écarquillés.

— Suis-je bien sûr d'avoir compris ? Mon Dieu, Pitt, si vous faites ce genre d'accusation, vous avez intérêt à avoir raison — et à apporter des preuves.

— Je n'ai pas assez de preuves pour pouvoir l'accuser, répondit Pitt en se dirigeant vers sa table de travail. Mais je suis convaincu que c'est lui qui a attaqué Mr. et Mrs. Radley hier soir.

Farnsworth le regarda, oubliant le journal.

— Vous êtes sûr ? Votre parole d'honneur, Pitt ?

— Ma parole, répondit celui-ci.

— Comment le savez-vous ? A-t-il avoué ?

— Bien sûr que non. Mais c'est lui qui l'a écrit dans les journaux. Il prétend l'avoir entendu de la bouche d'un agent de police du quartier où a eu lieu l'agression. Or, aucun policier ne faisait de ronde à ce moment-là ; par ailleurs, il n'a pas pu l'apprendre non plus par l'entremise de l'homme venu secourir Mr. Radley : ce monsieur ne connaissait pas l'identité de Radley.

— Je vois, dit Farnsworth, songeur. C'est vraiment un imbécile.

Sa voix était chargée de mépris. Puis il préféra revenir au sujet qui l'obsédait.

— Et le Bourreau ? Toute la ville est sous l'emprise de la terreur. Des questions ont été posées à la Chambre des communes ; le ministre de l'Intérieur, présent à la tribune, était bien en peine pour y répondre. Sa Majesté a manifesté son inquiétude. Elle est bouleversée et l'a fait savoir.

Le ton de sa voix monta d'un cran, rauque et plein de fureur.

— Pour l'amour du ciel, Pitt, que vous arrive-t-il ? Trouvez-moi des preuves pour l'arrêter !

— Parlez-vous encore de Carvell, monsieur ?

— Bien entendu ! aboya Farnsworth. Il disposait à la fois d'un motif, de moyens, et de l'occasion. Vous avez en main l'outil de pression idéal pour le forcer à avouer. Utilisez-le !

— Je n'ai rien... commença Pitt, mais Farnsworth l'interrompit avec impatience en balayant l'air de la main.

— Tellman a raison, vous êtes trop sensible. Ce n'est ni le moment ni l'endroit d'avoir des états d'âme.

Il posa ses mains sur le bureau et se pencha en avant pour regarder Pitt droit dans les yeux.

— Vous avez des obligations envers vos supérieurs et la police en général. Peu importent vos sentiments personnels. Vous avez des responsabilités. Prenez-les, Pitt ou démissionnez.

— Je n'arrêterai pas Carvell, affirma Pitt avec calme. Je refuse de persécuter un homme sous prétexte qu'il avait une vie privée un peu particulière.

Farnsworth abattit son poing sur la table.

— Bon sang ! Cet homme entretenait une relation amoureuse illicite avec la victime d'un meurtre. Il ne peut justifier de l'endroit où il se trouvait à l'heure de sa mort, ainsi qu'à celle de Winthrop. Par ailleurs, il est possible que ce dernier ait connu Arledge...

— Qu'en savez-vous ? l'interrompit Pitt.

— Il connaissait Mrs. Winthrop. Il n'y a qu'un pas à faire pour imaginer qu'il connaissait aussi son mari. Et si Carvell était jaloux... la conclusion s'offre d'elle-même.

— C'est Tellman qui vous a dit cela ?

— Bien sûr. Pourquoi hésitez-vous ?

— L'assassin pourrait être Bart Mitchell.

— Mitchell ? Le beau-frère de Winthrop ? Pourquoi ? Quel rapport avait-il avec Arledge ?

— Winthrop battait sa femme. Mitchell le savait. Et Arledge a été vu en compagnie de Mrs. Winthrop un jour où elle était extrêmement malheureuse.

— Et le receveur ? poursuivit Farnsworth, préférant ignorer l'attitude de Winthrop à l'égard de sa femme. Ne me dites pas qu'il avait quelque chose à voir dans ce mélodrame familial ?

— Aucune idée. Mais nous ignorons tout autant ce qui pouvait lier le receveur à Carvell.

— Le chantage, dit Farnsworth avec aigreur. C'est la seule réponse. D'une manière ou d'une autre, il se trouvait dans le parc et a vu l'un des deux meurtres. Coincez Carvell, Pitt. Forcez-le à dire la vérité. Vous obtiendrez de lui une confession.

On frappa à la porte. Avant que Pitt ait eu le temps de répondre, Tellman entra.

— Oh ! fit-il, étonné, comme si la présence de Farnsworth le surprenait. Excusez-moi, monsieur.

Il regarda Pitt.

— J'ai pensé que vous aimeriez savoir que nos hommes ont retracé les allées et venues de Jerome Carvell au moment du meurtre du capitaine Winthrop et de celui d'Aidan Arledge.

— Oui ?

Pitt sentit l'angoisse lui nouer l'estomac.

— Nous n'avons trouvé personne pour lui fournir un alibi.

— Eh bien, ce sera suffisant, trancha Farnsworth. Arrêtez-le pour le meurtre du chef d'orchestre. On peut se passer des deux autres pour l'inculper. Une fois bouclé, il craquera.

Pitt se préparait à argumenter, mais Tellman le devança.

— Nous ne savons pas encore où se trouvait Carvell à l'heure du meurtre de Yeats, monsieur. Il y a peut-être des témoins pour prouver qu'il était ailleurs.

— Qu'en dit-il ? fit Farnsworth, agacé.

— Il prétend être allé au concert. Nous cherchons activement de ce côté-là, répondit Tellman. Si on l'arrête et qu'un témoin vient affirmer qu'il l'a vu au concert à minuit, à plusieurs kilomètres du lieu du crime, on passera pour des idiots.

— À quelle heure Yeats a-t-il été tué ?

— Entre minuit et minuit et demi, répondit Pitt.

— Voyons, le médecin légiste ne peut pas être aussi précis ! s'exclama Farnsworth. C'était peut-être à une heure ou deux du matin. Ce qui aurait laissé à Carvell le temps de prendre un cab pour Shepherd's Bush.

Il regarda les deux policiers d'un air triomphant. Tellman soutint son regard.

— Yeats ne traînait certainement pas autour du terminus de Shepherd's Bush deux heures après la fin de son service. Le conducteur de l'omnibus a affirmé l'avoir vu prendre la direction de son domicile. En marchant bien, il ne lui fallait pas plus d'un quart d'heure pour rentrer chez lui. Cela donne une idée assez précise de l'heure de sa mort.

Farnsworth pinça les lèvres.

— Alors, trouvez un témoin qui a vu Carvell à ce fichu concert ! Il était connu dans ce milieu. Bon sang de bon sang, vous êtes policiers ! Enquêtez ! Il doit y avoir moyen de prouver s'il y était ou non. A-t-il pris un rafraîchissement à l'entracte ? A-t-il parlé à quelqu'un ? Les salles de concerts sont aussi des lieux de rencontres.

— Mr. Carvell dit n'avoir parlé à personne, ni au début, ni à la fin du concert. C'était peu après la mort d'Arledge, et il n'était pas d'humeur à bavarder. Il était allé écouter de la musique parce que ça lui rappelait des souvenirs.

— Dans ce cas, arrêtez-le. C'est notre homme, répéta Farnsworth.

— Et s'il s'avère que le meurtrier soit Mr. Mitchell, monsieur ? demanda Tellman. Il avait une bonne raison de supprimer son beau-frère. Il ne peut pas non plus prouver où il se trouvait le soir de la mort de ce dernier. Nous ne pouvons compter sur le seul témoignage de sa sœur, Mrs. Winthrop.

Farnsworth se dirigea vers la porte.

— Faites quelque chose, et vite, dit-il à l'adresse de Pitt. Ou bien vous serez remplacé par quelqu'un de plus efficace. L'opinion publique est en droit d'exiger des résultats. Le ministre de l'Intérieur est très préoccupé par cette affaire. La reine elle-même s'y intéresse. Je veux une arrestation avant la fin de la semaine, Pitt, pas plus tard.

Dès qu'il fut parti, Pitt regarda Tellman avec curiosité. Celui-ci affecta de ne pas s'en rendre compte.

— Ils s'y intéressent... La belle affaire, grogna-t-il. Dommage qu'ils n'aient pas d'idées utiles à nous suggérer ! Je ne sais plus quoi faire. J'ai mis deux hommes sur le meurtre du receveur. Une vie tellement banale qu'on pourrait l'échanger contre dix mille autres, personne ne s'en apercevrait. Imbu de sa personne, autoritaire. Il vivait avec sa femme et ses deux chiens, aimait les pigeons, buvait de la bière le vendredi soir au pub Fox and Grapes, jouait aux dominos, plutôt mal, mais était assez bon aux fléchettes. Pourquoi voudrait-on tuer un homme comme celui-là ?

— Tout simplement parce qu'il a vu quelque chose qu'il n'aurait pas dû voir, dit Pitt.

Tellman s'énerva.

— Mais il était de service à l'heure où Winthrop et Arledge ont été tués ! Et la ligne de cet omnibus ne longe pas Hyde Park.

— Alors mettez davantage d'hommes à la recherche de l'endroit où Arledge a été tué, dit Pitt, sans trop d'espoir. Fouillez partout.

— Bien, monsieur. Et vous, qu'allez-vous faire ? demanda Tellman, sans son insolence coutumière.

— Je vais assister au service funèbre d'Aidan Arledge.

Les travaux de la nouvelle maison étant bien avancés, il allait de soi que Charlotte l'accompagnerait, ainsi qu'à la réception qui suivrait. Certes, il y avait encore des rideaux à accrocher, des lattes de plancher à reclouer, un robinet à remplacer, quelques carreaux de faïence à poser dans la cuisine et dans l'office, mais tout cela semblait bien insignifiant comparé à l'occasion qui lui était donnée de rencontrer les principaux protagonistes de cette terrible affaire.

Pitt avait passé trois fois plus de temps que d'ordinaire à se regarder dans la glace de la chambre. L'inspection n'avait pris que quelques minutes, mais il avait laissé Charlotte arranger le col de sa redingote et son plastron. Celle-ci portait la robe noire qu'elle avait mise pour le service funèbre du capitaine Winthrop, mais elle était coiffée d'un chapeau différent, cadeau de tante Vespasia, assez haut et à bord étroit, tout à fait dans l'air du temps, peut-être même légèrement en avance sur la mode !

À peine descendus du cab — dans une rue adjacente, afin que l'on ne remarque pas qu'ils n'avaient pas d'attelage —, ils aperçurent Jack et Emily, venus eux aussi en avance. Charlotte admira l'élégance de Jack, que n'altérait pas sa démarche légèrement raidie. Pitt l'avait mise au courant de l'agression. Elle s'était précipitée chez sa sœur aussitôt après avoir appris la nouvelle.

Emily était ravissante dans sa robe de soie noire rebrodée de dentelle, avec de larges manches et de petits plis sur les épaules. Elle eut une moue appréciatrice devant le chapeau de Charlotte.

— Ah, je suis contente que tu sois venue, dit-elle en s'approchant. Tu sais, je me sens coupable de n'avoir rien fait pour aider Thomas jusqu'à présent. Ce que disent les journaux est injuste !

Elle désigna du menton les gens qui se pressaient sur le parvis.

— Connais-tu toutes ces personnes ?

— Non, souffla Charlotte. Mais n'est-ce pas Mina Winthrop que j'aperçois là-bas, avec son frère Bart ?

Elle fit un petit signe à Pitt.

— Thomas ? Pourquoi sont-il là ? Croyez-vous que ce soit seulement par compassion ? Mina a l'air très triste.

— Elle connaissait Aidan Arledge.

— Comment ! Mais vous ne me l'aviez pas dit !

— Je viens de l'apprendre.

— Elle le connaissait bien ? Aurait-elle pu être sa... ? Non, je dis des bêtises...

— Oh, regardez ce malheureux homme, l'interrompit Emily, en voyant passer un homme d'un certain âge qui paraissait très affecté.

— C'est Jerome Carvell, les informa Pitt. Le pauvre, il a une mine épouvantable.

Carvell était livide, il avait les paupières rougies par le manque de sommeil. Il marchait d'un pas lourd, les yeux baissés, n'ouvrant la bouche que pour répondre aux salutations des invités.

— Il a l'air bouleversé, fit Charlotte à voix basse. Pauvre homme, je me demande s'il sait quelque chose ou si c'est le chagrin qui le met dans cet état.

— Ce pourrait être les deux, répondit Emily, qui observait Mina Winthrop.

Mina était vêtue de noir, bien entendu, mais sa robe était cette fois ornée de perles de jais et de petits grenats. Aucun voile ne recouvrait son visage. Elle avait le teint clair, un peu de couleur aux joues et regardait autour d'elle avec intérêt. Son frère montait toujours la garde auprès d'elle, la couvant du regard, comme un parent inquiet de voir s'éloigner son enfant, craignant qu'il ne se perde ou ne coure un danger.

Charlotte se tourna vers Pitt.

— Thomas... Bart Mitchell est-il suspect à vos yeux ?

— Pourquoi cette question ?

— Parce que le capitaine Winthrop battait sa femme, bien sûr. Et Aidan Arledge ? Pourrait-il avoir fait quelque chose qui ait blessé Mina ?

— Je ne sais pas. La seule fois où ils ont été vus ensemble, elle avait l'air très malheureuse. C'est possible.

— Et le receveur ?

— Mystère.

— Il a vu quelque chose, dit Emily avec justesse. Depuis la vitre de l'omnibus.

— Mais l'omnibus ne longe pas Hyde Park, remarqua Pitt.

— Oh...

D'autres personnes arrivaient, dont un homme distingué, d'âge moyen, avec une crinière de cheveux grisonnant aux tempes, et une fine moustache. Vêtu d'un costume à la dernière mode et d'une chemise de soie, il marchait, tête haute, avec une confiance désinvolte.

— Qui est-ce ? chuchota Charlotte, curieuse. Un ministre ?

Pitt secoua la tête.

— Je ne le reconnais pas.

Emily étouffa un fou rire derrière sa main gantée.

— Voyons, mais c'est Sullivan! Sir Arthur Sullivan, le compositeur! *Le Mikado, Patience, Iolanthe...* Gilbert et Sullivan!

— Oh, bien sûr! Aidan Arledge était chef d'orchestre. Le monde de la musique lui rend hommage. Je me demande si Mr. Gilbert va venir.

— Certainement pas, répondit Emily. Sauf s'il ignore que Sir Arthur est là. Ils sont fâchés, tu sais.

— Non! fit Charlotte, désolée. Mais alors, comment réussissent-ils à écrire ensemble des livrets d'opérette?

— Je ne sais pas. Peut-être ont-ils cessé de le faire.

Charlotte était déçue. Elle se souvenait de la couleur, de la gaieté des joyeuses mélodies qu'elle avait entendues au Savoy. Après la promotion de Pitt, ils auraient enfin pu se permettre d'aller plus souvent au spectacle, et elle apprenait qu'il n'y aurait plus d'opérettes de Gilbert et Sullivan!

Un nouveau groupe arrivait sur le parvis. Les gens s'écartèrent en se donnant de discrets coups de coude.

Emily ne cacha pas sa joie.

— Regarde, c'est lui!

— Qui, lui? Gilbert? chuchota Charlotte.

— Mais oui, bien sûr. W.S. Gilbert! dit Emily, très excitée.

— Mais tu viens de me dire qu'ils se sont disputés. À quel propos?

— Je ne sais pas. Ce sont des on-dit.

Gilbert s'approchait insensiblement de son ancien complice, qui, debout sur la dernière marche de l'église, ne l'avait pas vu arriver.

— Allons-y, dit Emily en prenant sa sœur par le bras. Il serait impoli de faire attendre les gens, tu ne crois pas? Et ridicule d'entrer en retard dans l'église alors que nous sommes arrivés en avance.

En haut des marches, Sir Sullivan, percevant une soudaine agitation dans la foule, se retourna et aperçut à quelques pas de lui W.S. Gilbert qui, tout en s'entretenant avec les personnes qui l'entouraient, gravissait les marches à pas lent. On l'écoutait avec tant d'attention que personne ne regardait devant soi. Si le groupe continuait à progresser de la sorte, il était évident qu'ils n'allaient pas tarder à entrer en contact.

Sir Arthur, immobile, poursuivait sa conversation comme si elle était d'une importance extrême. Mr. Gilbert fut contraint de s'arrêter sur la dernière marche.

— Monsieur, vous bloquez le passage, dit-il à haute voix, de façon que chacun pût entendre.

Un lourd silence tomba sur l'assistance. Quelqu'un se racla la gorge nerveusement, une femme étouffa un petit rire.

Sullivan, qui parlait avec un gros homme à cheveux blancs, s'interrompit pour se tourner vers son ancien collaborateur.

— Est-ce à moi que vous vous adressez, monsieur ?

Gilbert regarda longuement autour de lui pour vérifier s'il y avait quelqu'un d'autre alentour puis répondit :

— Vous m'avez très bien compris, monsieur. Votre déduction est tout à fait logique : c'est bien à vous que je m'adresse. Vous bloquez l'entrée de l'église. Auriez-vous l'obligeance de libérer le passage ?

Sir Arthur haussa un sourcil dédaigneux.

— Et vous, monsieur, ne pourriez-vous attendre votre tour, comme une personne civilisée ? Le monde entier doit-il s'écarter pour vous laisser passer à l'instant exact où vous le désirez ?

— J'apprécie les hommes conscients de leur valeur, mais de là à se prendre pour le centre du monde... cela frise le ridicule.

Sullivan rougit violemment. À ce point de l'altercation, il lui était devenu impossible de se déplacer sans perdre la face. Il resta donc là où il était, sur le passage de Gilbert.

La présence d'esprit de Lady Lismore sauva la situation. Elle surgit de la pénombre du porche pour s'adresser à Sullivan.

— Je suis désolée de vous interrompre, Sir Arthur, mais j'ai besoin de votre aide. Il nous faut une musique appropriée à la circonstance, si vous pouviez conseiller le violoncelliste...

Sullivan prit un air agacé, comme s'il avait justement eu une réplique parfaite sur le bout de la langue. Il la suivit néanmoins avec empressement.

— Bien sûr, Lady Lismore. Si je puis vous être utile en quoi que ce soit...

Gilbert eut un sourire entendu et jeta un rapide coup d'œil autour de lui avant de s'enfoncer dans la pénombre de l'église.

Charlotte poussa un léger soupir.

— « Avec une queue de billard tordue, un faux tapis et des boules ovales, je réaliserai à temps mon objet sublime... » chantonna Emily joyeusement.

Charlotte fronça les sourcils pour la faire taire.

— Chut ! On n'entre pas dans une église pour une cérémonie funèbre en chantant *Le Mikado*.

Emily se tint coite jusqu'à ce que le bedeau les eût guidées à leur banc, situé un peu trop au fond de l'église, à leur goût. Pitt et Jack étaient quelque part sur leur gauche, Pitt, debout, dissimulé dans l'ombre d'un pilier.

— Il y a beaucoup de monde, chuchota Emily dès qu'elle fut assise. Je parierais que la moitié de l'assistance est composée de curieux venus uniquement parce que le défunt a été assassiné.

— Tout comme toi, lui fit remarquer Charlotte.

— Ne sois pas méchante ! Tu sais, la campagne électorale se passe très bien. Je me dis que Jack a une petite chance d'être élu...

— J'en suis ravie. À présent, tiens-toi tranquille. Nous sommes dans une église.

— La cérémonie n'a pas encore commencé. Tante Vespasia a dit qu'elle viendrait, mais je ne la vois pas. Et toi ?

— Non, je n'aperçois personne de ma connaissance.

— À propos, as-tu vu Maman récemment ?

— Tu sais, j'étais trop occupée par les travaux de la maison.

Emily pencha sa tête, faisant mine d'être plongée dans une profonde méditation.

— Elle va de plus en plus mal, souffla-t-elle dans son livre de prières. L'autre nuit, elle s'est promenée en bateau sur la Tamise jusqu'à l'aube.

— Comment le sais-tu ?

— Je l'ai vue.

— Ce qui veut dire que tu étais dehors, toi aussi !

— C'est différent ! Tout à fait différent ! Ce que tu peux être obtuse, parfois !

— Emily, cesse de te mettre martel en tête. Tu ne peux pas empêcher Maman de vivre sa vie.

— Mais Charlotte, si moi je l'ai vue, Dieu sait combien d'autres personnes l'ont vue aussi !

La dame assise sur le banc devant elles se retourna et regarda Emily tout en s'éventant avec le programme de la cérémonie.

— Quelque chose ne va pas ? dit-elle, irritée. Peut-être devriez-vous prendre un peu l'air avant le début de l'office ?

— C'est très aimable à vous, répondit Emily avec un sourire mielleux. Mais si je devais sortir, j'aurais peur de ne pas retrouver ma place à mon retour, et ma pauvre sœur serait obligée de rester seule.

Charlotte couvrit son visage de ses mains pour dissimuler son amusement. La femme se retourna, vexée.

Sous la voûte, le son de l'orgue alla crescendo puis cessa. Le silence se fit et le pasteur commença son oraison

Plus tard, l'attelage d'Emily les déposa tous quatre devant le domicile de Jerome Carvell, puis s'éloigna pour laisser place à une autre calèche.

Emily, au bras de Jack, gravit les marches du perron. À la porte, un majordome de haute taille, au port arrogant, sanglé dans une superbe livrée, vérifiait les cartes de visite.

— Mr. Radley... Mrs. Radley... Je vous en prie, entrez.

Soudain, il aperçut Pitt et aussitôt son attitude respectueuse se mua en parfaite indifférence, teintée d'un léger mépris.

— Mr. et Mrs. Pitt, lâcha celui-ci, glacial.

— Je vois, monsieur.

Charlotte sentit son estomac se contracter. Elle souffrait pour Pitt de la morgue affichée par le majordome, et, en même temps, craignait que Pitt ne ripostât. Aussi, accrocha-t-elle à ses lèvres un sourire stupide, faisant mine de n'avoir rien remarqué.

Pitt releva le menton, prêt à la réplique, mais le majordome le devança.

— Je regrette, monsieur, mais le moment est mal choisi pour rendre visite à Mr. Carvell. Comme vous pouvez le constater, nous organisons un buffet funéraire...

Charlotte retint sa respiration.

— Je ne suis pas venu rendre visite à Mr. Carvell, dit Pitt poliment, mais présenter mes condoléances à Mrs. Arledge. Elle m'attend et je m'en voudrais si elle venait à penser que j'ai décliné son invitation.

Le majordome fut visiblement impressionné.

— Je vois, monsieur. Bien sûr. Si vous voulez bien vous donner la peine d'entrer.

— Merci, fit Pitt, un rien de sarcasme dans la voix.

Puis, offrant son bras à Charlotte, il l'entraîna dans la grande salle de réception où une foule considérable était déjà rassemblée.

Un groupe de gentlemen se tenait dans l'embrasure d'une porte donnant sur la pièce attenante. L'un d'eux, Carvell, dont les traits intelligents étaient empreints d'un mélange de douleur, de crainte et d'espoir, vint aussitôt à leur rencontre.

Pitt s'avança vers leur hôte en souriant.

— Bonjour, commissaire, fit ce dernier dont le regard sondait celui de Pitt. Avez-vous du... ? Oh, je suis désolé. Pardonnez ma maladresse. Me trouveriez-vous naïf si je vous disais combien j'apprécie votre venue ?

Selon toute apparence, il ne s'était pas rendu compte que Charlotte était avec Pitt. Curieusement, elle ne s'en sentit pas froissée, pas plus qu'elle ne fut choquée par son visage grêlé. Sa laideur accentuait l'intensité de son regard. Bien qu'ayant connaissance de sa relation avec Arledge, et même si elle pouvait se mettre à la place de Dulcie Arledge, elle ne pouvait s'empêcher d'être attirée par lui, sans doute parce qu'elle ne doutait pas de la profondeur de ses sentiments. Il n'y avait rien de médiocre en lui.

— Nous n'avons aucun élément nouveau, répondit Pitt. Je suis venu aujourd'hui à l'invitation de Mrs. Arledge ; je lui en suis reconnaissant, car je peux ainsi rendre hommage à un homme que j'aurais sans doute admiré si je l'avais connu.

Ému, Carvell déglutit avec peine.

— Vous êtes très aimable, commissaire. Personne n'aurait pu formuler cela avec autant de délicatesse, tout en ne disant que la pure vérité. Vous êtes ici par devoir autant que par inclination naturelle. Je comprends bien.

— Le peu d'éléments nouveaux dont nous disposons ne nous permet pas de tirer de conclusions. Mr. Carvell, puis-je vous présenter mon épouse ?

— Oh ! Je suis navré, madame ! suffoqua ce dernier. Je vous prie de bien vouloir pardonner ma grossièreté. Je pensais... Non, je ne suis pas sûr de ce que je pensais. Pardonnez-moi.

Il s'inclina légèrement.

— Je suis enchanté de faire votre connaissance, madame.

— Tout le plaisir est pour moi, dit-elle avec un sourire. Veuillez accepter mes très sincères condoléances pour la perte que vous avez subie. Il est terrible de perdre un être cher.

Il la regarda. Dans ses yeux, passèrent une lueur d'étonnement, puis de gêne et, enfin, une grande douceur.

— C'est très gentil à vous, madame.

Charlotte savait que, malgré leur apparence formelle, ces mots prenaient ici tout leur sens.

Avant qu'ils n'aient eu le temps de trouver un sujet de conversation moins pénible, leur parvinrent des bruits de pas accompagnés de murmures et de bruissements de tissu. Une femme entra, seule, vêtue d'une ravissante toilette noire, très féminine, ornée de dentelle aux poignets et au cou, et parée de discrets bijoux de deuil. Elle ne frappait pas par sa beauté, mais attirait immédiatement l'attention, avec ses traits réguliers, ses lèvres sensuelles, une peau éclatante, une coiffure très seyante. Seul son regard bleu trahissait l'angoisse et le manque de sommeil.

Charlotte, sentant Pitt se crisper à ses côtés, lui lança un coup d'œil : sur son visage se lisaient admiration et sollicitude. Elle ne lui avait pas vu manifester une telle émotion depuis longtemps. Elle n'eut pas besoin de confirmation : il s'agissait bien là de Dulcie Arledge.

Celle-ci fit des yeux le tour de la salle, posant son regard sur chacun. Elle ne s'arrêta pas sur Mina Winthrop, qu'apparemment elle ne connaissait pas, pas plus que sur son frère, Bart Mitchell. Elle sourit à Sir James Lismore et à Roderick Alberd et inclina la tête en direction d'autres personnes. Puis son regard glissa sur la haute silhouette de Landon Hurlwood, qui dépassait en taille les hommes qui l'entouraient, mais ne manifesta à son égard aucun signe de reconnaissance.

Victor Garrick était assis dans un renfoncement du salon, son violoncelle niché dans les bras, attendant le moment où on lui demanderait de jouer. Ses cheveux blonds brillaient à la lumière de l'applique de gaz. Son visage avait une expression paisible, comme s'il rêvait à quelque chose de lointain et de merveilleux. Dulcie lui adressa un léger signe de tête, qui le fit sortir un instant de sa rêverie.

Finalement, les yeux de Dulcie se posèrent sur Pitt, et un gracieux sourire se dessina sur sa bouche. Elle s'avança vers lui tout en échangeant un mot aimable par-ci par-là.

Pitt attendait. Charlotte ne dit mot. Elle venait de percevoir en lui une émotion inhabituelle, qui n'était pas seulement due au fait qu'il avait en face de lui une femme en deuil, victime de surcroît d'une terrible désillusion. Malgré toute la dignité dont elle faisait preuve, elle devait être profondément marquée. Non, la façon dont Pitt la regardait voulait dire qu'il se souviendrait d'elle longtemps après la clôture de l'enquête.

Charlotte n'aurait pas voulu d'un mari qui fût incapable de telles émotions. Cependant, elle ne put s'empêcher de ressentir un léger malaise. Elle se souvint des nombreuses fois où, ces derniers temps, elle n'était pas à la maison lorsqu'il rentrait du travail, fatigué, soucieux, et surtout désireux de parler avec elle de cette affaire qui le tourmentait. Son esprit était tellement occupé par l'embellissement de leur nouvelle demeure qu'elle ne parvenait pas à penser à autre chose. À cette minute, elle éprouvait un léger, mais indéniable, sentiment de jalousie.

— Bonjour, commissaire.

Dulcie eut un instant d'hésitation perceptible avant de se tourner vers Charlotte.

— Vous devez être Mrs. Pitt. Je suis enchantée de faire votre connaissance. Comme c'est aimable à vous d'être venue ! C'est une touchante attention.

Charlotte s'efforça de sourire, sachant qu'aucun faux pas de sa part ne passerait inaperçu; il lui avait suffi de croiser une seule fois le regard de Dulcie pour comprendre que rien ne lui échappait.

— Merci, Mrs. Arledge. J'espère que ma présence ne vous dérange pas.

— Bien sûr que non, voyons! Quelle idée!

Dulcie se tourna alors vers Jerome Carvell, qui se tenait toujours aux côtés de Pitt. Charlotte retint son souffle. Puis elle se souvint qu'aux yeux de Dulcie, il n'était rien de plus qu'un ami endeuillé ayant eu la générosité de prêter sa maison pour la circonstance.

— Je ne sais comment vous remercier, Mr. Carvell. Grâce à votre sens de l'hospitalité, vous rendez supportable une réunion que je n'aurais pas eu le courage d'organiser chez moi. J'apprécie bien davantage votre geste que vous ne pouvez l'imaginer.

Écarlate, Carvell se pétrifia sur place. Charlotte devinait son émotion tandis qu'il contemplait l'épouse de l'homme qu'il avait aimé. Il ouvrit la bouche pour parler, mais la voix lui fit défaut.

Dulcie attendait.

Le silence de Carvell allait le trahir. Il fallait absolument qu'il parle, sinon son interlocutrice se poserait des questions et son intuition ferait le reste. On n'entendait que la respiration saccadée de Pitt, qui tentait sans succès de retenir son souffle, et ce bruit sembla ramener Carvell à la réalité.

— Je... je suis heureux de pouvoir vous rendre ce service, dit-il enfin. C'est si peu de chose. Ce n'est pas suffisant, pas suffisant du tout.

— Vous êtes d'un grand secours à Mrs. Arledge, l'interrompit Charlotte, qui ne supportait plus cette tension. Le fait de ne pas avoir à s'occuper de l'organisation de cette journée et d'être libre de partir quand notre compagnie lui pèsera est le plus beau service que vous puissiez lui rendre.

Dulcie la regarda.

— Vous avez tout à fait raison, Mrs. Pitt. C'est en effet une attitude généreuse que vous avez eue là, Mr. Carvell. N'ayez pas la modestie de minimiser votre geste.

— Merci, merci, balbutia-t-il en reculant d'un pas. Si... si vous voulez bien m'excuser, madame, je vais vérifier auprès de Scarborough, le majordome, que le buffet est prêt.

— Je vous en prie, Mr. Carvell, répondit Dulcie avant de demander à Pitt, dès que leur hôte se fut éloigné : Pourquoi ce monsieur est-il si timide ? Quel homme curieux ! Mais il a été très gentil, et c'est cela qui compte.

À ce moment plusieurs personnes l'approchèrent afin de lui présenter leurs condoléances et lui dire combien elles avaient apprécié le choix de la musique au cours du service funèbre. Toute conversation d'ordre personnel devint impossible.

— Oui, le jeune Mr. Garrick est des plus doués, acquiesça Dulcie. Il a un jeu plein d'émotion. Bien sûr, je n'aurai pas l'audace de juger sa technique, mais il me semble très talentueux.

Sir James approuva d'un vigoureux hochement de tête et lança un regard vers Victor qui, toujours assis, son violoncelle dans les bras, bavardait avec Mina Winthrop.

— Quel dommage qu'il ne souhaite pas en faire son métier ! soupira-t-il. Mais il est très jeune, il peut encore changer d'avis. Il irait loin, à mon avis. Aidan pensait beaucoup de bien de lui.

— Qui est la dame en compagnie de laquelle il se trouve ? demanda-t-elle avec curiosité.

— Oh, il s'agit de Mrs. Winthrop.

— Pauvre femme. Hélas, nous avons beaucoup de choses en commun. Je dois aller lui présenter mes condoléances. Venant de moi, elles prendront un sens tout particulier, conclut-elle avec un sourire triste.

Mais elle n'eut pas le temps de rejoindre Mina Winthrop. Déjà, d'autres personnes faisaient cercle autour d'elle. Elle les remercia individuellement pour les marques de compassion qu'elles lui témoignaient. Charlotte et Pitt s'éloignèrent discrètement pour mieux observer la foule des autres invités.

Lord et Lady Winthrop s'entretenaient gravement avec un gentleman d'un certain âge qui portait des lorgnons.

— Je suis très déçu par la police, disait Lord Winthrop d'un ton mécontent. J'avais pensé, compte tenu de la notoriété de mon fils et des services qu'il a rendus à son pays, que l'on en ferait davantage pour attraper le fou qui a commis un tel crime !

— C'est ignoble, tout à fait ignoble, répondit son interlocuteur. On peut s'attendre à ce que ce genre d'horreur se produise dans les couches les plus basses de la population, mais quand le crime envahit aussi l'environnement des gens respectables, cela signifie que le pays est dans un triste état. Je présume que vous en avez parlé au ministre de l'Intérieur ?

— Bien entendu, dit vivement Lord Winthrop, plusieurs fois, même ! J'ai même aussi écrit au Premier ministre.

— Qui n'a pas répondu ! intervint Lady Winthrop avec véhémence.

— Ce n'est pas tout à fait vrai, ma chère, la corrigea son mari, mais, avant qu'il puisse continuer, elle le coupa à nouveau :

— Il s'est borné à accuser réception de vos lettres. Je n'appelle pas cela une réponse ! Il n'a pas fait allusion aux mesures qu'il allait prendre.

L'homme aux lorgnons marmonna quelque chose d'inaudible. Pitt sourit. Au moins, le Premier ministre ne se laissait pas impressionner.

Le buffet fut servi. Valets et servantes se déplaçaient parmi les invités avec des plateaux chargés de vins et de mets délicats. Scarborough, l'arrogant majordome, surveillait le bon fonctionnement des opérations, s'occupant de tout jusque dans les moindres détails.

Charlotte s'écarta de Pitt pour aller bavarder avec Mina Winthrop et Thora Garrick qui avait sans doute accompagné son amie pour entendre jouer Victor.

— Quel plaisir de vous revoir, Mrs. Pitt! dit Mina. Vous vous souvenez de Mrs. Garrick, n'est-ce pas?

— Bien sûr, répondit Charlotte. J'ai entendu jouer votre fils après la cérémonie à l'église, Mrs. Garrick. Il est réellement très doué.

— Où en sont les travaux de votre maison? reprit Mina.

— Ils sont à peu près finis. J'ai suivi vos précieux conseils et j'ai fait tapisser une pièce en jaune.

Mina rougit de plaisir.

— Comment va votre bras? s'enquit Charlotte d'un ton qui se voulait anodin, tout en montrant qu'elle s'intéressait à sa santé.

— Oh, très bien, répondit vivement Mina. Ça ne m'a pas vraiment gênée. Il ne faut pas faire cas de ces petits incidents. L'on doit prendre sur soi-même...

Thora regarda Charlotte, n'en croyant pas ses oreilles, puis Mina, qui paraissait mal à l'aise.

— C'était une vilaine brûlure, se hâta d'ajouter Charlotte, volant au secours de cette dernière. Le thé était très chaud. J'admire votre courage.

Mina se détendit si visiblement que le sang afflua à ses joues. Thora Garrick exhala un léger soupir de soulagement.

— Vous n'auriez jamais admis devant autrui que vous souffriez, conclut Charlotte. Pour ma part, j'aurais été incapable d'une telle force d'âme.

Elle s'empressa de changer de sujet. Toutes trois parlèrent bientôt de leurs porcelaines préférées, ainsi que de différents styles d'horloges et de glaces.

Tout en bavardant, Charlotte se disait qu'elle devait

aller trouver Pitt pour lui faire part de l'idée qui trottait dans sa tête : Thora Garrick était au courant de l'origine des contusions de Mina, mais ne semblait pas manifester pour autant une pitié ou une colère excessive. Elle ne paraissait pas craindre que Mina ou Bart Mitchell puissent être impliqués dans le meurtre de Winthrop.

On demanda à Victor Garrick de jouer une nouvelle fois et il exécuta une sonatine tendre et mélancolique. Son jeu fut fort apprécié par un public composé pour une fois de vrais connaisseurs, qui n'hésita pas à l'acclamer.

Trois quarts d'heure plus tard, Charlotte fut rejointe par une Emily très en colère.

— Cet homme est un vrai goujat ! Un porc, un...

La rage qu'elle s'efforçait de contenir enflammait ses joues et faisait trembler sa voix.

Charlotte fut étonnée, puis amusée d'entendre un tel mot dans la bouche de sa sœur.

— Qui donc s'est si mal comporté qu'il te fasse ainsi sortir de tes gonds ? Je pensais que Madame était toujours maîtresse d'elle-même...

— Tais-toi, tu n'es pas drôle, grinça Emily. Ah, j'aimerais le voir mendier dans la rue avec une sébile dans les mains !

— Mais de qui diable parles-tu ?

— De ce répugnant majordome, Scar... Scarsdale ou je-ne-sais-quoi, répliqua Emily avec une moue de dégoût. Figure-toi que je viens de trouver une des bonnes en train de pleurer à chaudes larmes. Il l'a surprise en train de chantonner et il l'a renvoyée, sous prétexte que ceci est un buffet funéraire ! Cette gamine ne connaissait pas le malheureux défunt. Pourquoi ferait-elle la différence entre le jeu de Victor Garrick au violoncelle et sa petite chanson triste ? J'ai bien envie d'aller demander à Mr. Carvell de reprendre cette fille et de mettre ce butor à la porte.

— Tu ne peux pas, protesta Charlotte. Il ne va pas renvoyer son majordome parce qu'il a puni une bonne.

Tout en le disant, elle pensait au visage sensible de Jerome Carvell, marqué par le chagrin. Jamais cet homme n'aurait de son plein gré permis à son major-dome de traiter ainsi les domestiques. À moins que... À moins qu'il fût à la merci d'un homme qui le connaissait comme seul un serviteur peut connaître son maître ?

— Charlotte ? À quoi penses-tu ?

— Une vague idée. Surtout, ne fais pas de scandale. Cela ne rendrait pas service à la bonne.

— Pourquoi ? Je ne vais pas me gêner !

— Non, crois-moi, j'ai mes raisons.

— Parfait ! Dis-moi lesquelles !

— D'excellentes raisons, qui concernent Mr. Carvell. Je t'en prie, ne fais pas de scandale.

— Très bien, dans ce cas, je vais de ce pas embaucher cette petite ! Tu aurais dû la voir pleurer, Charlotte. Je ne vais pas laisser passer ça.

Charlotte allait lui répondre quand elle vit Dulcie Arledge se diriger vers elles, encore très droite, mais l'air épuisé, avec un sourire un peu figé.

— La pauvre, chuchota Charlotte.

— Tu veux mon avis ? Elle a une meilleure mine que celle que j'aurais eue en pareilles circonstances, répondit Emily.

Charlotte n'eut pas le temps de lui faire préciser ce qu'elle entendait exactement par là. Dulcie l'aurait entendue.

— Cette réunion a été très émouvante, Mrs. Arledge, dit Charlotte poliment.

— Merci, Mrs. Pitt.

À ce moment, elles furent rejointes par Lady Lismore et Landon Hurlwood.

— Dulcie, ma chère, commença Lady Lismore avec un chaleureux sourire, connaissez-vous Mr. Hurlwood ? Il admirait beaucoup le travail d'Aidan et souhaitait vous présenter ses condoléances.

Elle se tourna vers Hurlwood.

— Non, dit-il.

— Oui, dit Dulcie au même instant.

Hurlwood rougit.

— Je suis désolé, fit-il très vite. J'ai bien sûr déjà rencontré Mrs. Arledge. Je... je voulais seulement dire que nous nous connaissions très peu. Comment allez-vous, Mrs. Arledge ? Je suis honoré que vous vous souveniez de moi, parmi toutes les personnes qui admiraient le travail de votre mari.

— Enchantée, Mr. Hurlwood, dit-elle en le regardant de ses grands yeux bleu foncé. C'est très aimable à vous d'être venu. Je suis heureuse d'apprendre que vous admiriez Aidan. Je suis sûre que sa renommée durera longtemps. Peut-être sera-t-elle même source de plaisir et d'encouragement pour certains.

Il s'inclina légèrement.

— J'en suis persuadé. Me jugeriez-vous impertinent, si je vous disais que j'admire votre dignité face au malheur qui vous frappe, Mrs. Arledge ?

Elle rougit et baissa les yeux.

— Merci, Mr. Hurlwood, c'est très généreux à vous ; cependant je crains que vous ne cherchiez à me flatter.

— Pas du tout ! intervint Lady Lismore. C'est la vérité ! Ma chère amie, vous devez avoir besoin de vous reposer, après ces épreuves. Permettez-moi de rester ici et de saluer à votre place les invités quand ils partiront.

Dulcie prit une profonde inspiration.

— J'apprécie infiniment votre sollicitude, Lady Lismore. Si vous n'y voyez pas d'inconvénient, je crois en effet que je vais me retirer.

— Puis-je vous accompagner à votre voiture ? proposa Hurlwood en offrant son bras.

Elle hésita un instant, puis déclina gracieusement sa proposition et se dirigea seule vers la porte. Scarborough la lui ouvrit, l'escorta dans le vestibule et attendit que le valet de pied lui ait donné sa cape et ait appelé son attelage.

— Une femme remarquable, dit Lady Lismore avec conviction.

Hurlwood ne quittait pas des yeux la porte par laquelle Dulcie était sortie. Il avait rougi.

— En effet, dit-il en écho, tout à fait remarquable.

# 9

Très tôt ce matin-là, Lady Amanda Killbride partit à cheval vers Rotten Row. Elle s'était disputée avec son mari la veille au soir, et souhaitait qu'il constatât son absence à son réveil. Il n'imaginerait certes pas qu'elle était partie pour toujours, mais s'inquiéterait à l'idée qu'elle pût avoir fait quelque bêtise, par exemple tenu sa promesse de s'enfuir avec le premier homme présentable qui le lui aurait proposé.

Mais à la pâle et froide clarté matinale, elle fut forcée d'admettre qu'il y avait peu d'hommes présentables dans Hyde Park, et, a fortiori, d'hommes désireux de conter fleurette à une femme mariée. Déjà la possibilité d'une rencontre adultère, entre le moment où elle en avait menacé son mari, vers neuf heures du soir, et celui où elle était montée dans sa chambre, aux alentours de minuit, s'était avérée des plus réduites !

Mais diable, l'important était que Lord Killbride se posât des questions...

Toute la longueur de l'allée cavalière s'étirait devant elle. Le moment était venu d'offrir à sa monture un petit galop de détente. Elle se pencha en avant pour caresser l'encolure de son cheval et l'encourager de la voix. L'animal dressa les oreilles au changement de ton, car, depuis leur départ, elle n'avait cessé de lui raconter les humiliations que son mari lui faisait subir. Elle le mit au trot, puis passa au petit galop.

Elle se savait bonne cavalière et cela ajoutait à son plaisir de galoper dans la lumière naissante de cette journée de printemps. Des ombres longues traversaient l'allée, la rosée faisait étinceler l'herbe des pelouses. Il n'y avait pratiquement personne alentour, même dans Knightsbridge, qu'elle apercevait au-delà des abords du parc, à l'exception de quelques fêtards rentrant tardivement chez eux, et des lève-tôt jouissant de la quasi-solitude du parc.

Arrivée au bout de Rotten Row, elle tourna bride et repartit au petit galop vers Hyde Park Corner, heureuse d'offrir son visage au vent. Aux trois quarts de l'allée, elle ralentit l'allure et prit le pas. Elle se garda bien de proposer à son cheval de s'abreuver alors qu'il était encore en transpiration, mais elle avait d'envie de se rafraîchir le visage. Arrivée devant l'abreuvoir, elle mit pied à terre, laissant les rênes longues et plongea distraitement ses mains dans l'eau, encore préoccupée par la dispute de la veille avec son époux. C'est alors qu'elle s'aperçut que l'eau avait une drôle de couleur.

Lady Killbride bondit en arrière avec un cri de dégoût. L'eau était troublée par un liquide rouge brunâtre. Quelque chose y flottait, quelque chose de grand qu'elle ne put reconnaître tant l'eau était foncée.

— Vraiment, c'est trop fort ! s'exclama-t-elle avec colère. C'est dégoûtant !

Elle fit un pas en arrière, et, en se redressant, vit l'étrange chose du côté opposé de l'abreuvoir. L'aspect en était si bizarre qu'elle s'en approcha.

Elle n'en crut pas ses yeux. Elle demeura un instant le souffle coupé, puis, quand enfin elle comprit que ce qu'elle voyait était bel et bien ce qu'elle pensait être, elle glissa en avant, tête la première dans l'abreuvoir.

La froideur de l'eau lui coupa la respiration et, dans un effort pour retrouver son souffle, elle se releva en hoquetant. Trempée jusqu'à la ceinture et envahie par un froid mortel, trop horrifiée pour crier, elle se recroquevilla sur elle-même, grelottant et claquant des dents.

Soudain un bruit sourd de sabots se fit entendre sur les gravillons de l'allée.

— Madame, fit une voix masculine, tout va bien ? Avez-vous fait une chute ? Puis-je...

Il s'arrêta net, à la vue de la chose.

— Oh, mon Dieu ! dit-il en s'étranglant.

Il reprit son souffle après une violente quinte de toux.

— Le reste est là, dit Amanda en désignant l'abreuvoir teinté de sang d'où émergeait maintenant le genou gainé de soie d'un homme en livrée.


Tellman, l'air sombre, regarda Pitt assis dans son fauteuil.

— Encore un, dit-il laconique. Il a recommencé. Cette fois, vous allez l'arrêter.

— Qui « il » ?...

— Carvell. Il y a encore un cadavre sans tête dans le parc.

Pitt sentit son cœur chavirer.

— De qui s'agit-il ?

— Albert Scarborough, son majordome. Lady Killbride l'a trouvé dans l'abreuvoir à chevaux. Ou, pour être plus précis, a trouvé son corps. La tête se trouvait derrière.

— De quel abreuvoir parlez-vous ?

— Celui de Rotten Row, à une centaine de mètres de Hyde Park Corner.

Pitt s'efforça de repousser cette vision, pour se concentrer sur les détails pratiques.

— C'est loin de Green Street, observa-t-il. Comment est-il arrivé jusque-là ?

— On ne sait pas encore. Scarborough était grand et fort, Carvell n'a pas pu le porter. Il est peut-être venu à pied, de son plein gré, à Hyde Park.

— Vous connaissez beaucoup de majordomes qui se promènent à minuit, avec leur patron, pour le plaisir ? Et, comme nous l'a si bien fait remarquer Mr. Farnsworth, plus personne n'ose se promener dans Hyde Park.

— D'accord, Scarborough n'est pas arrivé là à pied, concéda Tellman. Carvell l'a tué chez lui et l'a transporté par un moyen ou un autre. Peut-être même dans son propre attelage. Voulez-vous l'arrêter vous-même, ou dois-je m'en charger ?

Pitt se leva. Son corps lui parut soudain peser très lourd. Il aurait dû être soulagé de savoir que cette série de crimes allait prendre fin, mais, au fond de lui, il n'éprouvait aucun soulagement.

— Je m'en charge, dit-il en décrochant son chapeau de la patère. Et vous venez avec moi.

Il était un peu moins de neuf heures lorsqu'ils se présentèrent au domicile de Jerome Carvell, dans Green Street. Pitt sonna, un long moment s'écoula avant qu'il n'y ait une réponse.

— Monsieur ?

Un valet de pied, les cheveux blonds ébouriffés, le regarda avec étonnement.

— Je souhaite parler à Mr. Carvell, s'il vous plaît, déclara Pitt.

— Je vous demande pardon, monsieur, mais je crains que Mr. Carvell ne soit pas levé. Pourriez-vous revenir vers dix heures ?

Tellman ouvrit la bouche, mais Pitt le devança.

— Cela ne peut attendre, hélas. L'affaire est de la plus grande importance. Pourriez-vous lui dire que le commissaire Pitt et l'inspecteur Tellman sont là et qu'ils demandent à le voir immédiatement ?

Le valet pâlit. Il ouvrit la bouche pour parler, se reprit et s'en fut sans même penser à leur dire de patienter ou à les accompagner dans un endroit plus approprié que le vestibule.

Quelques instants plus tard, Carvell apparut en robe de chambre, les cheveux en désordre, très pâle. Ignorant Tellman, il s'adressa à Pitt :

— Que se passe-t-il, commissaire ? Quelque chose ne va pas ? Qu'est-ce qui vous amène à cette heure-ci ?

Pitt éprouva pour lui une grande pitié, et déclara à contrecœur :

— Désolé, Mr. Carvell, mais nous devons procéder à une perquisition de votre propriété et interroger votre personnel. Je sais que cela va vous causer des désagréments, mais c'est indispensable.

— Pourquoi donc ? s'enquit Carvell d'un ton anxieux, en crispant les poings.

Son visage avait pris une couleur grisâtre.

— Que s'est-il passé ? Pour l'amour du ciel, dites-moi quelque chose ! Y a-t-il... Y a-t-il eu encore...

— Oui. Votre majordome, Albert Scarborough.

Carvell vacilla. Pitt fit un pas en avant pour le soutenir, et le guida par le coude vers le banc de chêne à haut dossier du vestibule.

— Vous devriez vous asseoir. Allez chercher un verre de brandy, vite ! ordonna-t-il au valet qui demeurait pétrifié sur place, les yeux écarquillés.

— Oui, monsieur, tout de suite.

Le malheureux disparut à toutes jambes en appelant la gouvernante d'une voix tremblante

Pitt se tourna vers Tellman.

— Commencez à fouiller.

Tellman n'attendait que cela. Il partit d'un pas rapide, la mine sévère.

Carvell semblait sur le point de se trouver mal.

— Vous... vous pensez que c'est moi ? balbutia-t-il d'une voix rauque. Je le vois sur votre visage, commissaire. Pourquoi ? Mais pourquoi aurais-je tué mon majordome ?

— Je crains que la réponse ne soit évidente, hélas. Il était bien placé pour être au courant de votre liaison avec Mr. Arledge, et de votre éventuelle implication dans sa mort. Vous avez pu juger indispensable, pour votre sécurité, de vous débarrasser de lui.

Carvell fit un effort pour parler, en vain. Il fixa Pitt pendant de longues et terribles secondes, puis, dans un mouvement de désespoir absolu, enfouit son visage dans ses mains.

Pitt regrettait de s'être montré aussi brutal. La voix de Tellman résonnait dans sa tête, avec son mépris pour ce qu'il appelait sa délicatesse exagérée. Farnsworth, lui, l'accusait de fuir ses responsabilités, aussi bien envers ses supérieurs qui l'avaient promu commissaire, qu'envers ses subordonnés dont il attendait le dévouement ; sans oublier les obligations qui étaient les siennes envers la population. Les habitants de Londres avaient le droit de penser qu'on avait mis les meilleurs éléments de la police sur cette affaire. Pitt devait oublier ses sentiments personnels, bienveillants ou hostiles, ses sursauts de conscience et sa compassion. Il avait accepté ce travail, avec ses honneurs et ses récompenses. En faire moins que ce que l'on attendait de lui était pure trahison.

Il regarda la silhouette de Carvell, tassé sur lui-même. Que s'était-il passé ? Quel flot d'émotions l'avait submergé au point de le pousser à tuer l'homme qu'il aimait ? Ce dernier lui avait-il signifié la fin de leur relation ? Lui avait-il avoué avoir une liaison avec un autre homme ?

Mais pourquoi avoir tué Winthrop ? Parce qu'il était cet autre homme ? Et pourquoi Yeats ? Parce qu'il avait vu quelque chose d'important ? Et Scarborough aussi ? Pitt essaya d'imaginer la scène entre le majordome et Carvell, le premier, du haut de sa grande taille, très raide dans sa livrée, boutons et galons reluisants, les mollets pris dans des bas de soie, jetant avec dédain à la face de son patron tout ce qu'il pensait de sa conduite. L'idée ne l'avait donc pas effleuré que Carvell pouvait le tuer, lui aussi ?

Mais tout cela était stupide. Si Carvell avait déjà fait passer trois personnes de vie à trépas — et de quelle manière ! — Scarborough n'avait pas pu être aveugle au point de tourner le dos à un homme qu'il avait menacé ! Les deux hommes ne s'étaient pas battus. Scarborough pesait le double de Carvell et mesurait au moins vingt centimètres de plus que lui. Il aurait été gagnant à coup sûr. Pitt se promit de demander au médecin légiste si le cadavre portait des traces de blessures, un coup de poignard, par exemple.

Tellman avait-il commencé par interroger la domesticité ou par chercher le lieu du crime ? Essayait-il de trouver le véhicule dans lequel Carvell avait transporté le corps inerte du majordome jusqu'à l'abreuvoir à chevaux de Hyde Park ? Ou voulait-il d'abord mettre la main sur l'arme ? Carvell avait sans doute gardé la même hache depuis le premier meurtre. Dangereux calcul. Était-il à ce point sûr de sa cachette ? Ou pensait-il que, même découverte, elle ne l'aurait pas compromis ?

— Mr. Carvell, quand avez-vous vu Scarborough vivant pour la dernière fois ?

Carvell releva la tête.

— Je ne m'en souviens pas. À l'heure du dîner ? Vous devriez poser la question aux autres domestiques, ils l'auront certainement vu après moi.

— Est-ce lui qui a fermé la maison à clé hier soir ?

— Je ne sais pas, commissaire. Le service funèbre d'Aidan a eu lieu hier. Pensez-vous que je me suis préoccupé de la question de savoir qui fermerait la maison ? Si cela n'avait tenu qu'à moi, elle aurait pu rester ouverte toute la nuit.

— Depuis combien de temps Scarborough était-il à votre service ?

— Cinq ans... non, six.

— Étiez-vous satisfait de lui ?

Carvell eut l'air perplexe.

— Il connaissait son travail, si c'est ce que vous voulez dire. Quant à savoir si j'appréciais l'homme, je peux vous répondre que non. Mais il s'occupait de la maison de façon impeccable. Je n'ai jamais eu de problèmes avec mon personnel, d'aucune sorte. Les repas étaient servis à l'heure, les plats bien préparés, la comptabilité parfaitement tenue. S'il avait un souci de quelque ordre que ce soit, je n'en entendais pas parler. J'ai des amis qui reçoivent constamment les récriminations des uns et des autres. Moi non. Et s'il arrivait à Scarborough de se montrer désagréable, je n'y prêtais pas attention.

Un sourire de dérision effleura ses lèvres.

— Il était passé maître dans l'art d'organiser une soirée. Il savait prendre en main dîners et réceptions, quel que fût le nombre de convives ou l'importance de l'événement. Je n'avais à m'occuper de rien.

Une servante traversa le hall devant eux. Carvell ne sembla pas remarquer sa présence, pas plus qu'il n'entendait les bruits qui venaient de derrière la grande porte matelassée, au fond du vestibule.

— Je n'avais qu'à dire « Scarborough, je compte inviter dix personnes à dîner jeudi soir », il se chargeait de tout et proposait un menu raffiné pour un coût très raisonnable. Il employait du personnel supplémentaire s'il le jugeait nécessaire. Jamais aucune de ces personnes ne s'est montrée impertinente, négligente ou malhonnête. Oui, il était prétentieux et condescendant, mais assez compétent pour que je ne m'attarde pas sur ces défauts. Je ne sais comment je pourrai le remplacer.

Pitt resta silencieux.

Carvell déglutit et partit d'un petit rire étouffé qui se termina en sanglot.

— Si l'on me pend, je n'aurai plus besoin de m'en soucier.

— Avez-vous tué Scarborough ? demanda Pitt avec douceur.

— Non, commissaire. Et, avant que vous ne me posiez la question, je puis vous assurer que je n'ai pas la moindre idée de l'identité ou du mobile de son assassin.

Pitt l'interrogea encore, mais n'apprit rien qu'il ne sût déjà ou qui pût changer l'impression qu'il s'était forgée de sa personnalité. Il le laissa là, recroquevillé sur le banc, et alla retrouver Tellman pour voir s'il avait du nouveau.

Il le trouva à l'office, une pièce agréablement meublée, dans laquelle flottait un parfum de lavande et de cire d'abeille. L'odeur du déjeuner que l'on préparait lui fit soudain prendre conscience qu'il avait faim. Le valet de pied, toujours très pâle, attendait les ordres. Une petite bonne pleurait. Elle avait laissé son balai contre le mur, mais tenait toujours son chiffon à poussière. La gouvernante était assise sur une chaise, raide comme la justice, son trousseau de clés suspendu à la taille, les doigts tachés d'encre. Son expression faisait penser à celle d'un convive venant de découvrir quelque chose de dégoûtant dans son assiette. La fille de cuisine et la cuisinière étaient absentes. L'aide-cuisinière faisait face à Tellman, une traînée noire sur la manche, l'air obstiné et larmoyant.

Tellman jeta un coup d'œil à Pitt. Il jugea inutile de poursuivre l'interrogatoire de la domestique.

— Qu'avez-vous appris ? demanda Pitt.

— Peu de chose. Après la réception, le personnel a passé la fin de l'après-midi à ranger. Les valets et les servantes embauchés pour la circonstance ont reçu leurs gages et sont partis. Une jeune fille avait été renvoyée plus tôt, pour mauvaise conduite. Personne n'a l'air d'en connaître exactement la nature. Carvell a passé l'après-midi à l'extérieur, le personnel n'en sait pas plus. Le valet pense qu'il avait simplement besoin d'être seul.

— Vous voulez dire que le valet était au courant du la liaison de Carvell avec Arledge ? chuchota Pitt, stupéfait.

Tellman secoua la tête.

— Oh, non, je ne crois pas. Apparemment, Carvell a toujours besoin de s'isoler, après un décès.

— Je vois. Et Scarborough ?

— Il a passé l'après-midi dans l'arrière-cuisine et à la cave, pour faire le point de l'approvisionnement.

Tellman entraîna Pitt à l'écart des domestiques, qui ne les quittaient pas des yeux.

— Le dîner a été très léger, un repas froid. Carvell a lu un moment dans la bibliothèque et s'est retiré très tôt. Le personnel a été remercié vers les huit heures. Scarborough a fermé la maison à dix heures et, après ça, plus personne ne l'a vu.

— Et ensuite ?

— Personne n'a sonné à la porte, sinon quelqu'un l'aurait entendu. Il y a une sonnette dans la cuisine et une ici même, à l'office.

Il se tourna pour désigner un grand panneau avec les différentes sonnettes : le nom de chaque pièce qui y correspondait était noté et la porte d'entrée était clairement identifiable.

— Il n'y a pas eu d'effraction, je présume ?

— Non, monsieur, aucune. Toutes les issues étaient correctement verrouillées, à l'exception des portes-fenêtres de la salle à manger. La femme de chambre pense qu'elles étaient ouvertes lorsqu'elle est entrée dans la pièce ce matin. Peut-être pas ouvertes, mais pas fermées à clé. Carvell est probablement sorti et rentré par là et, à son retour, a dû oublier de les verrouiller.

— Il est tout aussi concevable que Scarborough lui-même soit sorti par là, vivant et de son plein gré, remarqua Pitt.

La physionomie de Tellman exprima clairement son désaccord.

— Pour quelle raison ? Ne me dites pas que le major-dome est sorti à Hyde Park pour y chercher une femme ! Je croyais que nous avions abandonné l'idée que toute cette affaire puisse avoir un lien avec la prostitution. Souvenez-vous quand Farnsworth en a parlé. Nous n'avons pas affaire à un malade mental obsédé par la fornication, mais à un assassin qui a toute sa tête, lui ! Victime d'une trahison amoureuse, il décide de se venger et supprime tous ceux qui étaient au courant de ses goûts contre nature et l'avaient menacé.

Pitt ne dit rien.

— Pensez-vous toujours à Bart Mitchell ? continua Tellman. Ça n'a aucun sens. Il avait peut-être une raison de tuer Winthrop, mais pas les deux autres et encore moins Scarborough. Quel lien y aurait-il entre Mitchell et le majordome de Carvell ?

— On a tué Scarborough parce qu'il savait quelque chose, répondit Pitt. Mais effectivement, je ne vois aucun lien avec Mitchell.

— Allez-vous arrêter Carvell ?

— Avez-vous perquisitionné la maison ?

— Non, pas encore. J'ai fouillé l'appartement de Scarborough. Je n'ai rien trouvé, mais je m'y attendais.

— Des papiers ?

Tellman eut l'air surpris.

— Des papiers ? Quelle sorte de papiers ?

— Des comptes, répondit Pitt. S'il faisait chanter Carvell, il doit en avoir laissé des traces.

— Du chantage à propos d'Arledge ? Peut-être a-t-il essayé de le faire juste après le meurtre de celui-ci, et devait-il être payé hier soir.

— Pourquoi aurait-il tant attendu ? Voilà des jours qu'Arledge a été tué.

— Je n'ai rien trouvé, mais je n'ai pas eu le temps de lire tout le courrier. J'ai interrogé la cuisinière au sujet de son fendoir, et j'ai cherché une hache dans l'abri du jardin. Il n'y en a pas. Ils achètent le petit bois coupé d'avance.

— Et le fendoir ?

— La cuisinière dit qu'il se trouve exactement à l'endroit où elle l'a laissé. Elle a changé de couleur en parlant, mais je pense qu'elle dit la vérité. Une femme sérieuse, la tête sur les épaules, pas du genre à pousser des cris d'orfraie.

Il haussa les épaules.

— J'ignore ce qu'il a fait de l'arme. On ne la retrouvera pas tant qu'on n'aura pas mis une dizaine d'hommes pour fouiller la maison. À mon avis, Carvell va craquer une fois que nous l'aurons bouclé. Il comprendra qu'il ne pourra plus s'en sortir aussi facilement. Il paniquera et lâchera le morceau.

— Possible, dit Pitt, sans trop y croire.

Tellman ne fit aucun effort pour dissimuler son agacement.

— Nous n'avons plus de raisons d'hésiter, à présent ! Nous ne connaissons peut-être pas tous les détails, mais ce n'est qu'une question de temps. Même si nous ne l'arrêtons pas pour le meurtre du receveur, nous pouvons le faire pour ceux d'Arledge et Scarborough.

Il s'éloigna d'un pas.

— Dois-je faire venir le fourgon cellulaire, ou pouvons-nous l'emmener en cab ? Je ne pense pas qu'il nous donne du fil à retordre, ce n'est pas son genre.

— Oui, approuva Pitt à contrecœur. Emmenez-le en cab.

Il était sur le point de recommander à Tellman de se montrer correct avec le prévenu, puis il pensa qu'il se moquait bien de son avis.

— Vous ne venez pas ? s'étonna Tellman.

— C'est moi qui l'arrêterai. Vous vous chargerez de l'emmener au poste. Pour ma part, je resterai ici. Peut-être puis-je découvrir quelque chose.

Carvell ne fut pas surpris de voir revenir les deux policiers. Il était toujours assis dans le vestibule, sur le banc, l'air hagard. Il leva la tête au bruit de leurs pas, mais ne dit rien.

— Jerome Carvell.

Pitt détestait, ô combien, le son de sa propre voix lorsqu'il prononçait ces paroles ! Ce ton soudain très formel laissait présager ce qui allait être dit. Carvell prit un air hébété, presque meurtri. Toute sa peur se concrétisait.

318

— Je vous arrête pour le meurtre d'Albert Scarborough.

— Je ne l'ai pas tué, murmura le prisonnier, sans espoir d'être cru.

Il se mit sur ses pieds et tendit les mains, en regardant Pitt.

— Ni lui, ni les autres.

Pitt aurait tant voulu le croire. Pourtant, il ne pouvait ignorer l'évidence.

— L'inspecteur Tellman va vous emmener au commissariat. Il n'y a pas besoin de menottes.

— Je vous remercie.

Blême, les épaules voûtées, Carvell traversa le vestibule aux côtés de Tellman, jusqu'à la porte. Il ne chercha pas à se dégager de l'étreinte du policier. La vie semblait l'avoir quitté.

Pitt monta dans l'appartement du majordome, qu'il fouilla méticuleusement, puis redescendit au rez-de-chaussée et inspecta les pièces principales, l'office, le salon de la gouvernante et la cuisine, l'arrière-cuisine, la lingerie, la salle du personnel et ne trouva rien d'intéressant. Pour finir, il se rendit à l'écurie, où se trouvaient le cheval de Carvell ainsi qu'un cabriolet à deux places, que celui-ci aimait conduire parfois les après-midi d'été — très habilement, au dire des valets. Le cheval était soigné par le cireur de chaussures, qui s'enfuyait de la maison sous n'importe quel prétexte, ravi de servir de garçon d'écurie, car il avait fort peu de chaussures à cirer. L'hiver, il aidait aussi le jardinier à nettoyer ses outils.

— Oui, m'sieur? dit-il quand Pitt s'approcha de lui.

Il avait un visage rond et bon enfant qui, à cette minute, exprimait une certaine inquiétude.

— Je voudrais voir l'écurie, et le local où est garé le cabriolet.

— Bien sûr, m'sieur. Si vous voulez. Mais rien ne manque! Le cabriolet est là, et le harnais.

— Pourtant j'aimerais y jeter un coup d'œil.

Pitt le devança et passa la porte. Cela faisait fort long-temps qu'il n'était pas entré dans une écurie. La chaude odeur de l'animal, du cuir et des cirages, le sol inégale-ment pavé, tout cela éveillait en lui des souvenirs du domaine où il avait grandi : les sensations procurées par un cheval au galop, sa puissance, sa rapidité, l'exalta-tion de ne faire qu'un avec lui. Les tâches qui suivaient, le brossage, le pansage, le curage des sabots, le range-ment des harnais dans la sellerie, la distribution du foin dans les stalles, suivie d'un silence apaisé. Peu importait les muscles endoloris. Cela semblait si loin... Dulcie Arledge l'aurait compris, elle qui aimait tant les che-vaux.

L'esprit ailleurs, il flatta l'encolure de l'animal.

— L'avez-vous étrillé ce matin ? demanda-t-il, en examinant les sabots légèrement boueux.

Quelques brins d'herbe sèche étaient restés accrochés aux paturons.

— Non, monsieur. Avec Mr. Scarborough qui est mort et que personne sait ce qui lui est arrivé, le person-nel est tout chamboulé...

— L'avez-vous brossé hier soir ?

— Oh, oui, m'sieur ! Il brillait comme un sou neuf, pour de bon. Il avait une belle couverture, pas vrai, Sam ? dit-il en caressant gentiment le chanfrein du che-val qui frotta ses naseaux contre lui en guise de réponse.

Pitt montra la boue.

— Ben ça alors, elle y était pas hier soir ! s'écria le garçon, indigné.

Il pâlit et écarquilla les yeux.

— Ça voudrait dire que quelqu'un l'a sorti cette nuit ?

— On dirait bien, répondit Pitt en scrutant le sol pour s'assurer qu'il n'y avait pas de traces de boue dans les-quelles l'animal aurait pu se salir, mais il était imma-culé. Le cireur de chaussures était un garçon d'écurie consciencieux.

— Allons jeter un coup d'œil au cabriolet.

Pitt se dirigea vers la remise, le garçon sur les talons, et ouvrit la porte : il y avait là un cabriolet aux brancards vernis luisant à la lumière du soleil.

— Regardez bien le harnais, dit-il. Est-il exactement comme vous l'avez laissé ?

Il y eut un long silence pendant lequel le garçon examina chaque pièce de laiton ou de cuir, sans rien toucher. Au bout d'un moment, il poussa un long soupir et regarda le policier bien en face.

— J'en suis pas certain, m'sieur. Pourtant on dirait que c'est pareil... Le harnais était bien accroché là, mais je pourrais pas jurer que la bride était pendue de cette façon.

Sans un mot, Pitt scruta l'intérieur du cabriolet. Tout était propre, ciré, les sièges vides.

— Vous croyez qu'on s'en est servi, m'sieur ?

— Apparemment pas, répondit Pitt, sans savoir s'il était soulagé ou déçu.

Il ouvrit la portière qui tourna sans bruit sur ses gonds. Il aperçut alors sur le marchepied un bout de fil brillant enroulé autour de la vis qui en maintenait le rebord. Il le dégagea doucement et l'exposa à la lumière : il était long, clair, tout tire-bouchonné.

— Qu'est-ce que c'est ? demanda le garçon.

— Je ne sais pas encore, fit Pitt, évasif.

En fait, il était certain qu'il provenait des bas de soie d'une livrée de valet.

— Merci, ajouta-t-il. Je vais voir si je ne trouve pas autre chose. Savez-vous si Mr. Scarborough empruntait parfois ce cabriolet ?

— Jamais, m'sieur. Mr. Scarborough restait à la maison. Mr. Carvell conduisait lui-même et, s'il y avait une course à faire, c'était moi qu'il envoyait.

— Vous arrive-t-il de porter une livrée ?

Le garçon se mit à rire.

— Moi ? En livrée ? Jamais de la vie ! Mr. Scarborough aurait pris le coup de sang. Il aurait eu vite fait de me remettre à ma place, ça c'est sûr.

— Pas de bas?

— Non, pourquoi? Vous croyez que ce fil vient d'un bas?

— Probablement.

Pitt mit le fil dans un bout de papier chiffonné qu'il glissa dans sa poche, puis fit promettre au garçon, sans trop d'espoir d'être écouté, de ne point faire part de cette découverte au reste de la domesticité.

— C'est promis, monsieur, jura le garçon avec solennité.

Pitt continua à fouiller le cabriolet et le reste de la remise, le gamin pendu à ses basques, puis quitta les lieux, épuisé, comme vidé de son énergie.

Il ne retourna pas à Bow Street. Il était trop en colère et ne tenait pas à assister à la procédure d'accusation contre Carvell. Farnsworth devait déborder de satisfaction, ce qui ne ferait qu'augmenter l'irritation de Pitt, privé du soulagement qui accompagnait d'ordinaire la clôture d'une enquête. En fermant les yeux, il pensait au doux visage de Dulcie Arledge, et à sa douloureuse expression lorsqu'il lui avait appris l'amour de son mari pour un autre homme.

Et une petite voix continuait à lui souffler que Jerome Carvell ne pouvait pas être un assassin.

Il prit un cab et donna au cocher l'adresse de Nigel Uttley. Cela ne servirait pas à grand-chose, mais il avait besoin de lui dire en face qu'il savait que c'était lui l'agresseur de Jack.

Hélas, Uttley n'était pas chez lui, ce qui n'aurait pas dû le surprendre. La date des élections approchait. Il ne rentrerait peut-être pas avant la fin de la journée.

— Je ne peux rien vous dire, monsieur, déclara le valet avec froideur. Il se peut que Monsieur revienne avant le dîner. Si vous souhaitez l'attendre, vous pouvez patienter dans le petit salon.

Pitt hésita, puis décida d'attendre une demi-heure. Si Uttley ne rentrait pas d'ici là, il lui laisserait un billet sibyllin, en espérant que sa lecture le troublerait.

Pendant plus de vingt minutes, il fit les cent pas dans le petit salon, puis entendit soudain la voix du maître de maison, rendue aiguë par la surprise.

— Pitt, ici ? En quel honneur ? Il doit être désespéré, non ? Je ne sais pas ce qu'il imagine que je peux faire. Mon Dieu, il y aura du chambardement dans la police après les élections. Excusez-moi, Weldon. Je n'en ai que pour quelques instants.

Ses pas résonnèrent sur le sol de marbre du vestibule. Il ouvrit la porte du salon et se tint dans l'embrasure, désinvolte et sûr de lui, dans son costume clair et ses bottes impeccablement cirées.

— Bonjour, commissaire. Que puis-je faire pour vous, cette fois ? fit-il d'un air amusé.

— Bonjour, Mr. Uttley. Je suis venu vous dire que nous savons qui a attaqué Mr. et Mrs. Radley l'autre nuit, bien que les motifs de l'agression ne soient pas tout à fait clairs, ou paraissent même dénués de sens.

— Je croyais que tous les crimes de cette sorte étaient dénués de sens, sourit Uttley, en s'appuyant contre le chambranle de la porte. Mais c'est très aimable à vous d'être venu me prévenir.

Il regarda Pitt, eut un moment d'hésitation et continua :

— Était-ce le Bourreau ou un quelconque vide-gousset ?

— Ni l'un ni l'autre, répliqua Pitt. Il s'agit d'un politicien opportuniste, espérant tirer un profit personnel de cette tragédie. Je ne crois pas qu'il ait vraiment eu l'intention de tuer Mr. Radley...

Uttley pâlit et se raidit légèrement.

— Ah oui ?

Il déglutit, les yeux rivés sur Pitt.

— Vous voulez dire quelqu'un qui souhaitait se

débarrasser de Radley ? L'effrayer afin qu'il retire sa candidature ?

Pitt soutint son regard.

— Non, je pense plutôt qu'il voulait ridiculiser ses prises de position en faveur de la police, et faire en sorte qu'il devienne la risée de tous.

Uttley ne dit rien.

— Ce qui s'avère moins facile qu'il ne le croyait, poursuivit Pitt. Ce geste stupide a provoqué la colère d'un certain nombre de personnalités haut placées.

Uttley s'éclaircit la gorge.

— Que... que comptez-vous faire ? Je suppose que vous n'avez aucune preuve, sinon vous l'auriez arrêté, n'est-ce pas ? Après tout, il s'agit d'une agression sur la voie publique.

— J'ignore si Mr. Radley désire porter plainte, fit Pitt d'un ton détaché. À lui de décider. Dans la mesure où il n'a pas rapporté les faits à la police, peut-être considère-t-il que le coupable paiera suffisamment les conséquences de son acte sans que la justice n'ait à s'en mêler.

— Et en ce qui vous concerne ? dit Uttley en s'avançant d'un pas. Vous... n'avez pas dit si vous aviez des preuves ou non.

— Non, je ne l'ai pas dit.

Uttley reprenait confiance en lui. Il redressa légèrement les épaules.

— Tout cela me semble pure conjecture de votre part, commissaire, dit-il en enfonçant les mains dans ses poches. C'est, je pense, la version des faits que vous aimeriez voir officialiser. Mr. Farnsworth serait moins... critique à l'égard de vos résultats.

Pitt sourit.

— Oh, Mr. Farnsworth était furieux, en apprenant la vérité.

Uttley se figea.

— J'ai tendance à croire qu'il s'en occupera à sa

façon, enchaîna Pitt d'un ton léger. C'est la raison pour laquelle je n'ai pas engagé de procédure. Les preuves sont là, bien entendu. Farnsworth ne se serait pas contenté de ma parole. Après tout, c'est tellement incroyable... Absurde, n'est-ce pas ?

Uttley se força à sourire, mais les mots lui firent défaut.

— J'ai pensé que vous deviez être mis au courant, conclut Pitt en lui rendant son sourire. La prochaine fois que vous publierez un article dans la presse, assurez-vous que vos informations soient justes. Je vous souhaite une bonne journée, Mr. Uttley.


Il rentra chez lui, sans allégresse particulière. La satisfaction de l'avoir emporté sur Uttley avait disparu. Il ne pensait qu'au désespoir de Jerome Carvell. Même les yeux fermés, il revoyait ses épaules voûtées et ses cheveux en désordre alors qu'il sortait pour la dernière fois de son domicile, escorté par Tellman.

Charlotte était à la maison. Ces derniers mois, elle s'était si souvent absentée pour s'occuper des travaux de leur nouvelle demeure qu'il s'attendait, comme tous les jours, à trouver un petit mot sur la table de la cuisine.

En entrant, Pitt entendit un joyeux remue-ménage, accompagné du sifflement de la bouilloire, du tintement de tasses en porcelaine et d'un froufrou de jupes. Il poussa la porte de la cuisine : la pièce, inondée de la lumière rasante du soleil couchant, sentait bon l'odeur du pain frais et du rôti cuisant au four. Le linge séchait au plafond au-dessus de la cuisinière.

Gracie finissait de débarrasser la table après le dîner des enfants et disposait les plats qui restaient sur la desserte. Elle lui fit une rapide révérence et fila aussitôt à l'étage. Jemima se jeta dans les bras de son père avec des cris de joie, exigeant qu'il écoutât le récit de sa journée. Daniel faisait des grimaces et le tirait par la manche pour lui montrer le cerf-volant de papier qu'il venait de fabriquer.

Charlotte s'essuya les mains sur son tablier, remonta sa chevelure en arrière avec ses épingles et vint l'embrasser tendrement. Pendant plusieurs minutes, il se consacra à son petit monde, puis les enfants, satisfaits, s'en allèrent retrouver Gracie à l'étage. Pitt et Charlotte se trouvèrent enfin seuls.

— Vous avez l'air fatigué, remarqua-t-elle. Que s'est-il passé ?

Il était content pour une fois de ne pas avoir à chercher une échappatoire pour couper court aux récits des réussites et des échecs de Charlotte dans l'aménagement de leur nouvelle maison.

— J'ai arrêté Jerome Carvell.

Elle le connaissait trop bien pour savoir qu'il n'en tirait aucun sentiment de victoire.

— Pourquoi ? demanda-t-elle.

Ce n'était pas la question qu'il attendait, mais c'était tout de même une bonne question. Il lui narra les événements de la journée, y compris sa visite à Uttley. Elle écouta en silence, mais sourit à la fin du récit.

— Vous n'êtes pas convaincu de la culpabilité de Carvell, n'est-ce pas ?

— Ma raison me dit qu'il est coupable, du moins du meurtre de son majordome, si ce n'est des autres. C'est son cabriolet qui a servi à emmener Scarborough à Hyde Park. Carvell avait de bonnes raisons de le supprimer, si l'homme le faisait chanter...

— Mais...

— Mais je n'arrive pas à croire qu'il ait tué Arledge. Il l'aimait vraiment.

— Est-il possible qu'il n'ait tué que le majordome ?

— Non. S'il l'a fait, c'est parce que celui-ci savait qu'il avait commis un autre meurtre. Sa seule liaison avec Arledge ne me semble pas une cause suffisante. Scarborough devait être au courant depuis longtemps.

Les domestiques qui trahissent la vie privée de leur maître ne retrouvent pas facilement un emploi. Il aurait fallu qu'il obtienne beaucoup d'argent grâce au chantage exercé sur son maître pour pouvoir en vivre pendant le restant de ses jours. Non... c'est...

Il se tut, ne trouvant pas ses mots.

Ils dînèrent en silence. Pitt monta ensuite voir les enfants et leur lut une courte histoire avant de leur souhaiter bonne nuit. Puis il redescendit au salon et s'installa dans son fauteuil. Malgré la joie de savoir qu'il allait bientôt vivre dans une maison plus vaste, entourée d'un grand jardin — aurait-il le temps d'en profiter ? —, il n'oublierait jamais les moments intenses qu'ils avaient vécus dans celle-ci, les riches souvenirs qui y étaient associés. Il ne la quitterait pas sans regret ni déchirement.

Charlotte s'installa par terre, à côté de lui, avec son nécessaire à couture. À quoi pensait-elle, il l'ignorait, mais la chaleur de sa proximité était si agréable qu'il s'assoupit dans son fauteuil. Elle dut le réveiller pour lui dire d'aller se coucher.

Le lendemain midi, l'agent Bailey arriva au commissariat hors d'haleine, rouge comme une écrevisse, le regard empli d'un mélange d'anxiété et de détermination.

Pitt était en bas avec Tellman et Le Grange, discutant des preuves matérielles à apporter au sujet de l'assassinat de Scarborough.

— Il faut retrouver l'arme du crime, ou du moins... disait Pitt.

— Il peut l'avoir jetée n'importe où, avança Tellman.

— Dans la Tamise, par exemple, renchérit Le Grange. Nous pourrions ne jamais la retrouver. Elle est peut-être enfoncée dans la vase. Le fond bouge, vous savez, avec la marée.

— Je le sais ! s'exclama Pitt. Si vous ne m'aviez pas interrompu, j'allais dire « ou du moins l'endroit où le majordome a été assassiné ».

— Il a été tué à l'endroit où on l'a retrouvé, dans l'abreuvoir, répondit Tellman, ignorant Bailey, qui dansait d'un pied sur l'autre avec impatience.

— Et Arledge ? insista Pitt. Où l'a-t-il tué ? Comment l'a-t-il emmené dans le kiosque à musique ?

— Dans une brouette, ou quelque chose de ce genre, répondit Le Grange, s'évertuant à se rendre utile.

— À qui appartenait-elle ? continua Pitt avec force. Ce n'était pas la sienne. Vous l'avez vérifié : il n'y avait de sang nulle part. Ce n'était pas non plus celle du gardien du parc. Vous l'avez vérifié aussi.

— C'est vrai, on n'en sait pas plus, admit Tellman à contrecœur. Mais nous finirons par trouver la réponse.

— Je l'espère ! Parce que, sans elle, vous donnez à la défense une arme excellente pour susciter le doute. Pas de brouette, pas de lieu du crime ; pas d'arme, pas de mobile.

— Une querelle, de la jalousie. Son cheval et son cabriolet ont été utilisés pour déplacer Scarborough, vivant ou mort, répondit Tellman.

Cette fois, Bailey n'y tint plus.

— Carvell n'a pas tué le receveur d'omnibus ! s'exclama-t-il. Il était bien au concert, comme il l'avait dit. J'ai retrouvé un témoin. Pas de doute possible : quelqu'un qui se trouvait aussi près de lui que je le suis de vous à cette minute, et qui le connaissait très bien.

— Ah oui, et qui est ce témoin miracle ? ironisa Tellman.

— Le directeur de la banque Coutts, précisa Bailey, ravi de son petit effet. Les banquiers de la Couronne.

Tellman prit un air pincé.

— Il est possible que le receveur ait été assassiné par quelqu'un d'autre, bougonna-t-il. Nous ne lui avons trouvé aucun lien avec les autres victimes.

— Effectivement, approuva Le Grange. Si ça se trouve, on a pas trouvé de lien parce qu'il y en a pas. Il s'agit peut-être d'une vengeance personnelle, et celui qui a commis ce crime lui a donné la même apparence que les précédents, pour faire porter le chapeau au Bourreau.

— Ou alors il y aurait un tueur différent pour chaque victime, fit Pitt, sarcastique. Non, on dirait bien que Carvell n'est pas le Bourreau. Merci, Bailey. Excellent travail.

Bailey rosit de plaisir.

— Merci, monsieur.

— Vous n'allez tout de même pas le libérer ? demanda Le Grange, en ouvrant de grands yeux.

Tellman émit un grognement de colère, mais qui ne semblait pas destiné à Pitt.

— Si, c'est précisément ce que je vais faire, répondit ce dernier. Un bon avocat nous y contraindrait, tôt ou tard.

— Pourtant on s'est servi de son cheval et de son cabriolet, remarqua Tellman, l'air sombre. Carvell a nécessairement quelque chose à voir avec tout cela.

— Il est concevable que Scarborough ait emprunté le cabriolet, rétorqua Pitt. C'est ce qu'un avocat ne manquerait pas de remarquer, et qu'un jury considérerait avec raison comme preuve à décharge, ajouta-t-il devant l'air incrédule de son subordonné.

— Ah, vraiment ? fit Tellman d'un ton sceptique. Et pourquoi l'aurait-il emprunté ? Un petit tour en ville à minuit, pour se changer les idées ?

— Il avait peut-être une petite amie, suggéra Pitt. Une balade en cabriolet l'aurait impressionnée. Mieux qu'un omnibus et moins cher qu'un fiacre, et, en outre, permettant bien des libertés. Une promenade romantique dans le parc, pourquoi pas ?

— Avec le Bourreau dans les parages ? releva Tellman, méprisant. Très romantique, vraiment !

— Autre explication moins romantique : il allait voir les filles de joie.

— Nous y revoilà ! Je croyais que nous avions abandonné cette hypothèse.

— En effet. Mais cela ne veut pas dire qu'un avocat n'utiliserait pas l'argument.

Tellman se tourna vers Bailey et Le Grange.

— Bon, alors, on reprend tout à zéro ! Et par quoi commençons-nous ?

— D'abord, trouvez l'endroit où Arledge a été tué, ordonna Pitt.

Tellman sortit en lançant une longue bordée d'injures.

Pitt, lui aussi, reprit toute l'affaire depuis le début. Il s'était désintéressé de la mort d'Oakley Winthrop, obnubilé qu'il était par celle d'Aidan Arledge. Pourtant, tout avait commencé par l'assassinat du capitaine de vaisseau. Qui était son meurtrier, quels étaient ses mobiles ? Qui l'avait persuadé de monter dans le canot ? Pitt se dit que c'était là la clé de l'affaire.

Il ne pouvait s'agir que d'une personne connue, qu'il ne craignait en aucune façon. Mais si c'était le cas, quel argument aurait avancé un proche du capitaine pour le convaincre d'aller canoter sur la Serpentine en pleine nuit ? Et quel proche ?

Bart Mitchell ?

Bart Mitchell et Mina Winthrop ?

Il devait en avoir le cœur net. Il prit un cab qui le déposa devant le domicile de cette dernière. Dès qu'il actionna la clochette, une soubrette vint ouvrir.

Pitt lui tendit sa carte de visite.

— Bonjour. Pouvez-vous demander à Mrs. Winthrop si je peux m'entretenir un moment avec elle ? Il s'agit d'une affaire d'une certaine importance.

Elle prit la carte, s'éloigna et revint sans tarder pour le conduire dans un petit salon où se tenait Mina, debout près de la fenêtre, regardant le jardin. Le vert de sa toilette était si sombre qu'il semblait noir, n'étaient les reflets moirés du tissu là où le soleil le touchait. Cette couleur mettait en valeur sa peau claire. Ses cheveux souples étaient réunis en chignon, révélant son cou gracile. Elle sourit, et Pitt devina en elle la petite fille qu'elle avait dû être vingt ans auparavant.

Bart Mitchell se tenait près de la cheminée, observant Pitt de son regard bleu et pénétrant, comme toujours sur ses gardes. Le policier le salua, puis se tourna vers son hôtesse.

— Bonjour, commissaire, dit Mina avec chaleur, en s'avançant vers lui. Avez-vous du nouveau? De mon côté, j'ai beau réfléchir...

— Je ne suis pas venu vous parler de votre mari, Mrs. Winthrop, mais de Mr. Arledge.

— Mr. Arledge?

— Oui, madame. Vous vous connaissiez, n'est-ce pas?

— Je... ne peux pas dire que je le connaissais vraiment. Je...

Confuse, elle jeta un coup d'œil à son frère.

— Pourquoi cette question, commissaire? remarqua celui-ci. Vous n'imaginez sûrement pas que ma sœur a quelque chose à voir avec sa mort? Ce serait absurde.

— Je suis à la recherche d'informations, Mr. Mitchell. Une parole entendue par hasard, une simple impression, dont l'intérêt n'apparaîtrait qu'aujourd'hui...

— Pardonnez ma curiosité, reprit Bart avec raideur, mais pour quelle raison ma sœur saurait-elle quelque chose au sujet de la mort d'Arledge? Elle ne l'a rencontré qu'à l'occasion de concerts auxquels elle a assisté. On ne peut donc parler de relation amicale, qui lui aurait permis de connaître le genre de détails que vous sous-entendez.

Pitt l'ignora et regarda Mina.

— Vous connaissiez Mr. Arledge, n'est-ce pas ?

— Je l'ai rencontré une fois ou deux, en effet. J'aime beaucoup la musique. C'était un excellent chef d'orchestre, vous savez.

— C'est ce que l'on m'a dit. Mais, Mrs. Winthrop, vous ne vous contentiez pas d'assister à ses concerts ?

Bart Mitchell releva le menton et plissa les yeux.

— Que voulez-vous dire par là, commissaire ? Si vous ne meniez pas une enquête criminelle, la question semblerait anodine. Mais, dans votre bouche, elle prend une résonance tout à fait différente. Les relations entre ma sœur et Mr. Arledge étaient de pure courtoisie. Elles n'avaient rien d'incorrect.

— Bien sûr que non, Bart, fit Mina avec prudence. Le commissaire ne faisait pas ce genre d'allusion...

Elle se tourna vers Pitt.

— Nous échangions des paroles aimables, c'est tout, je vous assure. Si j'avais été au courant de quoi que ce soit, je vous en aurais fait part sur-le-champ. Il a été assassiné dans les mêmes conditions que mon mari !

— Mina, intervint son frère, le commissaire n'a jamais supposé qu'il y ait eu quelque chose d'inconvenant dans vos relations, bien entendu, mais, précisément pour cette raison, tu pourrais en savoir davantage que tu ne veux le dire.

— Non, Mr. Mitchell, il ne s'agit pas de cela, dit sèchement Pitt. Il se peut qu'il y ait autre chose, dont votre sœur n'a pas conscience. Je serai donc plus précis. Mrs. Winthrop, vous avez été vue en état de grande détresse lors d'une réception qui suivait un concert ; Mr. Arledge a passé un certain temps avec vous pour vous réconforter. Vous sembliez vous confier à lui.

Mina étouffa un petit cri et se tourna vers son frère, affolée et honteuse.

Bart se rapprocha d'elle.

— La personne qui vous a raconté cela a fait preuve d'indélicatesse, commissaire. L'assassinat de mon beau-frère et de Mr. Arledge par un dément qui coupe les têtes dans Hyde Park n'a rien à voir avec...

Il eut une imperceptible hésitation.

— ... avec la mort d'un animal domestique ! C'est absurde. Si vous n'avez pas de meilleure piste que celle-ci, il n'est pas étonnant que le misérable coure toujours !

— Tu es injuste, Bart, dit Mina d'une voix étranglée. Le commissaire ignorait qu'il s'agissait de... de ce que tu viens de dire. On lui a dit que j'étais triste et que Mr. Arledge me réconfortait. Ce pouvait être un renseignement important.

Elle sourit à Pitt avec embarras.

— Je suis désolée de ne pouvoir vous aider davantage. Ce soir-là, la musique m'avait beaucoup émue. Mr. Arledge a eu la bonté de me réconforter, mais il l'aurait fait de la même manière avec une autre que moi. Notre rencontre s'est limitée à un échange d'aimables banalités. D'ailleurs, je ne me souviens même plus de ce qu'il m'a dit. En tout cas, rien qui puisse, rétrospectivement, éclairer les circonstances de sa mort.

Elle fut sur le point d'ajouter quelque chose, puis regarda son frère avec anxiété.

— Connaissiez-vous Mr. Arledge, Mr. Mitchell ? demanda soudain Pitt.

— Non ! s'écria Mina, que sa hâte à répondre fit rougir. Oh ! Je suis désolée, quelle impolitesse de ma part ! Je voulais simplement dire que... que... Bart n'est rentré que récemment de l'étranger.

— Quand cet épisode s'est-il déroulé, madame ?

Elle pâlit.

— Je... Je ne m'en souviens pas bien. Il y a quelque temps.

— Avant votre blessure au poignet ?

Il y eut un moment de silence absolu. Le tic-tac de la pendule posée sur le guéridon emplissait le salon.

— C'est arrivé l'autre jour, dit Bart sur un ton glacial. Un accident avec une théière, dû à l'étourderie d'une domestique.

Ses yeux bleus défiaient Pitt.

— Vous êtes bien placé pour le savoir, commissaire. Votre épouse était là.

— Je faisais allusion aux ecchymoses, Mr. Mitchell, répondit Pitt sans fléchir.

— C'était... de ma faute aussi ! balbutia Mina. Vous pouvez me croire. Je... Je...

Elle se tourna vers Pitt, s'éloignant de son frère. Toute sa confiance l'avait abandonnée. Elle semblait effarée et coupable.

— J'avais fait preuve d'étourderie, commissaire. Mon mari m'a empoignée pour... m'empêcher de tomber. J'avais déjà perdu l'équilibre et... et ainsi...

Bart Mitchell bouillait d'une colère à laquelle il n'osait pas donner libre cours. Il semblait être sur le point de laisser échapper un flot de paroles.

— Et sa force... mon poids... bredouilla Mina. Pour une broutille... entièrement de ma faute.

— Non ! Ce n'était pas de ta faute !

Son frère perdit le contrôle de lui-même ; sa voix tremblait.

— Cesse de t'accuser !

Il lança à Pitt un regard furibond et prit sa sœur par la taille, comme si elle allait tomber s'il n'avait pas été là pour la retenir.

— Commissaire, cet incident s'est produit bien avant la mort d'Arledge. Il ne présente aucun intérêt pour votre enquête. Mina et moi-même ne le connaissions pas personnellement. Vous nous en voyez désolés, mais nous ne pouvons vous être d'aucune aide. Au revoir, monsieur.

Pitt ne le croyait pas, pas plus qu'il ne croyait Mina, mais il n'était pas en mesure de prouver quoi que ce soit. Il était convaincu qu'Oakley Winthrop battait sa femme, et que celle-ci était terrifiée à l'idée que son propre frère l'ait tué pour la venger, ou, du moins, que la police le soupçonnât de l'avoir fait.

— Merci Mrs. Winthrop pour le temps que vous m'avez consacré, dit-il. Mr. Mitchell...

Il s'inclina avec un sourire las, montrant bien qu'il n'était pas dupe, et prit rapidement congé.

## 10

Arriva enfin le jour du déménagement. Le Bourreau était en liberté et le mystère restait entier. Dans ces conditions, Pitt ne put guère proposer son aide, mais il avait fait appel à des déménageurs. Charlotte avait passé la journée précédente à emballer dans du papier journal verres, tasses et assiettes, qu'elle disposait ensuite avec soin dans des boîtes en carton. Tous les vêtements, ainsi que le linge, étaient rangés. On avait roulé les tapis le matin même, et, à cette heure, le tout s'apprêtait à faire route vers la nouvelle maison.

Là, tout était prêt pour recevoir la famille : les carreaux des cheminées avaient été remplacés, les moulures replâtrées, les lambris poncés et cirés, les appliques et veilleuses à gaz réparées, toutes les pièces repeintes et retapissées.

Les enfants avaient compris ce que déménager voulait dire. Un monde nouveau s'entrouvrait devant eux, plein d'expériences nouvelles et, peut-être, d'aventures. À son réveil, le petit Daniel, excité comme une puce, n'avait pas cessé de poser des questions, sans se vexer que personne ne prenne la peine de lui répondre.

Jemima s'était montrée plus calme. De deux ans son aînée, il lui avait fallu moins de temps pour se rendre compte que l'acceptation de la nouveauté signifie le renoncement au passé, avec son cortège d'inquiétudes et d'incertitudes. Avant le grand départ, elle avait alterné crises d'enthousiasme et de curiosité avec de longs silences, tandis qu'elle embrassait du regard les endroits familiers. Elle s'attristait de les voir nus et déjà abandonnés, sans rideaux ni tableaux. Lorsqu'on roula les tapis, elle versa de grosses larmes. Gracie la grondait en la serrant contre elle, tout en l'exhortant à se rendre utile, mais la fillette était incapable de suivre ses conseils.

À dix heures trente, Pitt, Gracie et les deux enfants montèrent dans un cab, en se serrant les uns contre les autres dans cet espace trop petit pour eux. Ils avaient pour mission d'ouvrir la nouvelle maison et de réceptionner les cartons. Charlotte, elle, attendait que le dernier objet fût empaqueté ; elle voulait s'assurer que rien n'avait été oublié ou égaré et que la porte serait bien verrouillée.

Après avoir répété la nouvelle adresse aux déménageurs, elle prit ses deux plus beaux coussins de soie, brodés à la main, trop fragiles pour leur être confiés, et trop gros pour être emballés dans des cartons, et les enveloppa chacun dans un vieux drap. Ensuite elle ferma la porte d'entrée et demeura sur le perron, à regarder une dernière fois autour d'elle.

Puis elle se ressaisit et se dirigea vers le portail. « Allons ma fille, ce n'est pas le moment de te laisser aller au regret, songea-t-elle. Les souvenirs ne restent pas derrière nous, puisqu'ils font partie de nous-mêmes et que nous les conservons dans notre cœur. »

Elle ferma la grille et partit vers l'arrêt de l'omnibus, les bras chargés de ses précieux coussins. On aurait dit de gros ballots de linge. Elle fut contente de ne rencontrer en chemin aucune voisine.

Cinq minutes plus tard, elle vit arriver l'omnibus avec soulagement, et monta sur la plate-forme en traînant ses paquets.

— Désolé, Miss, il est interdit de transporter des ballots de linge, dit le receveur d'un ton sec et méprisant.

Il lui barrait le passage, sanglé dans son uniforme aux boutons de cuivre étincelants, menton relevé, autoritaire et sûr de lui.

Charlotte fut prise au dépourvu.

— Faut descendre, ordonna-t-il. Y aura plus de place pour les passagers si je laisse monter les blanchisseuses de Bloomsbury avec leur linge.

— Ce n'est pas du linge ! Ce sont mes coussins ! s'indigna Charlotte.

— Je me fiche de ce que c'est, ricana le receveur. Ça pourrait être la chemise de nuit de la reine que ce serait pareil. Vous pouvez pas amener ça ici. Y a pas de place, je vous dis. Maintenant soyez gentille et descendez, comme ça on pourra partir.

— Mais je suis en plein déménagement ! Mon mari et mes enfants sont partis avant moi, et je dois les rattraper.

— Peut-être bien, mais vous le ferez pas avec mon omnibus, et pas avec ce sac de linge ! Vous croyez que c'est un fourgon ?

Il lui montra le trottoir.

— Descendez avant que j'appelle la police et qu'on vous coffre pour trouble de l'ordre public.

Un vieux monsieur moustachu s'interposa, la canne à la main.

— Autorisez-la à rester, voyons, dit-il au receveur. Je suis sûr qu'elle ne gênera pas, si elle garde ses paquets sur ses genoux.

— Allez vous rasseoir, et mêlez-vous de ce qui vous regarde ! brailla le receveur. C'est moi qui m'occupe de ça.

— Mais... commença le vieux monsieur.

— Asseyez-vous donc, vieux toqué ! cria une femme depuis le fond de l'omnibus. Vous en mêlez pas. Le receveur sait ce qu'il fait. On va quand même pas laisser ces gens trimballer leur linge ! Qu'est-ce que ce sera la prochaine fois ?

— Cette dame dit que ce n'est pas du linge...

— Retournez à votre place, monsieur, l'interrompit brutalement le receveur, si vous voulez pas que je vous fasse descendre aussi. On a un horaire à respecter, vous savez !

Il se tourna vers Charlotte.

— Maintenant, Miss, vous descendez ou j'appelle la police.

Charlotte était trop furieuse pour pouvoir dire un mot. Hoquetant de rage, elle descendit sur le trottoir, sans avoir eu le temps de remercier le vieux monsieur. L'omnibus repartit dans une embardée. Le conducteur donna de la voix et fit claquer son fouet, les chevaux accélérèrent le pas, laissant Charlotte seule avec ses coussins, consumée d'une fureur indicible.


— Mais où étiez-vous donc passée ? demanda Pitt, stupéfait de la voir arriver échevelée, en sueur, chargée de ses coussins.

— J'ai dû prendre un cab ! répondit-elle, furibonde. Une espèce de stupide receveur trop zélé n'a pas voulu me laisser monter dans l'omnibus.

— Quoi ? De qui parlez-vous ? Tout est là, les hommes ont déjà déballé la moitié des affaires.

— Cet horrible crapaud arrogant n'a pas voulu me laisser monter avec mes coussins !

Il voyait bien qu'elle était furieuse, mais n'en comprenait pas la raison.

— N'était-ce pas l'omnibus habituel ?

— Bien sûr que si ! Mais ce... ce malotru imbu de lui-même pensait que les coussins étaient du linge et a refusé de me laisser monter. Il a même menacé d'appeler la police et de me faire emmener pour entrave à la circulation !

Pitt eut envie de rire, mais il vit qu'elle le mettait au défi d'oser se moquer d'elle, aussi prit-il une expression de circonstance.

— Je suis désolé. Laissez-moi les porter, dit-il en tendant la main vers les coussins.

Elle les lui lança.

— Où sont les déménageurs ? Je ne les vois pas.

— Ils sont allés se restaurer. Ils seront de retour dans une demi-heure pour déballer le reste. Gracie est dans la cuisine.

Il embrassa le petit salon du regard et déclara :

— C'est vraiment très joli. Vous avez fait un travail magnifique.

— Oh, ce n'est pas le moment de vous moquer de moi ! dit-elle d'un ton acerbe, mais c'est assez réussi, je vous l'accorde. Où sont les enfants ?

— Dans le jardin. Daniel est dans un pommier ; Jemima a trouvé un hérisson et lui raconte des histoires.

— Pensez-vous qu'ils vont se plaire ici ?

Pitt n'eut pas besoin de répondre. Son sourire en disait assez long.

— Avez-vous vu la chambre verte ? reprit Charlotte. C'est la nôtre. Venez, laissez-moi vous la montrer.

Il faillit lui dire qu'il avait peu de temps, mais n'osa pas. Dès qu'il entra dans la pièce, il ne regretta pas de l'y avoir suivie. La chambre était un havre de paix, loin de l'animation de la rue. Un vent léger faisait bruire les feuilles des arbres dont l'ombre frémissait sur les murs de la chambre. Pitt sourit de bonheur et regarda Charlotte : elle attendait le verdict.

— De toute ma vie, dit-il du fond de son cœur, je ne me suis trouvé dans une pièce aussi agréable.

Le jour des élections fut marqué par des giboulées et des rafales de vent. Son petit déjeuner terminé, Jack sortit, accompagné d'Emily. Sur des charbons ardents, celle-ci se sentait incapable de rester seule à la maison, même si elle avait conscience que son soutien moral ne suffisait plus à calmer son époux.

Nigel Uttley, lui aussi, arriva tôt au bureau de vote. Il souriait, confiant en son succès, bavardant avec amis et partisans. Mais, en l'observant de plus près, l'on s'apercevait qu'il avait perdu de sa morgue et, de temps en temps, il manifestait quelques signes d'anxiété.

Par petits groupes, les électeurs entraient dans le bureau de vote et déposaient leurs bulletins. Ils en sortaient sans regarder personne, et se dépêchaient de partir.

La matinée passa lentement. Emily suivait Jack d'un endroit à l'autre, cherchant à l'encourager sans toutefois le persuader qu'il pouvait gagner. Et pourtant, tandis qu'elle regardait les hommes entrer et sortir, elle surprenait parfois des bribes de conversations et ne pouvait s'empêcher de croire en sa victoire.

En politique, il n'y a d'autre choix que perdre ou gagner. Demain, Jack, élu, serait membre du Parlement britannique, avec de nouvelles responsabilités et des perspectives de carrière, ou, vaincu, n'aurait ni position ni profession. Uttley, le gagnant, serait en revanche souriant et sûr de lui. Emily n'aurait plus qu'à essayer de réconforter Jack, à l'aider à croire en lui-même, à penser à l'avenir, à trouver une autre cause à défendre.

Vers deux heures, elle se sentit brusquement épuisée, alors qu'il fallait encore patienter tout l'après-midi. À cinq heures, elle recommença à croire que Jack pouvait gagner. Un espoir fou la submergea, mais elle ne tarda pas à douter à nouveau.

À la fermeture des bureaux de vote, elle ne tenait plus sur ses jambes. Jamais elle n'avait eu aussi mal aux pieds, tant elle avait piétiné ! Ils prirent un cab pour rentrer chez eux, et se serrèrent l'un contre l'autre en silence sur la banquette. La bataille touchait à sa fin, il ne restait qu'à attendre les résultats.

À leur retour, un souper léger avait été préparé à leur intention, mais ils étaient trop tendus pour l'apprécier.

— Pensez-vous... commença-t-elle au moment même où Jack ouvrait la bouche pour parler.

— Je suis désolé. Qu'alliez-vous dire ?

— Rien. C'est sans importance. Et vous ?

— Il est possible que le dépouillement s'éternise. Emily, ne vous sentez pas obligée de...

Elle le fit taire d'un regard.

— D'accord, s'excusa-t-il. Je pensais seulement...

— Il ne faut pas. C'est ridicule. J'attendrai avec vous la fin du décompte. Que nous sachions enfin...

— Il est neuf heures et quart, dit Jack en se levant de table. Allons attendre au salon, nous y serons confortablement installés.

À peine étaient-ils sortis de la salle à manger que Harry, le plus jeune des valets, apparut, écarlate, sa crinière blonde en désordre.

— Ils sont toujours en train de compter, m'sieur, haleta-t-il. J'arrive de là-bas, ils ont presque fini ! Les deux piles de bulletins ont l'air pareilles. C'est peut-être gagné, m'sieur ! Mr. Jenkins dit qu'il en est sûr.

— Merci, Harry. Mais je pense que notre fidèle Jenkins dit cela par loyauté et non parce qu'il est informé.

— Oh, non, m'sieur, le contra Harry avec une assurance inaccoutumée. Nous sommes tous persuadés que vous allez gagner. Votre Mr. Uttley est pas aussi malin qu'il croit. La cuisinière dit que cette fois, il a exagéré. En plus, il est pas marié et Mrs. Hedges dit que même s'il est très recherché dans la bonne société par les dames riches qui ont des filles à marier, il inspire pas autant confiance qu'un père de famille.

Il se tenait très droit, les épaules en arrière, rouge d'excitation, convaincu de ce qu'il disait.

— Merci, Harry, fit Jack avec gravité. J'espère que vous ne serez pas trop déçu si je perds ?

— Oh non, m'sieur, dit joyeusement Harry. De toute façon, vous allez gagner !

Là-dessus, il tourna les talons et sortit par la porte verte matelassée qui donnait sur l'office.

— Mon Dieu, ils vont être très déçus, soupira Jack, qui ouvrit la porte du petit salon et s'effaça pour laisser passer Emily.

— Nous le seront tous. Mais il est inutile de se battre pour une cause, si l'on ne se soucie pas des résultats.

Ils s'assirent côte à côte sur le canapé du salon, cherchant un autre sujet de conversation. Sur la pendulette dorée, au fil du tic-tac des secondes, l'aiguille des heures avançait vers le dix, puis vers le onze.

Les résultats auraient déjà dû être annoncés. Tous deux le savaient. Leurs échanges verbaux se faisaient de plus en plus rares et superficiels. Enfin, à onze heures vingt, Jenkins ouvrit la porte à la volée, bégayant sous l'effet d'une violente émotion, lui d'ordinaire si impassible.

— Mons... Mons... Monsieur Radley. On refait le dé... décompte ! Ils ont presque terminé. L'attelage est prêt, et James va vous... vous emmener là-bas. Madame...

Jack bondit sur ses pieds sans même penser à faire un geste vers Emily, mais elle s'était déjà levée, tenant à peine sur ses jambes.

— Merci Jenkins, dit Jack, moins calmement qu'il n'en avait eu l'intention. Merci, nous y allons.

Prenant la main d'Emily, il se précipita vers la porte d'entrée sans se soucier d'endosser sa redingote.

Ils firent le trajet en silence, dressant le cou comme s'ils cherchaient à apercevoir quelque chose, bien qu'il fît nuit noire et qu'il n'y eût rien d'autre à voir, à la pâle lumière des réverbères, que d'autres attelages filant vers des destinations inconnues.

Ils descendirent de voiture et gravirent, le cœur battant, les marches de la grande salle où l'on procédait au dépouillement des voix. Aussitôt, bon nombre des personnes présentes se turent. Les visages se tournèrent vers eux, il y eut un bourdonnement d'excitation. Seuls les scrutateurs gardaient la tête baissée ; leurs doigts volaient dans les liasses de bulletins, qui s'accumulaient en piles devant eux.

— Troisième décompte, siffla un petit homme, d'une voix tendue.

Emily serra le bras de Jack si fort qu'il tiqua, mais elle ne le lâcha pas.

À l'autre bout de la salle, se tenait Nigel Uttley, le regard noir, les traits pâles et crispés, espérant la victoire. De toute évidence, il n'avait pas imaginé que le scrutin puisse être si serré. Ses partisans se tenaient groupés, l'air tendu, lançant des regards furtifs vers les piles de bulletins sur les tables.

Les partisans de Jack aussi se tenaient proches les uns des autres. Si, au fond d'eux-mêmes, ils n'avaient pas pensé gagner, à ce moment du décompte, pourtant, ils supputaient les chances de victoire. Les dés étaient jetés. Les résultats allaient tomber d'un instant à l'autre.

Emily regarda autour d'elle, essayant de se faire une idée du nombre de personnes présentes. Son regard passait d'un groupe à l'autre. C'est alors qu'elle aperçut un chignon argenté qui brillait sous les lustres.

— Jack! Regardez! Tante Vespasia est là! s'exclama-t-elle, ravie, en le tirant par la manche avec force.

La surprise le fit se retourner. Un sourire ravi s'épanouit sur son visage. Il se dirigea vers la vieille dame en fendant la foule.

— Lady Vespasia! Comme c'est gentil d'être venue!

Elle se tourna vers lui et le considéra avec calme et amusement, mais ses joues étaient roses d'excitation.

— Bien sûr que je suis venue! s'exclama-t-elle. Vous ne pensiez tout de même pas que j'allais manquer une telle occasion?

— Mais il est... tard, dit-il, soudain embarrassé. Et je peux très bien ne pas gagner.

— Bien sûr. Mais gagnant ou perdant, vous avez mené une excellente bataille contre Uttley. Il aura ainsi appris ce qu'est un vrai combat.

Elle leva un peu le menton, et dans ses yeux brillait une lueur combative.

Jack allait ajouter quelque chose quand il y eut une soudaine agitation dans la salle du côté des assesseurs. Chacun se retourna pour voir le président du bureau se lever.

Les battements de cœur s'accélérèrent, tandis qu'il entamait un long préambule, conscient du pouvoir dont il disposait et de la forme théâtrale de son intervention. Puis il annonça qu'avec une majorité de douze voix le parlementaire élu de la circonscription était John Henry Augustus Radley.

Emily laissa échapper un petit cri.

Jack eut un instant le souffle coupé, puis poussa un énorme soupir de soulagement.

Nigel Uttley demeura immobile, incrédule, lèvres pincées.

— Félicitations, mon cher Jack ! s'exclama Lady Cumming-Gould en l'embrassant sur la joue. Vous ferez un excellent député.

Il rougit de plaisir. L'émotion lui coupait la parole.

On célébra la victoire le lendemain soir, à Ashworth House. La réception fut organisée un peu à la va-vite car Emily ne l'avait pas préparée avec tous les soins qu'elle apportait d'habitude à ce genre de festivités, n'ayant pas osé présumer le succès de son mari. Furent invités tous les participants à la campagne électorale et leurs épouses, sans oublier les personnes qui avaient soutenu le candidat. Ce qui incluait naturellement la famille d'Emily. Charlotte et Pitt acceptèrent immédiatement l'invitation. Caroline envoya un charmant petit mot de félicitations, mais rien n'indiquait si elle viendrait ou non.

La fête commença tôt. Les gens arrivèrent hors d'haleine, excités par la victoire. On parlait fort, les visages étaient rouges, tout le monde discutait en même temps, échangeait des idées, plein d'espoir de changement.

— Il s'agit seulement de l'élection d'un nouveau membre du Parlement, dit Jack, essayant de conserver modestie et sens de la mesure. Cela ne change pas le gouvernement.

Emily, qui se tenait à ses côtés, vêtue d'une robe de

soie verte rebrodée de perles de culture, approuva d'un hochement de tête, sans toutefois se départir du sourire victorieux qu'elle arborait depuis l'annonce des résultats.

— Mais c'est un début, un tournant qui s'annonce dans la vie politique. Les tories sont furieux.

— C'est bien vrai ! fit gaiement une grande femme aux épaules et aux manches couvertes d'une impressionnante ruche de dentelle qui voletait autour d'elle. Bertie, ajouta-t-elle en agitant sa coupe de champagne, dit qu'en dépit de ce qui a été annoncé par les journaux, Uttley a été tout à fait surpris par votre victoire. Il pensait gagner à coup sûr.

Le dénommé Bertie, qui n'avait jusqu'à présent prêté que peu d'attention à ce qui se disait, tourna vers Jack un visage grave.

— En fait, mon vieux, il a vraiment été démonté.

Il mordit dans un petit four.

— Vous vous êtes fait un ennemi redoutable. À votre place, je ferais attention à lui.

Pendant un instant, leur conversation fut couverte par le bruit des bavardages, le tintement des verres et le froissement des taffetas.

— Oh, vraiment, mon cher, lui répondit sa femme dès qu'elle put se faire entendre, il devait avoir envisagé la possibilité de perdre, non ? Personne n'entre en compétition sans savoir que l'un des deux concurrents doit s'incliner.

Bertie se pencha en avant, de plus en plus sérieux.

— Uttley ne pensait pas être battu. Mais, d'après ce que j'ai entendu dire, il aurait perdu bien davantage qu'un siège...

— Expliquez-vous, mon cher, fit son épouse, intriguée. Vous n'êtes pas clair.

Bertie l'ignora et garda les yeux rivés sur Jack.

— Je parle de forces puissantes et souterraines, si vous voyez ce que je veux dire... On entend certaines rumeurs, si l'on se trouve au bon endroit, au bon moment. Il y a des gens...

Il hésita à continuer, regardant Emily.

— ... des gens qui sont derrière ceux que l'on connaît...

Jack ne dit rien.

— Oh, je vois... soupira Emily, qui regretta aussitôt sa réflexion.

En tant que femme, elle n'était pas censée connaître l'existence du *Cercle intérieur*, et encore moins laisser entendre qu'elle avait compris ce dont parlait ce monsieur.

— Sottises, décréta l'épouse de Bertie. Uttley a perdu parce que les électeurs lui ont préféré Jack. C'est aussi simple que ça. Vraiment, mon ami, vous voyez un mystère là où il n'y en a pas.

— Certes, les électeurs ont préféré Jack, reconnut patiemment Bertie, en buvant une gorgée de champagne. Mais ce ne sont pas ceux-là qui l'ont exclu de son club.

Il prit un air entendu pour regarder Jack par-dessus la tête de sa femme.

— Faites attention, mon vieux, c'est tout. Il se passe beaucoup plus de choses qu'on ne pense. Et ceux qui ont le vrai pouvoir ne sont pas toujours ceux à qui l'on pense.

Jack eut un hochement de tête approbateur.

— Vous avez raison, Bertie. Mais reprenez donc un peu de champagne. Vous le méritez bien.

Après avoir accueilli, remercié et félicité tout le monde, Emily alla enfin retrouver sa sœur. Elle eut un regard admiratif pour sa robe, dont le vert foncé s'accordait à son teint et à ses cheveux aux reflets roux. Comme le voulait la mode, elle avait des épaules renforcées, brodées d'un plumetis de soie.

— Comment vas-tu? Je n'ai pas eu le temps de te demander comment s'est passé le déménagement. La nouvelle maison vous convient-elle? J'imagine qu'elle est très agréable.

Sans laisser à Charlotte le temps de répondre, elle changea de sujet.

— Et le Bourreau ? Est-il vrai que Thomas a arrêté un suspect et qu'il l'a relâché ? Ou ne s'agit-il que de rumeurs ?

— Non, c'est vrai. À la suite du meurtre de son majordome, il a arrêté Carvell, mais un de ses hommes a découvert que celui-ci était en mesure de prouver où il se trouvait quand le receveur de l'omnibus a été tué. Aussi a-t-il dû le relâcher.

Emily sembla étonnée.

— Qu'est-ce qui lui a fait penser que ce pouvait être Carvell ? Avait-il assez d'éléments en main pour l'arrêter ? Tu te souviens ? Ce majordome était un porc ! Il se peut qu'il ait eu des tas d'ennemis. Tu sais... si tu ne m'en avais pas empêchée, je l'aurais fait renvoyer !

— N'exagère pas. Certes, il était arrogant...

— Il a renvoyé cette petite bonne parce qu'elle chantait ! protesta Emily, rageuse. J'appelle cela de la cruauté gratuite ! Il usait de son autorité pour humilier les autres, c'est impardonnable. Je n'aurais pas été jusqu'à lui souhaiter de se faire couper la tête, mais puisque c'est arrivé, je ne peux pas dire que je le regrette.

À ce moment, Pitt les rejoignit, porteur d'une assiette de canapés et de pâtisseries destinée à Charlotte. Il avait entendu la dernière remarque d'Emily.

— Tiens, voilà un suspect auquel je n'avais pas songé ! plaisanta-t-il d'un air amusé, avant de retrouver son sérieux. Félicitations, Emily. Je suis ravi pour vous deux. J'espère qu'une belle carrière va s'ouvrir devant Jack.

À l'autre bout du grand salon fusèrent des éclats de rire et des cris joyeux.

— Je l'espère, répondit Emily, avec plus de détermination que de conviction. Qui suspectez-vous ? enchaîna-t-elle en sautant du coq à l'âne. Selon vous, la mort du receveur de l'omnibus est-elle liée à celle des autres victimes ?

Pitt haussa les sourcils.

— Pourquoi cette question? Vous, vous avez une petite idée derrière la tête...

Charlotte prit l'assiette des mains de Pitt.

— C'était peut-être un goujat, comme celui qui m'a fait descendre de l'omnibus l'autre jour, dit-elle avec une rage soudaine. Ah, celui-là, si on lui avait coupé la tête, je ne l'aurais pas regretté!

— Mais de qui parles-tu? fit Emily, interloquée.

Charlotte hésita à narrer l'anecdote à Emily, puis se dit que la meilleure solution était de prendre la chose avec légèreté. Elle ne trouvait cependant pas de mots assez forts pour décrire la profonde humiliation qu'elle avait ressentie ce jour-là.

Emily attendait. Pitt regardait Charlotte avec un soudain intérêt, comme si l'histoire avait pris une importance nouvelle.

— Ce sale bonhomme... a refusé que je monte dans l'omnibus avec mes coussins enveloppés dans un drap. Il croyait que c'était du linge à laver.

Emily éclata de rire.

— Désolée! s'excusa-t-elle. Vraiment je...

Le reste de la phrase se perdit dans un gloussement joyeux, tandis qu'elle s'imaginait la scène.

— Il était tellement suffisant et imbu de lui-même! poursuivit Charlotte, indignée. J'aurais donné cher pour rabattre son caquet! Si tu avais entendu comment il parlait au vieux monsieur venu me soutenir! C'est incroyable.

Voyant Pitt perdu dans ses pensées, elle s'emporta.

— Vous n'écoutez pas! Vous pensez que je me suis comportée d'une manière ridicule!

— Pas du tout. Je réfléchissais. Vous avez réagi comme l'auraient fait la majorité des gens...

— Mais justement, je n'ai pas réagi! s'insurgea-t-elle. Et je le regrette! Sur le moment, je n'ai pas trouvé de repartie appropriée.

Pitt hocha la tête.

— C'est bien ce qui m'intéresse. Vous êtes rentrée à la maison, furieuse, mais vous n'avez rien fait.

Charlotte commençait à comprendre où il voulait en venir.

— Vous voulez dire que pour l'autre receveur... Non... c'est absurde ! Personne n'irait décapiter...

— C'est peut-être une idée stupide, mais je dois chercher dans toutes les directions. Il y a sans doute une meilleure raison, d'ordre privé, mais à défaut...

Il se tourna vers Emily, qui l'écoutait avec intérêt.

— Parlons d'autre chose ! Nous sommes ici pour fêter la victoire de Jack. Quand va-t-il occuper son nouveau siège ? Sur quoi portera son premier discours, y a-t-il déjà pensé ? J'espère que ce n'est pas pour tout de suite, si le thème en est toujours la police.

Emily se mit à rire. Leur conversation tourna autour de la politique, de l'avenir, des convictions et des espoirs de Jack.

Ce ne fut qu'une heure plus tard, quand Charlotte se retrouva un moment seule avec Pitt, qu'elle aborda à nouveau le sujet du Bourreau. En dépit du réel bonheur que lui procurait la victoire électorale de son beau-frère, elle se rendait bien compte que la situation de Pitt ne s'arrangeait pas. Sa récente promotion était maintenant sérieusement menacée.

— Qu'allez-vous faire ? demanda-t-elle à mi-voix. Si l'assassin n'est pas Carvell, qui cela peut-il être ?

— Je ne sais pas. Peut-être Bart Mitchell. Il avait de bonnes raisons de se débarrasser de Winthrop, et même d'Arledge, s'il avait mal compris ses intentions à l'égard de Mina. Mais je ne vois pas pourquoi il aurait tué le receveur et le majordome. Ce doit être un homme violent, marqué par sa vie en Afrique, où la vie et la mort...

Il n'acheva pas sa phrase.

— Thomas, vous n'avez pas l'air convaincu !

Il salua une connaissance qui passait à côté de lui, puis poursuivit :

— L'explication n'est pas très satisfaisante, en effet. Nous ne connaissons pas la date exacte de son retour d'Afrique. Peut-être n'a-t-il découvert la véritable nature de son beau-frère que récemment. Mina a tellement honte qu'elle fait tout pour que cela ne se sache pas. Elle pense que ce qui lui est arrivé est sa propre faute.

Sa voix se fit dure et coléreuse.

— J'ai déjà vu des femmes battues. Elles se sentaient toujours coupables. Il y a des années, quand je n'étais qu'un simple agent, j'ai souvent été appelé à intervenir dans des querelles domestiques. Je trouvais des femmes en sang, à moitié inconscientes, mais cependant convaincues que c'étaient elles les coupables et non leur mari. Elles avaient perdu tout espoir, toute dignité. En général, la boisson y était pour beaucoup... le whisky, surtout.

Charlotte le regardait fixement. La vision d'un monde terrible et inconnu s'ouvrait devant elle. Elle se souvint de la honte de Mina, de son manque d'assurance.

— Mais cela n'explique pas pourquoi Bart Mitchell aurait tué Arledge, reprit Pitt, pensif. Sauf si Mina, ayant découvert qu'il était l'assassin de Winthrop, ne l'avait involontairement révélé au chef d'orchestre.

— Pourquoi pas ? Mais le majordome et le receveur ? Scarborough aurait-il essayé de faire chanter Carvell s'il pensait qu'il avait tué Arledge ? Carvell aurait alors décidé de le faire taire, car il n'avait aucun moyen de prouver son innocence...

Pitt sourit.

— Un peu tiré par les cheveux, hélas. J'ai demandé à Bailey de s'assurer à nouveau que Jerome Carvell était bien au concert. J'ai besoin de preuves irréfutables.

— Si je comprends bien, vous ne croyez pas Carvell coupable, mais vous n'en mettriez pas votre main au feu. Vous savez, Scarborough était un ignoble individu. Il a renvoyé une petite bonne parce qu'elle chantonnait. C'était d'autant moins excusable qu'un majordome sait ce que coûte un renvoi. Sans lettre de références, une bonne ne peut prétendre à un autre emploi de domestique. C'est comme cela que l'on se retrouve sur le trottoir ! conclut-elle, révoltée.

Pitt posa une main apaisante sur son bras.

— Heureusement, ajouta-t-elle, Emily s'est proposée de la reprendre. Mais cela ne change rien au problème, Scarborough ne pouvait pas le savoir. Et si Emily ne s'était pas trouvée là au bon moment, elle ne l'aurait pas engagée. Cet homme était un vilain personnage !

Pitt fronça les sourcils.

— Il a fait ça en public ?

— Non... Oui, enfin, plus ou moins. La scène s'est passée dans un coin du grand salon, près de l'endroit où Victor Garrick était assis avec son violoncelle, attendant de jouer.

Il hocha la tête.

— Vous avez raison. Pareil individu était capable d'exercer un chantage...

L'arrivée d'Emily, dans un tourbillon de soie verte, les interrompit.

— Maman n'est toujours pas là, s'inquiéta-t-elle. Ce n'est pas gentil de sa part. On dirait qu'elle ne s'intéresse qu'à elle en ce moment ! Puisque Jack a gagné, je pensais qu'elle viendrait au moins le féliciter.

Elle refusa d'un geste de la main le champagne qu'un valet lui proposait.

— La soirée n'est pas finie, fit Pitt avec un sourire qui se voulait rassurant.

Puis il s'excusa auprès d'elle et alla rejoindre Landon Hurlwood. Ce dernier, qui avait soutenu la candidature de Jack, était venu célébrer sa victoire. Très détendu, il passait d'un groupe à l'autre, échangeant des propos optimistes quant à l'avenir politique du pays. Sous la lumière des lustres, ses cheveux gris foncé luisaient comme de l'étain.

— Il nous a beaucoup aidés, dit Emily qui le regardait

saluer Pitt avec un plaisir évident. Un homme bien. Je le vois aujourd'hui plus heureux qu'il ne l'a jamais été depuis le décès de son épouse. Moi qui la prenais pour une malade imaginaire. Il semble que je me sois trompée, car elle est morte de consomption. Je me sens très coupable.

— Il y a de quoi ! commenta Charlotte.

Emily lui lança un regard aigu.

— Je ne t'ai pas demandé d'être d'accord avec moi ! Phtisique ou pas, elle était mortellement ennuyeuse.

— Avant de tomber malade, elle ne l'était peut-être pas, souligna Charlotte.

— Toi, tu as décidé de me contrarier, plaisanta Emily, avant de redevenir sérieuse. Dis-moi, es-tu inquiète pour Thomas ? On ne peut attendre de lui qu'il résolve tous les crimes ! Ce n'est pas de son fait si l'Éventreur court toujours, il me semble.

— Oui, mais le ministère ne voit pas les choses sous cet angle. Et, cette fois-ci, je ne lui ai été d'aucune aide. Je ne sais pas par où commencer ! J'ai beau chercher, je ne vois pas de suspect, si l'assassin n'est pas Mr. Carvell.

— Moi non plus. J'essaie d'imaginer les mobiles du tueur. À mon avis, la folie n'est pas une réponse...

À ce moment, il y eut un brouhaha à l'entrée de la salle. On s'écarta pour laisser passer une vieille dame qui s'appuyait lourdement sur sa canne.

— Mon Dieu ! Grand-Maman ! s'exclama Emily, médusée, cherchant aussitôt des yeux Caroline dans les parages, mais elle ne vit personne.

Les deux sœurs allèrent au-devant de l'aïeule, impressionnante dans sa robe de veuve à la volumineuse tournure, et dont le bas était décoré de perles de jais. Elle portait aussi des boucles d'oreilles en jais ; et, une fois n'étant pas coutume, sur son visage la curiosité l'emportait sur les marques habituelles de mauvaise humeur.

— Quel plaisir de vous voir, Grand-Maman ! dit

Emily, prenant l'air le plus enthousiaste qu'elle pût. Je suis si contente que vous soyez là !

— Je suis venue parce qu'il fallait que je sache ce que vous manigenciez ! Un député, voyez-vous cela ! renifla-t-elle. Je ne sais si je dois m'en réjouir. Faire partie de ceux qui nous gouvernent n'est pas en soit une fonction très respectable.

Elle embrassa la salle du regard, s'attardant sur les bijoux, les coupes de cristal, les plateaux d'argent portés par de nombreux valets en livrée.

— Un peu voyant, non ? Se mettre ainsi en avant n'est pas digne d'un gentleman.

— Et par qui devrions-nous être gouvernés ? demanda Emily, le feu aux joues. Par des hommes qui ne sont pas des gentlemen ?

— Il ne s'agit pas de cela, dit la vieille dame, dont la logique n'était pas la principale qualité. Les vrais gentlemen à qui sont naturellement dévolus des postes de gouvernement n'ont pas besoin de se faire élire. Par leur naissance, ils ont des sièges à la Chambres des lords, comme il se doit. Grimper sur des tréteaux au coin de Hyde Park afin d'inciter les gens à voter pour vous est une autre affaire, plutôt vulgaire, si tu veux mon avis.

Emily ouvrit la bouche, puis se ravisa.

— Vous êtes un peu démodée, Grand-Maman, s'interposa Charlotte. Mr. Disraeli a bien été élu, et la reine l'a approuvé.

— Mr. Gladstone également, et elle ne l'a pas fait ! la coupa la vieille dame d'un ton jubilatoire.

— Ce qui prouve qu'être élu n'a rien à voir avec la naissance, ni avec la reine, conclut Charlotte. Mr. Disraeli était très intelligent.

— Mais il manquait de distinction ! rétorqua l'aïeule. Il portait d'horribles gilets, parlait beaucoup trop et trop souvent. Aucun raffinement. Je l'ai rencontré une fois, tu sais. Non, tu ne le savais pas, évidemment. Grossier personnage, incapable de tenir sa langue. Il se trouvait drôle, par-dessus le marché !

— Ne l'était-il pas?

— Si, je suppose que si. Mais quel rapport?

Les deux sœurs échangèrent un regard entendu et décidèrent d'abandonner le sujet.

— Où est Maman? demanda Charlotte, qui regretta aussitôt sa question.

Grand-Maman haussa un sourcil furieux.

— Grand Dieu, ma fille, comment le saurais-je? En train de danser quelque part, j'imagine. Elle est folle.

Tout en parlant, elle n'avait cessé d'observer le tourbillon des toilettes colorées des femmes vêtues de robes étroites aux larges épaules agrémentées de ruchés, de petits nœuds ou de plumes, aux coiffures ornées de parures de diamants, de perles, d'aigrettes, d'épingles, de tiares et de fleurs.

— Qui donc sont ces personnes? demanda-t-elle à Emily. Je n'en connais aucune. Tu devrais me présenter. Je te dirai qui je veux rencontrer. À propos, où est ton mari? Pourquoi n'est-il pas à tes côtés? J'ai toujours dit qu'il ne sortait rien de bon d'un homme dont la principale préoccupation est votre argent et qui n'est même pas de bonne famille. Personne n'a jamais entendu parler de Jack Radley!

— Dorénavant, on en entendra parler, Mrs. Ellison, fit la voix de Jack, qui surgit derrière elle, souriant comme s'il était ravi de la voir.

Elle eut l'élégance de rougir, marmonna quelque chose d'inaudible, puis s'adressa à Charlotte:

— Tu aurais pu me dire qu'il était là, idiote!

— J'ignorais que vous vous montreriez si agressive, sinon je l'aurais fait! chuchota Charlotte.

— Quoi? Cesse de marmotter, je ne t'entends pas. Pour l'amour du ciel, parle avec clarté. Ta mère t'a payé des cours de diction et de maintien quand tu étais jeune. Elle aurait mieux fait de garder son argent.

Elle sourit à Jack.

— Félicitations, mon garçon! J'ai cru comprendre que vous aviez gagné quelque chose.

Il se pencha vers elle et lui offrit son bras.

— Merci, Grand-Maman. Puis-je vous présenter à quelques personnes qui sans aucun doute aimeraient faire votre connaissance?

Elle accepta et, tête haute, sans un regard en arrière, elle fit tourner sa jupe d'un seul mouvement et s'éloigna majestueusement.

— Si on lui avait coupé la tête, je n'aurais pas été étonnée, dit Emily entre ses dents.

— Et je n'aurais dénoncé personne à la police! gloussa Charlotte.

Son regard croisa alors celui de sa sœur. Elle vit que la même idée leur était venue, au même moment.

— Crois-tu... commença Emily. Non, ajouta-t-elle sans grande conviction, répondant elle-même à sa question. Crois-tu vraiment que quelqu'un connaît le Bourreau et le protège?

— Je ne sais pas. Imagine que ce soit quelqu'un que l'on aime, un mari, un frère?

D'horribles pensées lui traversèrent l'esprit.

— Comment peut-on supporter l'idée qu'un proche a commis pareil crime? On ne peut prétendre que l'on n'est pas concerné par ses actes. Et s'il l'a fait, s'il a perdu l'esprit, on est soi-même touché par cette folie.

— Non! Tu ne peux blâmer...

— N'as-tu pas été gênée par les commentaires de tes amies quand Maman a été vue en compagnie de Joshua?

— Oui, mais c'est différent...

Emily chercha à la contredire mais se rendit bien vite à l'évidence.

— Je vois ce que tu veux dire. On peut avoir l'impression, même en étant totalement innocent, d'avoir participé à quelque chose d'abominable, et refuser d'y croire, jusqu'à ce que l'on se trouve confronté à l'irréfutable réalité. C'est horrible!

— Prenons l'exemple de Mina, expliqua Charlotte. Elle pourrait chercher à protéger son frère, s'il a tué Winthrop pour la protéger, elle.

— Je ne vois pas qui d'autre cela pourrait être, dit Emily, réfléchissant à voix haute. Mr. Carvell n'est pas marié, et personne ne sait rien sur le receveur de l'omnibus.

— Crois-tu que Mrs. Arledge sait quelque chose ? s'enquit Charlotte, pensive.

Elle se jugeait mesquine de mentionner Dulcie Arledge à ce propos. Pitt avait une telle admiration pour elle !

— Voyons, si elle avait la moindre idée, elle en aurait parlé à Thomas ! Je suppose qu'elle a hâte de savoir l'assassin de son mari sous les verrous. Ainsi, elle sera débarrassée de la police et pourra continuer à vivre sa vie discrètement.

Charlotte écarquilla les yeux.

— Discrètement ? Elle aurait donc quelque chose à cacher ?

— Oh, ce que tu peux être aveugle, parfois ! Dulcie a un admirateur, c'est évident. Tu ne t'en es pas aperçue ?

— Non ! Qui est-ce ? En es-tu sûre ? Et d'abord, comment le sais-tu ?

— Mon petit doigt me dit qu'il existe. C'est évident. Tu n'as rien remarqué ?

— Remarqué quoi ?

— Oh, pour l'amour du ciel, Charlotte ! Les petits détails de sa toilette : la jolie broche de deuil, les dentelles, la taille bien prise, les emmanchures en pointe — la toute dernière mode. Et son parfum, l'as-tu senti ? Elle aime être observée et, même lorsqu'elle ne s'adresse à personne en particulier, elle affiche un calme, une assurance paisible... comme si elle gardait pour elle quelque chose de très secret et de très agréable. Vraiment, Charlotte, si tu ne sais pas reconnaître une femme amoureuse, tu ne feras jamais un bon détective. Je dirais que tu manques d'intuition !

— J'ai bien remarqué tout cela ! protesta Charlotte. Mais je le mettais sur le compte de... Je ne sais pas, moi ! Du courage !

Emily adressa un signe de la tête à une relation qui avait fait campagne pour Jack, puis poursuivit :

— Je ne doute pas de sa force d'âme. Mais reconnais que ce n'est pas le courage qui donne à une femme cet air de satisfaction intérieure, qui la fait sourire sans raison, vérifier son apparence dans les miroirs et la pousse à toujours paraître à son avantage au cas où elle rencontrerait par hasard l'élu de son cœur.

— Mais où et quand l'as-tu observée avec autant d'attention ? s'étonna Charlotte. Moi, je ne l'ai vue qu'au service funèbre.

— Je n'ai pas eu besoin de la regarder longtemps pour m'en apercevoir. Tu devais avoir la tête ailleurs ! À quoi pensais-tu donc ?

Charlotte rougit au souvenir de la pointe de jalousie qu'elle avait éprouvée en rencontrant Dulcie Arledge. Elle préféra changer de sujet.

— Crois-tu que l'assassin pourrait être Bart Mitchell ? Est-il le personnage central de l'affaire ?

— Nous commencerons l'enquête dès demain matin, lui promit Emily. En attendant, réfléchissons chacune de notre côté et...

L'arrivée inopinée de Caroline et Joshua l'empêcha de terminer sa phrase. Ils avaient revêtu tous deux une tenue appropriée à la soirée et paraissaient particulièrement heureux.

— Oh, Dieu merci, la voilà ! s'exclama Emily, soulagée. Je commençais à me dire qu'elle ne viendrait pas.

Elle s'avança vers sa mère, Charlotte sur les talons.

— Félicitations, ma chérie ! s'écria Caroline en embrassant Emily sur la joue. Je suis ravie pour vous deux. Je suis certaine que Jack sera parfait ! Dieu sait qu'il y a beaucoup à faire. Où est-il, que je le congratule ?

— Là-bas. Il parle à Sir Arnold Maybury.

Joshua Fielding attendait, un léger sourire aux lèvres. C'était un homme plein de charme, aux traits mobiles et expressifs.

— Je suis contente que vous soyez venu, Mr. Fielding, reprit Emily. Jack sera heureux de vous voir.

— Il ne pouvait que venir, dit Caroline, avec un curieux sourire.

Elle leva vers Joshua un visage soudain empourpré.

Emily ne s'aperçut de rien, mais Charlotte avait remarqué l'embarras de sa mère.

— Maman ? Que se passe-t-il ?

Emily lui lança un regard agacé, jugeant la question stupide, et s'apprêtait à faire une remarque impatiente, quand elle se rendit compte que quelque chose lui avait échappé. Elle tourna vers les nouveaux venus un regard interrogateur.

Caroline prit une profonde inspiration et murmura, sans regarder ses filles :

— Nous venons de nous marier.

Emily parut foudroyée.

Au moment où Charlotte ouvrait la bouche pour les féliciter, elle sentit sa gorge se serrer et les larmes lui monter aux yeux.

Joshua prit Caroline par la taille. Il souriait toujours, mais on lisait dans son regard une farouche détermination.

Ce fut malencontreusement l'instant que choisit Jack pour revenir, Grand-Maman à son bras. Celle-ci tenait une coupe de champagne. Il se rendit compte qu'il arrivait au milieu d'une scène de famille d'une intense émotion. Il se tourna vers Joshua.

— Félicitations, dit paisiblement ce dernier en lui serrant la main. C'est une belle victoire, qui est de bon augure pour nous tous. Je vous souhaite une longue carrière, riche en succès, pour notre bien autant que pour le vôtre.

— Merci, Mr. Fielding.

Jack prit au vol un verre de champagne sur le plateau d'un valet qui passait près d'eux.

— Je porte un toast à l'avenir !

— À l'avenir de tous, ajouta Emily, en regardant Jack. À celui de Maman et de Joshua. Nous devons les féliciter et leur souhaiter tout le bonheur possible.

Jack ouvrit de grands yeux.

— Ils viennent de se marier, précisa Emily.

Grand-Maman, occupée à boire une gorgée de champagne, manqua s'étouffer. La fureur étincela dans ses yeux ; son visage se congestionna. Mais comment rester digne en postillonnant ? Emily voulut bien faire. Elle prit un mouchoir dans la poche de veston de Jack et essuya la robe de sa grand-mère. Son geste ne fit qu'aggraver la situation. La vieille dame ne vit plus qu'une issue pour ne pas perdre la face : elle fit mine de s'évanouir et se laissa choir sur le parquet, entraînant presque Jack dans sa chute.

Elle fut aussitôt le centre d'attention de tous. Les invités se précipitèrent vers elle.

— Oh, mon Dieu, la pauvre ! fit un homme atterré. Il faut l'aider ! Des sels, vite !

— Est-elle malade ? demanda une voix inquiète. Faut-il aller chercher un docteur ?

— Ce ne sera pas nécessaire, expliqua Emily. Je vais faire brûler une plume sous son nez.

Elle fit signe à un valet d'approcher et l'envoya en chercher une à la cuisine.

— Pauvre femme, fit une invitée. Être malade en public, et si loin de chez soi, quelle pitié !

— Elle n'est pas malade, corrigea Emily.

— Elle est saoule, renchérit méchamment Charlotte, furieuse que sa grand-mère ait volé la vedette à Caroline qui, le jour de son mariage, aurait dû être le centre de toutes les attentions.

Elle baissa les yeux et vit la vieille dame serrer les dents avec rage. Elle en ressentit, il fallait bien le dire, une certaine satisfaction.

La compassion qu'avait éprouvée l'autre dame disparut aussitôt. Elle recula d'un pas, l'air dégoûté.

— Vous devriez l'emmener, dit Charlotte à Jack. Un des valets va vous aider. Allongez-la sur un canapé, puis que quelqu'un la ramène chez elle dès qu'elle se sentira en état de marcher.

— Ce ne sera pas moi, décréta Caroline. D'ailleurs, je ne rentre pas ce soir. C'est ma nuit de noces.

— Bien entendu, ce ne sera pas vous, reprit Charlotte, qui se tourna vers Emily.

— Oh, non !

Emily recula, le visage défait.

Le valet revint avec une plume qui se consumait déjà et la lui donna. Elle le remercia, l'agita sous le nez de Grand-Maman, qui inspira, toussa et resta obstinément allongée sur le plancher, les yeux fermés.

Jack et le valet durent unir leurs forces pour la soulever. Ce ne fut pas une mince affaire, car la vieille dame était lourde et faisait la morte ! Une fois ses jupes correctement arrangées, ils la prirent chacun sous un bras et la conduisirent vers une autre pièce. Ce qui n'empêcha pas Grand-Maman, quand elle passa près de Charlotte, d'essayer de lui donner un méchant coup de pied dans la cheville.

— Je refuse de la garder sous mon toit, déclara Caroline à voix haute. Elle a de toute façon juré qu'elle n'y resterait pas si je me déshonorais à ses yeux. Eh bien voilà, c'est fait. Désolée, ma chérie, ajouta-t-elle à l'adresse d'Emily, mais je crois que c'est toi qui vas lui offrir une nouvelle demeure. Charlotte n'a pas assez de place chez elle.

— Et quand bien même je l'aurais ! éclata cette dernière. Si elle ne veut pas vivre sous le même toit qu'un acteur, elle ne vivra pas non plus sous celui d'un policier, Dieu merci !

— Eh bien, je vois que le fait de gagner une élection est une victoire à double tranchant, soupira Emily, lugubre. Enfin, Ashworth House est assez grande pour l'oublier... la plupart du temps. Oh, Maman ! Je vous souhaite tout le bonheur possible, mais vraiment aviez-vous besoin de me faire une chose pareille ?

Sammy Cates aimait se lever tôt. Pour lui les premières heures du jour étaient porteuses de promesses ; et il aimait la solitude, non par misanthropie, mais parce qu'il était heureux de laisser vagabonder son imagination et de rêver en paix. La veille au soir, il était allé au music-hall écouter Marie Lloyd, habillée d'une manière extravagante mais qui chantait des chansons populaires à mourir de rire. Il en souriait encore, rien que d'y penser.

Il quitta le petit deux-pièces où il vivait avec sa femme, ses enfants et son beau-père, et marcha d'un pas vif en direction de l'avenue, déjà très animée, où circulaient les brouettes de marchands de quatre-saisons se rendant au marché ou les carrioles des commis allant livrer des marchandises aux belles demeures proches de Hyde Park. Sammy Cates passait par là tous les jours à la même heure. La plupart des gens le saluaient de la main ou l'interpellaient par son nom. Il hochait la tête ou faisait un geste pour leur rendre leur salut, mais ses pensées retournaient à la soirée de la veille.

Il marchait vite, parce qu'il devait arriver devant les grilles du parc à temps pour s'assurer qu'il n'y avait pas de détritus ou de saletés risquant de gêner ou de choquer les passants des beaux quartiers. Ensuite, il attaquerait son travail quotidien. Balayer les allées, tondre les pelouses, tailler les arbustes, n'étaient pas en soi des tâches bien passionnantes, mais il fallait reconnaître qu'il n'y avait là rien de très pénible. Il aimait travailler au soleil levant, dans une solitude totale. Voilà pourquoi il souriait en traversant Park Lane et en entrant dans le parc.

C'était une belle journée de printemps, la rosée étincelait encore sur les herbes et les buissons. Sammy commença sa chasse aux détritus. Là, une personne négligente avait laissé traîner une bouteille dans l'allée. Quel manque de considération pour les autres ! Elle aurait pu se casser et quelqu'un, en particulier un enfant, se blesser sur ses éclats.

Alors qu'il se penchait pour la ramasser, il aperçut un pied chaussé sous un buisson, puis une jambe, puis la semelle d'une autre chaussure.

Oubliant la bouteille, Sammy s'avança avec précaution. Il avala sa salive en se disant qu'il s'agissait certainement d'un poivrot, mais... Depuis la découverte de la première victime décapitée, il appréhendait de faire lui aussi une macabre trouvaille, sans toutefois trop y croire. Le cœur battant, la bouche sèche, il saisit la forme allongée par les chevilles et la tira vers lui.

L'homme portait un pantalon de couleur foncée, noire ou bleu marine, difficile à déterminer à cause de l'humidité. Lorsque le haut du corps commença à apparaître, Sammy eut tellement peur qu'il le lâcha et recula en titubant. Un policier! La tunique de l'uniforme, avec ses boutons d'argent, ne laissait aucun doute là-dessus.

— Oh mon Dieu, mon Dieu! gémit-il. Ce n'est pas un ivrogne! Encore un coup du Bourreau.

Il hoqueta, regrettant d'avoir bougé le corps. Peut-être allait-on le lui reprocher. Il recula encore, trébucha sur la bouteille et tomba assis sur le sol pierreux, ce qui acheva de lui couper le souffle.

Il jeta un coup d'œil à la forme allongée dans la pénombre du buisson. Oui, c'était bien un roussin. Jusqu'où montait la rangée de boutons?

Rampant à quatre pattes vers le corps, et sans trop réfléchir, Sammy recommença à tirer, jusqu'à ce qu'émergent le buste, le cou... et enfin... la tête. La tête! Il était entier!

Sammy se laissa tomba en arrière, tremblant de soulagement. Quel idiot! Son imagination lui avait joué un vilain tour. Le Bourreau, parlons-en! Un roussin n'aurait pas pu se saouler, comme tout le monde?

Il s'agenouilla et se pencha sur l'homme pour constater son état d'ivresse. Le visage était très pâle, presque blanc. Comme s'il était mort!

— Oh, mon Dieu, mon Dieu !

Avec réticence, il effleura la joue du policier du revers de la main. Il eut un haut-le-cœur. Elle était froide.

Il desserra le col de la tunique et glissa sa main sous les vêtements. La peau était tiède. Vivant ! Dieu soit loué, il était vivant !

Mais il eut beau scruter le visage, il ne distingua aucun frémissement sous les paupières. Si l'homme respirait, c'était trop légèrement pour qu'on puisse en être sûr. Il avait besoin d'un médecin, d'urgence.

Sammy se leva d'un bond, partit d'un pas rapide, puis, après quelques secondes de réflexion, se mit à courir éperdument.


— Comment ?

Pitt regardait Tellman qui se tenait debout devant son bureau, l'air sinistre, avec néanmoins, une petite lueur victorieuse dans son regard.

— Oui, Bailey, répéta Tellman. Un des gardiens du parc l'a trouvé ce matin, vers six heures. On l'a assommé et caché sous des buissons.

Pitt se sentit envahi par une nausée faite d'un mélange de pitié et de culpabilité.

— Est-il gravement blessé ?

— Difficile à dire. Il est toujours inconscient. Tout est possible.

— Quel genre de blessures ?

Le son de sa voix était rauque, teinté de panique.

— On dirait qu'il n'a été frappé qu'à la tête.

— Des témoins ? Quelqu'un sait-il ce qui s'est passé ?

— Non. Sauf que bien sûr tout porte à penser qu'il s'agit du Bourreau. Bailey n'était pas de service dans Hyde Park ou ses environs. Il s'occupait de vérifier si oui ou non Carvell était bien au concert le soir de la mort du receveur. C'est vous-même qui le lui aviez demandé.

Il lança à Pitt un regard accusateur.

— On dirait qu'il a trouvé la réponse, finalement...

Que dire à cela?

— Où peut-on le voir? demanda Pitt en se levant.

— Au Samaritan Free Hospital, à Manchester Square. Le plus proche de l'endroit où on l'a retrouvé.

Il inspira profondément et lâcha :

— Dois-je retourner arrêter Carvell?

— Non. Pas tant que je n'ai pas vu Bailey.

— Il ne peut pas vous parler.

Pitt ne prit pas la peine de répondre. Sans regarder Tellman, il sortit du bureau tête nue et sans manteau, dégringola l'escalier, passa l'homme de garde sans dire où il allait et se retrouva dehors. Il lui fallut cinq minutes pour trouver un cab qui puisse l'emmener à Manchester Square.

Il se sentait honteux. Il n'y avait pour ainsi dire plus de doute : Carvell était coupable. C'était sa présence, ou son absence, au concert que Bailey était en train de vérifier. Cette idée lui était pénible. Il éprouvait du respect pour Jerome Carvell, il compatissait à son chagrin dont il continuait à penser qu'il était authentique. À cette désillusion s'ajoutait une terrible sensation d'échec personnel.

Il se sentait responsable de la blessure de Bailey, et, s'il mourait, de sa mort.

Comment avait-il pu être aussi stupide, aussi inconscient? Même à cette minute, il n'arrivait pas à voir les choses clairement. Mais les preuves étaient là. Il ne pouvait se soustraire à l'évidence.

Le cab fit halte devant l'hôpital. Pitt dit au cocher de l'attendre. À l'intérieur de l'établissement, il trouva la salle où Bailey était allongé, livide et immobile. Il portait une chemise de nuit en toile de coton rugueuse et on l'avait couvert d'un drap et d'une couverture de laine grise. Près de son grabat se tenait un jeune médecin qui réfléchissait, front soucieux, lèvres serrées.

— Comment va-t-il? demanda Pitt, redoutant d'entendre la réponse.

L'homme de l'art le regarda avec lassitude.

— Qui êtes-vous?

— Commissaire Pitt, de Bow Street. Comment va-t-il?

Le médecin secoua la tête.

— Difficile à dire. Il n'a pas bougé depuis qu'on l'a amené ici, mais la température est enfin remontée. La respiration est presque normale. Le cœur bat avec force.

— Va-t-il s'en remettre?

— Je ne peux rien vous dire. C'est possible.

— Quand sera-t-il en état de parler?

Le médecin regarda enfin Pitt.

— Je ne sais pas, commissaire. Je ne suis pas sûr qu'il retrouvera l'usage de la parole. Et même dans ce cas, il est possible qu'il ne se souvienne de rien. Son cerveau pourrait être atteint. Il faut vous préparer à cette éventualité. Si j'étais vous, je continuerais mon enquête sans tenir compte de son témoignage.

— Je vois. Faites pour lui tout ce qui est possible, docteur. Ne vous souciez pas du coût des soins.


Pitt partit encore plus misérable, découragé, se sentant profondément coupable. De retour à Bow Street, il trouva Giles Farnsworth dans son bureau, très nerveux, les poings crispés.

— Vous avez libéré Carvell, grinça-t-il. Et voilà qu'il a à moitié tué un de nos hommes...

Il fit quelques pas vers la cheminée et se retourna.

— J'ai toujours pensé que ce poste était au-delà de vos capacités, mais Drummond a insisté. Il a eu tort. C'est la plus grave erreur de jugement qu'il a commise dans sa carrière. Désolé, Pitt, mais nous ne pouvons que constater votre incompétence. Vous êtes démis de vos fonctions. Vous terminerez le travail de fond de cette affaire, puis vous retournerez à votre rang précédent. Vous changerez de commissariat. Nous verrons cela plus tard. Vous irez quelque part en banlieue.

Et, sans attendre une réponse de Pitt, il se dirigea vers la porte, puis s'arrêta un instant, la main sur la poignée.

— J'ai dit à Tellman d'arrêter Carvell. Ce doit être fait, à l'heure qu'il est. Commencez à réunir les preuves à charge pour le procès. Quand vous aurez terminé, vous prendrez quelques jours de congé. Au revoir.

## 11

Charlotte fut catastrophée en apprenant la nouvelle.
Son esprit avait été tellement occupé par les travaux de
la nouvelle maison, la vente de l'ancienne, la candidature
de Jack aux législatives, l'aventure amoureuse de sa
mère et maintenant son mariage ! Jamais elle n'aurait
imaginé que Pitt pût être relevé de ses fonctions.

Elle souffrait pour lui et enrageait de le voir traité de
façon aussi injuste. Et elle s'inquiétait aussi pour l'avenir. Qu'allaient-ils devenir ? Comment paieraient-ils les
traites de la nouvelle maison ? Il était trop tard pour
retourner dans l'ancienne, puisqu'elle était vendue.

Toutes ces interrogations la tarabustaient et elle savait
que cela se lisait sur ses traits. Elle n'avait jamais vraiment réussi à masquer ses sentiments, mais elle fit de son
mieux pour les dissimuler alors qu'elle sentait le sang
refluer de son visage, son estomac se nouer et le froid
l'envahir.

— Nous nous débrouillerons, fut tout ce qu'elle parvint à articuler d'une voix sourde.

Pitt la regarda, très pâle lui aussi, les yeux battus.

— Bien sûr, murmura-t-il, sans savoir comment, en
vérité, ils le feraient.

L'idée de reprendre son métier d'inspecteur, dans un
commissariat de lointaine banlieue, était démoralisante.
Il préférait ne pas y penser. Le moment viendrait assez

tôt où il faudrait affronter la réalité. Ce jour-là, il serait bien obligé de s'y résigner.

Peut-être réussirait-il à convaincre Farnsworth de le muter au commissariat central. Ainsi, travaillerait-il dans un district familier et ne passerait-il pas la moitié de son temps en allers et retours d'omnibus. Car il n'aurait pas les moyens de se payer un cab tous les jours.

Ils restèrent tous deux longtemps silencieux, assis l'un près de l'autre. Finalement Charlotte sortit de sa torpeur et se leva pour aller activer le feu. Elle l'avait allumé avant l'arrivée de Pitt, non parce qu'il faisait froid, mais parce que le vacillement des flammes lui donnait l'impression de vivre dans un îlot douillet, loin du reste du monde.

— Carvell a-t-il reconnu les faits ?

Pitt revit le visage du prisonnier, pâle et effrayé, lorsqu'on l'avait entraîné vers sa cellule, et la supplication muette qu'il avait lue dans ses yeux.

— Non, il a nié de toutes ses forces.

— Vous le croyez innocent, n'est-ce pas ?

Il resta un long moment à réfléchir, troublé, mais sa voix ne trembla pas quand il répondit :

— Oui. Je refuse de croire qu'il ait volontairement attenté à la vie d'Aidan Arledge. S'il l'avait tué au cours d'une crise de rage incontrôlée, son geste aurait fait de lui un homme brisé, ne cherchant pas à fuir ses responsabilités. En fait, je pense que, s'il l'avait fait, il aurait accepté le châtiment et serait même allé au-devant.

— Alors il faut trouver le coupable, Thomas ! On ne peut laisser pendre un innocent ! Si malin qu'il soit, le Bourreau a dû laisser une trace, un fil conducteur qu'il suffirait de découvrir pour qu'il nous mène à la vérité.

— L'idée est belle et bonne, mais figurez-vous que voilà des semaines que je me creuse la tête pour trouver ce fil ; or jusqu'à présent, j'en suis toujours au même point.

— C'est parce que vous êtes trop au cœur de

l'enquête. Vous considérez les détails au lieu d'avoir une vision d'ensemble. Qu'ont donc les victimes en commun?

— Rien, dit-il simplement.

— Impossible. Winthrop et Scarborough persécutaient leur entourage, et vous avez dit vous-même que le receveur était un peu trop zélé. Peut-être était-il tyrannique, lui aussi?

— Mais Aidan Arledge, au dire de tous, était un homme doux et courtois.

— En êtes-vous certain?

— Oui. Personne n'a jamais dit de mal de lui.

— Laissez-moi réfléchir...

Pitt attendit en silence.

— Serait-il possible, reprit-elle lentement, que trois meurtres aient été commis au hasard, dans le seul but de brouiller les pistes et masquer le seul crime important aux yeux de l'assassin?

Pitt secoua la tête.

— On a attiré Scarborough hors de chez lui pour le tuer. Cela ne relève pas du hasard. Yeats habitait loin de Hyde Park, à Shepherd's Bush. On ne sait toujours pas où Arledge a été assassiné. Quant à Winthrop, il canotait sur la Serpentine! Que faisait-il en bateau au milieu de la nuit en compagnie d'un inconnu? Même avec un ami, cela paraît difficilement imaginable.

— Le Bourreau le voulait à cet endroit précis pour pouvoir lui trancher la tête par-dessus bord.

— Mais comment l'a-t-il fait venir là-bas? Comment vous y prendriez-vous pour faire monter quelqu'un dans un canot en pleine nuit?

Charlotte prit une profonde inspiration.

— Eh bien, je dirais... je dirais que j'ai laissé tomber quelque chose dans l'eau, d'un pont, par exemple. Auparavant, j'aurais pris soin de laisser effectivement tomber un objet quelconque, je ne sais pas, moi, une paire de clés, un chapeau...

Pitt sursauta.

— Un chapeau!

— Oui, un chapeau, pourquoi pas?

— Un chapeau, répéta-t-il. On en a trouvé un lorsque l'on a dragué la Serpentine. Il n'appartenait pas à Winthrop. Personne n'a fait le rapprochement. C'est peut-être avec cette histoire de chapeau qu'on l'a attiré dans le bateau. Charlotte, vous êtes formidable!

Il se leva à son tour, la prit dans ses bras et la couvrit de baisers. Puis il se mit à arpenter le salon.

— Ça se tient, ça se tient, poursuivit-il, enthousiaste. Winthrop est marin. On fait donc appel à lui pour récupérer le chapeau avant qu'il ne coule. Le Bourreau peut prétendre ne pas savoir ramer — c'est le cas de beaucoup de gens —, il demande à Winthrop de l'aider. Celui-ci accepte. Tous deux montent dans le canot; le Bourreau désigne quelque chose dans l'eau, Winthrop se penche par-dessus le côté et...

Il fendit l'air, du tranchant de la main.

— Décapité.

— Et les autres? Et Arledge?

— Lui, c'est différent. Nous ignorons toujours l'endroit où il a été tué.

— Oui, mais Scarborough? Et le receveur d'omnibus? insista-t-elle.

— Scarborough est mort dans Hyde Park, lui aussi. L'abreuvoir de Rotten Row était plein de sang. Yeats a été décapité près du terminus de Shepherd's Bush, puis transporté en carriole jusqu'à Hyde Park.

Charlotte réfléchit.

— Ce qui laisse présumer qu'Arledge était la victime la plus importante... bien qu'il n'ait pas été tué le premier. Zut, je n'y comprends rien!

— Moi non plus. Mais assez pour aujourd'hui. Je reprendrai l'enquête demain, conclut Pitt en lui tendant la main. Venez vous coucher.

Le lendemain, Pitt ne se rendit pas à Bow Street — il n'avait aucune raison d'y aller. Il commençait à se faire une petite idée du mobile de l'assassin, mais ses impressions restaient à confirmer.

À l'heure du crépuscule, après une longue journée de réflexion, il décida d'aller interroger Victor Garrick. Il n'avait pas son adresse mais savait que Mina Winthrop la connaissait, et prit en conséquence l'omnibus pour Curzon Street.

— Monsieur? s'enquit la soubrette.

— Puis-je parler à Mrs. Winthrop?

— Oui, monsieur. Si vous voulez bien me suivre, je vais voir si elle peut vous recevoir.

L'on ne pouvait éviter cet inévitable rituel. Pitt entra dans le vestibule et attendit docilement.

Mina arriva quelques instants plus tard, ravissante dans une robe de mousseline lavande.

— Commissaire Pitt! Quelle coïncidence! Votre épouse nous a justement rendu visite cet après-midi! Elle tenait à me remercier des quelques conseils que je lui avais prodigués pour la décoration de votre nouvelle maison...

Elle paraissait avoir rajeuni de plusieurs années. Pitt ne reconnaissait plus la créature inquiète et effrayée qu'il avait rencontrée après la mort de son mari. Ses joues avaient repris des couleurs, son cou gracile n'était plus dissimulé sous des dentelles; sur son décolleté brillait un lourd collier de perles. Seules quelques légères traces de meurtrissures trahissaient encore son calvaire. Elle semblait avoir retrouvé tout son allant.

— Je suis désolé de vous déranger, Mrs. Winthrop, s'excusa Pitt, qui se demandait ce que Charlotte pouvait bien avoir en tête. Je sais que votre filleul, Victor Garrick, n'habite pas loin d'ici, mais je ne connais pas son adresse exacte, et...

— Oh, vous avez bien fait de venir, commissaire. C'est à deux portes d'ici, mais vous y seriez allé pour rien. Victor est ici avec nous.

— J'ai beaucoup de chance, en effet. Jugeriez-vous incorrect que je lui parle chez vous ? Je ne le retiendrai pas longtemps

— Bien sûr que non. Il se fera une joie de vous aider, j'en suis sûre, mais...

Elle fronça les sourcils.

— Mon frère m'a dit que vous aviez arrêté le meurtrier. Y a-t-il autre chose...

— J'ai besoin d'approfondir certains détails, afin qu'un avocat astucieux ne puisse nous prendre en défaut, mentit-il.

— Je vous en prie, suivez-moi, commissaire. Victor est venu jouer du violoncelle.

Précédant son visiteur, elle emprunta le couloir et le mena dans l'une des pièces les plus charmantes qu'il lui ait été donné de voir. Des portes-fenêtres ouvraient directement sur un clos fleuri. Les plantes avaient un feuillage de taille et de forme différente, mais leurs fleurs offraient toutes les nuances de blanc : roses blanches, lis crémeux, œillets mignardise, alysses, sceaux-de-Salomon et beaucoup d'autres encore dont Pitt ignorait le nom.

Les murs et les rideaux du salon étaient verts avec des motifs floraux blancs. Un grand vase empli de narcisses odorants était posé sur un guéridon. Les dernières lueurs de cette soirée printanière pénétraient par les portes-fenêtres, réchauffant la pièce et lui donnant pourtant l'illusion de fraîcheur d'un jardin.

Victor Garrick était assis dans un angle du salon, enlaçant son violoncelle. Bart Mitchell se tenait debout près de la cheminée.

— Victor, je suis désolée de vous interrompre, commença Mina. Mais le commissaire Pitt est venu vous voir. Il semble qu'il y ait encore certains détails à éclaircir dans cette malheureuse affaire, et il pense que vous pourriez peut-être l'aider.

— Nous allons vous laisser, commissaire, fit Bart Mitchell en se dirigeant vers la porte.

— Oh non, je vous en prie, Mr. Mitchell, je serais heureux que vous restiez tous les deux. Cela m'éviterait d'avoir à vous poser les mêmes questions séparément. Je suis navré d'interrompre votre soirée musicale avec un sujet aussi pénible, mais je crois que nous touchons enfin au but.

Bart revint vers la cheminée et s'accouda sur le manteau.

— Comme vous voudrez, commissaire, dit-il avec froideur, mais je pense que nous vous avons déjà dit tout ce que nous savions.

— J'ai besoin de votre témoignage oculaire, expliqua Pitt en se tournant vers Victor.

Celui-ci l'observait de ses grands yeux bleu clair, plus par courtoisie que par véritable intérêt.

— Oui ? fit-il, puisque le silence semblait signifier que l'on attendait une réaction de sa part.

— À la réception qui a suivi le service funèbre d'Aidan Arledge, je crois vous avoir vu assis dans une niche, non loin de la porte donnant sur le vestibule.

— En effet. Je n'avais guère envie de parler. Et je préfère rester près de mon violoncelle. Je crains toujours que quelqu'un ne le heurte ou ne le fasse tomber.

Ses bras se resserrèrent autour du précieux instrument. Il caressa le bois magnifique à la texture satinée. Pitt désigna l'éraflure qu'il venait de remarquer.

— Comment est-ce arrivé ?

Le visage de Victor se crispa. Il blêmit, son regard se durcit et se perdit dans le lointain.

Pitt retint son souffle.

— Une infâme créature m'a poussé et le violon a heurté le garde-fou, répondit Victor d'une voix douce.

— Le garde-fou ? Celui de la plate-forme d'un omnibus ?

Victor regarda autour de lui.

— Pardon? Oh, oui d'un omnibus. Ce genre d'individu n'éprouve aucun sentiment. Il n'a pas de cœur, pas d'âme!

— Un acte de vandalisme gratuit, acquiesça Pitt d'une voix étranglée. Je voulais savoir, Mr. Garrick, si, de votre place, vous avez remarqué l'attitude du majordome de Mr. Carvell...

— Qui cela?

— Le majordome, Scarborough.

Victor parut ne pas comprendre.

— Un homme de haute taille, à l'air hautain et aux manières arrogantes.

— Ah, oui... Cet être abject, lâcha le jeune homme avec une grimace de dégoût. Il est impardonnable d'user de sa force pour maltraiter ceux qui ne sont pas en position de se défendre. J'ai horreur des gens qui ont ce genre de comportement... Je n'ai pas de mots assez forts pour exprimer ce que j'éprouve.

— A-t-il vraiment renvoyé la fille parce qu'elle chantait? s'enquit Pitt, s'efforçant de garder un ton dégagé.

Victor leva les yeux vers lui.

— Oui. Elle fredonnait une chanson d'amour, très douce, juste une petite chanson triste sur quelqu'un qui avait perdu un être cher. Ce butor l'a renvoyée sans même écouter ses explications et ses excuses.

Les traits crispés, les lèvres exsangues, il parlait en caressant son violoncelle.

— Elle ne devait pas avoir plus de seize ans.

— Rassurez-vous, Mrs. Radley a vu la scène, elle aussi, dit Pitt. Elle a aussitôt proposé du travail à cette petite. Elle ne sera pas à la rue.

Le regard bleu de Victor s'adoucit. Sa tension le quitta.

— Vraiment?

— Oui. Mrs Radley est ma belle-sœur, je sais que c'est vrai

— Et l'homme est mort, ajouta Victor. Ainsi tout va bien.

— Était-ce tout ce que vous vouliez savoir, commissaire ? demanda Bart Mitchell en s'avançant d'un pas. Je n'ai rien vu, et, autant que je sache, ma sœur non plus.

— Oui, c'est à peu près tout, répondit Pitt. Ah, encore une question, qui concerne Mr. Arledge.

Cette fois, il s'adressa à Mina, d'un ton délibérément plus sévère.

— Vous m'aviez dit, Mrs. Winthrop, que votre relation avec lui était superficielle, qu'il vous avait simplement consolée le jour où vous pleuriez la perte d'un animal domestique. Je suis désolé, madame, mais je ne vous crois pas.

— Nous vous avons dit ce qui s'est passé, commissaire, intervint Bart Mitchell, l'air mauvais. Que vous l'acceptiez ou non, cette explication est la seule que nous pouvons vous donner. Vous tenez le Bourreau. Pour quel motif persistez-vous à nous interroger sur un sujet aussi bénin ?

Pitt l'ignora.

— Je pense que vous connaissiez Mr. Arledge beaucoup mieux que vous ne le prétendez, dit-il à Mina. Et je ne crois pas à cette histoire d'animal mort.

Elle parut soudain mal à l'aise.

— Mon frère vous a déjà dit ce qui s'est passé, commissaire ; je... je n'ai rien à ajouter.

— Je sais ce que Mr. Mitchell m'a raconté, madame. Mais pourquoi ne me l'avez-vous pas dit vous-même ? Est-ce parce que vous n'êtes pas aussi rapide que lui pour inventer un mensonge ? Ou peut-être n'avez-vous pas eu la présence d'esprit de le faire à temps ?

— Monsieur, vous êtes agressif sans raison.

Bart s'avança vers Pitt comme s'il voulait le provoquer physiquement. Sa voix était basse et menaçante.

— Je dois vous demander de quitter cette maison. Vous n'êtes plus le bienvenu ici.

— Que je sois le bienvenu ou non me laisse complètement indifférent, répondit Pitt, qui faisait toujours face à Mina. Mrs. Winthrop, si j'interrogeais vos domestiques, pensez-vous qu'ils confirmeraient cette histoire de mort d'animal ?

Mina était très pâle. Ses mains tremblaient. Elle ouvrit la bouche, mais ne trouva pas ses mots.

— Mrs. Winthrop, déclara Pitt, bien à contrecœur, nous savons que votre mari vous battait.

Elle eut un violent haut-le-corps.

— Oh non, non ! lâcha-t-elle. C'était... accidentel... c'était ma propre faute. Si j'avais été moins maladroite, moins stupide... Je le provoquais en...

Elle ne finit pas sa phrase et regarda son frère.

Victor observait la scène en silence.

— Ce n'était pas ta faute, grinça Bart. Je me moque que tu aies pu être stupide ou maladroite ! Rien ne justifie...

Mina poussa un cri perçant et porta les mains à sa bouche.

— Tu te trompes ! Ce n'était rien ! Il n'a jamais eu l'intention de me faire du mal ! Tu n'as rien compris. Oakley n'était pas... cruel. C'était le whisky.

Victor regarda tour à tour Mina, puis Bart, ne sachant quel parti prendre.

— Cela ne vous faisait pas souffrir ? chuchota-t-il.

— Non, non, Victor chéri, le rassura-t-elle. Cela ne durait pas longtemps. Bart est un peu...

Elle hésita.

— ... un peu trop protecteur avec moi.

— C'est faux !

La voix de Victor était rauque, presque étranglée.

— Cela fait mal ! Cela fait peur ! Je le vois sur votre visage. Il vous terrifiait. Et il a fait de vous une femme honteuse, incapable de...

— Non ! ce n'est pas vrai ! Ce n'était pas intentionnel... Regarde, je vais bien !

— Parce que la bête immonde est morte ! cracha soudain Bart.

Il allait ajouter quelque chose, mais ne le fit pas. Mina éclata en larmes. Les épaules secouées de sanglots, elle s'effondra sur le sofa. Manquant de heurter Victor au passage, Bart Mitchell prit rudement Pitt par le bras et le poussa vers la porte sans que le jeune homme n'intervienne.

Pitt ne protesta pas. Il en savait assez.

Une fois dans la rue, il décida d'aller boire un verre de cidre dans une taverne. Il s'y attarda une quinzaine de minutes, afin de remettre de l'ordre dans ses idées, puis reprit son chemin. Dehors, la clarté du jour diminuait. D'épais nuages gris envahissaient le ciel.

Il lui fallut un certain temps pour être sûr qu'il était suivi. Cela avait commencé par la conscience d'un bruit de pas faisant écho aux siens, s'arrêtant et repartant en même temps que lui.

Quand il arriva dans Marylebone Road, il faisait nuit. Il s'obligea à ne pas accélérer l'allure. Il éprouvait une sensation bizarre qui se traduisait par des picotements des plus désagréables. Si ses suppositions étaient justes, il avait bel et bien le Bourreau à ses trousses, l'épiant, se rapprochant, attendant son heure. Il devait avoir son arme avec lui. Il l'avait retirée de sa cachette et s'était dépêché de rattraper sa future victime.

En dépit de sa résolution de rester naturel, Pitt allongea le pas. Il entendait le tapement rapide et un peu irrégulier du talon de ses bottes sur le trottoir, et, derrière lui, plus proche maintenant, l'écho des pieds légers et prestes de son poursuivant.

Marylebone Road déboucha dans Euston Road. Un fiacre le dépassa, lanternes allumées. Le bruit des sabots des chevaux résonna sur le pavé. Pitt marchait aussi vite qu'il le pouvait, sans toutefois courir. L'allumeur de réverbères venait d'entrer en action, touchant chaque mèche de sa longue perche ; un à un, les globes des lampadaires prenaient vie, séparés les uns des autres par un grand espace plongé dans l'obscurité, qui semblait avaler les passants impatients de regagner leur domicile.

La gare d'Euston n'était qu'à une centaine de mètres de là. Pitt se rendit compte que la peur le faisait transpirer. Bien qu'il ne courût pas, il respirait difficilement.

Derrière lui, les pas se rapprochaient.

Il n'osait provoquer un affrontement à cet endroit. Tant qu'il ne serait pas attaqué, il n'aurait pas de preuves. Il aurait tyrannisé Mina inutilement.

Il se dirigea vers l'entrée d'Euston Station. Il était tard et il y avait peu de monde. Après cette chaude journée, l'air frais de la soirée s'était chargé d'humidité et la brume envahissait la gare. Le fracas des trains, les cris des porteurs, les coups de sifflet, le chuintement de la vapeur des locomotives couvraient le bruit des pas derrière lui.

Arrivé sur le quai, il regarda alentour. Il vit un porteur, un homme d'un certain âge avec une mallette, une femme aux cheveux noirs, un châle jeté sur les épaules, un jeune homme dans la pénombre, paraissant attendre quelqu'un, et enfin une autre femme, plus âgée, qui lançait autour d'elle des coups d'œil anxieux.

Pitt traversa le quai, puis le longea jusqu'au pont métallique qui traversait la voie ferrée. Il monta l'escalier de fer, glissant d'humidité. À chaque marche, les clous de ses bottes faisaient résonner le nez de métal. Des nuages de vapeur s'élevaient en volutes dans la brume. Un léger crachin tombait du ciel. Le quai était éclairé par la lumière crue des globes semblant flotter dans la nuit tombante et celle, plus sourde, des phares des locomotives.

Il s'aventura sur le pont au-dessus des rails. Il y avait trop de vacarme pour qu'il puisse même entendre le bruit de ses propres pas. Soudain il eut l'intuition d'un danger imminent, d'une haine si terrible qu'il ressentit comme une brûlure sur la nuque.

Il fit volte-face.

Victor Garrick était à un mètre de lui. La lumière venue d'en bas éclairait son visage couleur de cendre. Son regard étincelait et ses cheveux blonds, presque argentés, brillaient dans l'obscurité. Dans sa main droite, au-dessus de sa tête, il brandissait un sabre d'abordage, dont la lame courbe luisait dans la nuit.

— Vous êtes pareil que les autres ! hurla-t-il par-dessus le tumulte, la bouche tordue en un horrible rictus. Pareil ! Vous faites du mal aux gens ! Vous les humiliez, vous les effrayez ! Je ne vous laisserai pas faire !

Il fendit l'air de son sabre. Pitt fit un bond de côté pour éviter que la lame ne le touchât à l'épaule. Ce coup-là aurait presque pu lui sectionner le bras.

Victor se jeta sur lui, mais Pitt fut plus rapide et recula.

— Vous ne m'échapperez pas !

La respiration de Victor était sifflante. Les larmes ruisselaient sur son visage.

— Pourquoi me mentez-vous ?

Il poussa un cri à fendre l'âme. On eût dit qu'il n'était pas destiné à Pitt, mais à quelqu'un situé au-delà de lui.

— Mensonges ! Mensonges ! Vous dites toujours que ce n'est rien, mais je sais que ça fait mal ! Le corps tout entier souffre et l'on reste éveillé la nuit, noué, malade, honteux et coupable, dans l'attente de la fois suivante ! J'ai peur ! Rien n'a de sens ! Vous m'avez toujours menti !

Sa voix n'était plus qu'un cri et, à nouveau, le sabre fendit l'air.

— Vous aussi, vous avez peur ! J'ai vu votre visage, les meurtrissures, et le sang ! Je sens votre désespoir ! J'en ai le goût dans la bouche en permanence ! Je ne veux pas que cela continue. Je vais empêcher cela !

Pitt recula le plus vite qu'il put. Il n'osait se servir de sa canne-épée ; la lame l'aurait coupée en deux et il serait resté sans défense.

Tout était clair maintenant; Winthrop battait Mina, le receveur d'omnibus avait endommagé le violoncelle tant aimé; l'arrogant Scarborough avait renvoyé sous ses yeux la petite bonne qui chantonnait. Toujours, Victor prenait la défense de femmes brutalisées. Il avait dû attaquer l'agent Bailey après que celui-ci eut interrogé Mina sur les allées et venues de son frère au moment des meurtres. Elle était terrorisée à l'idée que Bart fût coupable — au moins de la mort de Winthrop.

— Mais pourquoi avez-vous tué Arledge? cria Pitt.

Un train passa dans un sifflement, en lâchant un jet de vapeur.

Victor ne parut pas comprendre la question.

— Pourquoi avez-vous tué Arledge? répéta Pitt. Il ne faisait de mal à personne, lui!

Victor reprenait son souffle, légèrement penché en avant, une main sur la rambarde du pont, l'autre agrippant son sabre.

Pitt se déplaça vivement sur le côté, puis en arrière, pour se mettre hors d'atteinte de la lame.

— Dites-moi ce que vous a fait Aidan Arledge!

Victor semblait interdit. Sa colère s'était évanouie et il s'immobilisa.

— Mais... je ne l'ai pas tué.

— Si, vous l'avez fait! Vous lui avez coupé la tête et vous l'avez transporté dans le kiosque à musique. Vous ne vous en souvenez pas?

— Ce n'est pas moi!

La voix de Victor n'était plus qu'un cri strident pardessus le fracas des locomotives. Il plongea en avant, balançant son arme, entraîné par son propre poids.

Pitt sauta de côté, puis se jeta sur son assaillant et le saisit aux épaules au moment où la main de celui-ci, crispée sur la garde du sabre, atteignait son bras, avec une telle force que Pitt lâcha sa canne, qui tomba avec un cliquetis métallique. Il laissa échapper un cri de douleur qui fut englouti par le sifflement d'un train entrant en gare.

La vapeur les enveloppait. Pitt fonça, tête baissée, et heurta Victor en pleine poitrine. Celui-ci perdit l'équilibre en tentant de le frapper à nouveau et tomba à la renverse sur la rambarde, entraîné par le poids du sabre. Son pied dérapa sur le métal mouillé du pont.

Pitt se ramassa sur lui-même et se jeta en avant pour le rattraper par le bras, mais sa manche glissa de ses mains. Les jambes de Victor battirent l'air et, avec un cri de surprise qui se mua en hurlement de terreur, le jeune homme bascula par-dessus le parapet et disparut dans la lumière du train qui entrait en gare.

Le rugissement de la locomotive et le crissement des roues absorbèrent le bruit du choc. Pendant une terrible seconde, le visage livide du mécanicien s'imprima dans l'esprit de Pitt, puis tout fut terminé.

Il s'accrocha à la rambarde, mains tremblantes, le corps glacé d'effroi. Victor Garrick, le justicier, n'était plus de ce monde. Sa rage et sa douleur étaient hors d'atteinte maintenant.

Quand la vapeur se dissipa, il distingua une silhouette qui avançait vers lui. Une femme au visage blême, longeant le parapet auquel elle s'agrippait, comme une aveugle.

Pitt la dévisagea. Soudain il comprit : c'était à elle, sa mère, que Victor s'adressait tout à l'heure. Toutes les marques de cette terrible émotion lui étaient destinées.

— Je ne savais pas ! Avant ce soir, je ne savais pas que c'était lui, je vous le jure !

— Je vous crois, dit Pitt, plein de pitié.

— Son père me battait. Ce n'était pas un méchant homme, mais il n'arrivait pas à se contrôler. Je disais toujours à Victor que cela ne faisait pas mal, que tout allait bien. Je pensais que c'était mon devoir de mère de dire cela, pour le protéger. Je ne voulais pas qu'il haïsse son père. Samuel n'était pas un méchant homme...

Malgré son chagrin, son désespoir, il fallait qu'elle défende son bourreau. Elle voulait à tout prix que Pitt la comprenne. Ses yeux cherchèrent les siens.

— Il nous aimait à sa façon, je sais qu'il nous aimait. Il me le disait souvent. C'était à cause de moi qu'il se mettait en colère. Si j'avais été...

— C'est fini, dit Pitt en s'avançant vers elle.

Il ne pouvait en supporter davantage. En bas, sous le pont, le train s'était arrêté, crachant sa vapeur ; des hommes couraient sur le quai en criant. Thora Garrick ne devait pas voir cela. Il fallait qu'il l'emmène loin, très loin.

— Venez, murmura-t-il en la prenant par le bras, vous n'avez plus rien à faire ici.

Ce même jour, sitôt le petit déjeuner pris, Charlotte s'était rendue chez Emily. Confortablement installées sur la terrasse donnant sur le jardin, les deux sœurs buvaient de la citronnade. Elles voulaient discuter de leurs plans, hors de portée de voix des domestiques, tout en profitant de cette belle journée ensoleillée. Elles étaient prêtes à tout pour aider Pitt.

Compte tenu de ses nouvelles charges de parlementaire, Jack les aurait totalement désapprouvées, s'il avait surpris leur conversation.

— Mais comment nous y prendre pour connaître l'identité de son amant ? disait Charlotte. Nous ne pouvons tout de même pas la suivre !

— C'est peu réalisable, remarqua Emily. Et cela prendrait trop de temps. Il peut s'écouler plusieurs jours avant qu'elle ne le revoie. Or il nous faut agir vite.

— Mais si elle ne le voit pas ?

— Eh bien, faisons en sorte qu'elle le voie ! décréta Emily, très résolue.

La victoire de Jack aux législatives, à laquelle elle ne s'attendait pas, l'avait remplie de confiance.

— Il faut lui envoyer une lettre, je ne sais pas, moi, une invitation, lui laissant croire qu'elle vient de lui.

— Elle verra que ce n'est pas son écriture ! observa Charlotte. De plus, les amoureux communiquent entre eux avec un vocabulaire particulier, des termes d'affection, un petit surnom... Et même si elle y répond, cela ne nous dira pas le nom du monsieur en question.

— Toi, tu fais tout pour me contrarier ! s'exclama Emily agacée. Nous formulerons le message de telle façon qu'elle aille le voir, ainsi nous saurons de qui il s'agit.

— Et lui aussi saura qui nous sommes, conclut Charlotte. Très vite, nos tourtereaux se rendront compte qu'il y a quelque chose qui cloche. À mon avis, nous ferions plus de mal que de bien. N'oublie pas que découvrir le nom de l'amant n'est qu'un début. Avoir un soupirant n'est pas un crime. Si l'on se montre discret, l'adultère n'est même plus considéré comme un péché.

Emily la fusilla du regard.

— Tu veux aider Thomas, oui ou non ?

— Je pense que Dulcie ne se trahira pas, dit Charlotte, sans répondre à la question.

Elle reprit son verre de citronnade, pensive.

— Mais lui pourrait le faire.

— Encore faudrait-il savoir de qui il s'agit ! Pour cela, nous devons retrouver sa trace, grâce à son intermédiaire à elle.

— Pas nécessairement.

Emily fronça les sourcils.

— Tu as une idée ?

— Peut-être. Imaginons les qualités qu'il doit posséder.

— Pour être un amant ? Ne sois pas stupide. Il doit être viril. Le reste... est une affaire de goût.

— Tu es un peu simpliste. Demandons-nous pour quelle raison quelqu'un est assassiné aujourd'hui plutôt qu'hier, demain, ou mieux, pas assassiné du tout. Si tous les amants devaient tuer les conjoints gênants... Pourquoi a-t-on tué Aidan Arledge, et pourquoi cette nuit-là ?

Emily resta quelques instants silencieuse, s'appliquant à déguster un caramel, puis trouva la solution.

— Parce que les circonstances ont changé. C'est la seule réponse logique.

— Je suis d'accord, mais en quoi auraient-elles changé ?

— Admettons que quelqu'un ait découvert leur relation... Non, c'est plutôt cette personne-là dont ils se seraient débarrassés, si elle les avait menacés de chantage. Arledge s'était-il rendu compte que son épouse le trompait ? L'avait-il menacée de la répudier pour adultère ?

— Alors que lui-même avait une liaison avec un homme ? Difficile à croire !

Emily soupira.

— Autre hypothèse : Dulcie découvre son époux en compagnie de Jerome Carvell et le tue, horrifiée par la découverte de ses goûts contre nature.

— D'après Thomas, elle ignorait tout de leur liaison. En revanche, elle se doutait que son mari avait une aventure, mais, bien entendu, avec une femme.

Emily fit la moue.

— Oui, mais Thomas pense aussi que notre belle Dulcie est une veuve éplorée. Il ne sait même pas qu'elle a un amant !

Charlotte devait bien reconnaître que sa sœur avait raison. Et puis, elle n'avait pas tellement envie de s'attarder sur ce que Pitt pensait de Dulcie Arledge.

— J'adore Thomas, poursuivit Emily, mais avoue que l'on ne peut pas se fier à son jugement en matière de femmes. D'ailleurs peu d'hommes sont perspicaces dans ce domaine, ajouta-t-elle, magnanime. Bref, nous disions qu'il a fallu précipiter la disparition de notre chef d'orchestre. L'amant avait peut-être décidé de prendre ses distances parce que Dulcie ne pouvait pas l'épouser. Il fallait qu'elle se libère pour l'empêcher de la quitter définitivement.

— Ou peut-être allait-il épouser une autre femme ? suggéra Charlotte.

– Ce qui voudrait dire qu'il est célibataire ! remarqua Emily avec un regain d'enthousiasme. Cela réduit notre champ d'investigation. Il n'y a pas tant de gentlemen de l'âge de Dulcie qui ne soient pas mariés.

Il n'avait pas besoin d'avoir le même âge, mais aucune des sœurs ne souleva le sujet.

— Tu crois qu'il avait réellement l'intention de la quitter ? fit Charlotte, dubitative.

— Autre hypothèse : il n'est pas célibataire, mais, au contraire, nouvellement affranchi de tout lien. Auparavant, Dulcie n'avait aucune raison de souhaiter sa liberté, parce que lui même n'était pas libre, maintenant qu'il l'est, elle doit agir pour se délivrer d'un mariage mort.

— C'est plausible, acquiesça Charlotte. Tout à fait plausible, même. Ou alors il s'agit d'un beau célibataire que Dulcie a rencontré récemment.

— Un point pour toi. Ce pourrait être Bart Mitchell, le frère de Mina Winthrop.

— Thomas l'a suspecté, mais pas pour cette raison. Je crois que cela avait un rapport avec Mina.

— Qu'est-ce qu'Arledge avait à voir avec Mina ?

Charlotte expliqua le peu qu'elle en savait, et, quand elle eut terminé, Emily écarta cette possibilité.

— Qui nous reste-t-il ? Landon Hurlwood ? Il est veuf depuis peu. Il devient soudain libre, alors qu'il ne l'était pas. Et il est très, très séduisant... Je comprends qu'une femme soit folle de lui. À mon avis, avec lui, il doit être facile de perdre légèrement le sens de la mesure.

— Assommer son mari, le décapiter et abandonner son cadavre dans un parc, je n'appelle pas cela perdre « légèrement » le sens de la mesure ! ironisa Charlotte dont la voix laissait toutefois poindre un intérêt évident.

— Avoue qu'il a toutes les qualités requises pour être l'amant de Dulcie Arledge ! s'exclama Emily en s'accoudant sur la table de fer forgé.

— Oui, en effet, Landon Hurlwood pourrait être notre homme. Mais il y a un hic. Nous avons besoin de

preuves. Et ce n'est pas tout. A-t-il tué Aidan Arledge?
Si oui, Dulcie était-elle au courant?

Emily soupira.

— Mon Dieu, comment allons-nous nous y prendre?
D'autant plus qu'apparemment Thomas n'a pas...

— Il n'a jamais pensé à Dulcie, dit Charlotte qui se
mordit la lèvre, sentant à nouveau ce curieux picotement
de jalousie. Je veux dire... il ne l'a jamais suspectée.

— Dulcie ne sait peut-être pas que son amant s'est
fait meurtrier par amour pour elle.

Cette fois, c'est Charlotte qui lui lança un regard
agacé.

— Bon, bon, je retire ce que j'ai dit, reconnut Emily.
Dulcie Arledge est loin d'être naïve. Alors, que faisons-
nous?

— Il nous faut des preuves, répéta Charlotte qui réfléchissait à haute voix. Nous devons provoquer une réaction du coupable.

— Chez Dulcie? Jamais elle ne le trahira.

— Non, pas chez Dulcie, chez lui.

— Mais ce n'est pas nécessairement Landon Hurlwood! Ce pourrait être Bart Mitchell, ou je ne sais qui
d'autre!

— Il faut un début à tout. Commençons par ces
deux-là. Je t'avoue que je ne vois pas comment procéder.

Emily réfléchit un moment, puis son visage s'éclaira.

— Moi, je sais. À l'évidence, leur relation est secrète.
Si elle a un rapport avec la mort d'Aidan Arledge, ils
feront l'impossible pour ne pas la dévoiler pendant un
certain temps. Ensuite ils prétendront s'être rencontrés
alors qu'elle était déjà veuve. Imaginons que nous les
croisions au cours d'une réception, par exemple, pour
que cela semble fortuit, et que nous leur fassions une
remarque d'un air entendu, ils seraient suffisamment
déconcertés et nous saurions tout de suite si nous
sommes sur la bonne voie.

Charlotte ouvrit la bouche pour dire qu'elle se sentait

incapable d'une telle manigance, mais elle songea à la difficile situation de Pitt. Il lui faudrait annoncer la nouvelle à sa mère — elle songeait déjà à la joie méchante de sa grand-mère — et peut-être aussi quitter sa nouvelle maison.

— Oui, convint-elle en se levant, c'est une bonne idée. Au travail! Je m'occupe de Bart Mitchell, car je peux rendre visite à Mina. Toi, tu vois avec Mr. Hurlwood. Comment vas-tu le trouver, je me le demande, mais c'est ton affaire.

Sans attendre de réponse, elle étreignit sa sœur, et s'éclipsa par la porte-fenêtre.

Moins d'une heure plus tard, elle arriva chez Mina — bien avant que Pitt ne s'y rendît. Celle-ci l'accueillit avec plaisir et simplicité, comme une amie de longue date. En temps normal, Charlotte aurait eu des scrupules à se servir de son amitié, mais, ce jour-là, nécessité faisait loi.

— Quel plaisir de vous voir, Mrs. Pitt! Et votre nouvelle maison? Y êtes-vous tout à fait bien installée maintenant?

— Oui, merci, répondit Charlotte qui vit avec soulagement son frère debout derrière elle. Je l'aime énormément. Bonjour, Mr. Mitchell.

— Bonjour, Mrs. Pitt, dit-il sans cacher sa surprise.

Il fit un pas vers la porte.

— Je vous en prie, ne partez pas à cause de moi! s'exclama Charlotte. J'en serais désolée.

Elle s'en voulut de cette réaction stupide. Et pourtant, s'il partait, elle serait venue pour rien. Et il n'y avait pas de temps à perdre. Il ne restait que quelques jours avant que Pitt ne soit définitivement dessaisi de l'affaire.

— Bien. Je... je... balbutia Bart Mitchell.

Le voyant ainsi désarçonné, Charlotte eut une idée. Au diable sa dignité de femme mariée. Elle devait penser à Thomas.

Elle se sentait tellement idiote qu'elle n'eut aucun mal à rougir. Puis, elle baissa les yeux avec modestie, comme pour cacher son émotion, et elle les releva très vite pour le regarder, comme elle l'avait vu faire à de nombreuses femmes. Emily le faisait de manière ravageuse. Elle-même s'y était essayée quelquefois, plus jeune, et s'était rendue complètement ridicule.

Bart la dévisagea, stupéfait, mais ne partit pas ; au contraire, il s'assit sur le sofa, comme s'il avait la ferme intention de rester.

Dieu tout-puissant ! Était-il possible qu'il s'intéressât à elle ? Ou bien était-il simplement flatté ?

Mina disait quelque chose, mais Charlotte n'en comprit pas le sens.

— Comme c'est aimable à vous ! murmura-t-elle, espérant que ces mots convenaient à ce qui venait d'être dit.

Mina tira le cordon de la sonnette et, dès qu'apparut la domestique, demanda qu'on apportât de la citronnade bien fraîche. C'était sans doute ce dont elle venait de parler.

Charlotte se creusa la tête pour trouver un sujet de conversation, ne connaissant pas les derniers potins mondains et n'ayant pas les moyens de s'intéresser à la mode. La politique ? Les femmes n'étaient pas censées en discuter. Elle n'était pas allée au théâtre ni au concert depuis des mois, et elle ne voulait pas aborder le sujet du Bourreau trop directement.

— Comment va votre bras ? J'espère que la brûlure s'est cicatrisée ? demanda-t-elle pour combler le silence.

— Oui, bien sûr, fit Mina en haussant un sourcil surpris, comme si elle ne s'attendait pas à la question. Plus vite que je ne l'aurais cru, d'ailleurs. Certainement grâce à votre présence d'esprit.

— L'eau fraîche soulage les brûlures et accélère la régénération des tissus. Les traces disparaissent plus rapidement, en effet. Qu'en pensez-vous, Mr. Mitchell ?

— Je suis obligé d'être d'accord avec vous, Mrs. Pitt, répondit-il avec un sourire. J'ai peu d'expérience des brûlures domestiques, mais il m'est arrivé de guérir un coup de soleil avec de l'eau froide, tout à fait par accident.

— Des coups de soleil ? s'extasia-t-elle. Comme c'est intéressant !

Il fallait reconnaître que ce garçon avait de très très beaux yeux bleus.

Il détourna le regard et commença à lui raconter comment, un jour où il avait attrapé un coup de soleil, il était tombé de cheval en traversant un fleuve en crue et comment cette chute dans l'eau avait soulagé ses brûlures et l'avait empêché de s'évanouir de chaleur. Charlotte n'avait pas à faire mine d'être intéressée. Son récit était passionnant.

Mina les écoutait, assise bien droite sur le sofa, les mains sur les genoux, un léger sourire sur les lèvres, tout à fait à l'aise.

La bonne vint leur servir une délicieuse citronnade. Le temps passait, sans que Charlotte ait appris quoi que ce soit sur une éventuelle relation entre Bart Mitchell et Dulcie Arledge. S'il était son amant, il cachait ses sentiments avec habileté. Elle se doutait qu'il n'était pas le genre d'homme à trahir la femme qu'il aimait, intentionnellement ou par inadvertance.

Les minutes s'écoulaient. « Mon Dieu, faites qu'Emily s'en sorte mieux que moi ! » priait-elle. Il fallait qu'elle se lance, quel qu'en soit le prix. Elle se devait au moins d'essayer !

— Depuis combien de temps êtes-vous revenu d'Afrique, Mr. Mitchell ? dit-elle en le dévorant des yeux.

Au fond, ce n'était pas si difficile de flirter avec lui ; il gagnait à être connu, et il était plutôt joli garçon.

— Depuis l'automne de l'année dernière.

— Oh. Quelque temps déjà... soupira-t-elle.

Les mots étaient sortis tout seuls. Elle espéra que sa déception ne serait pas aussi perceptible aux oreilles de son interlocuteur qu'elle l'était aux siennes Lui avait-il fallu tant de temps pour tomber amoureux? Bart Mitchell ne semblait pas homme à avoir besoin de six mois pour se lancer dans une aventure sentimentale.

— Appréciez-vous la bonne société londonienne, ou vous semble-t-elle bien insipide, après toutes vos aventures?

Encore une question maladroite qui ne pouvait que susciter une réponse polie.

— Oh! Je vous demande pardon! se reprit-elle aussitôt. Vous allez me dire qu'elle ne vous déplaît pas, par courtoisie. Je vous en prie, répondez-moi sincèrement.

Elle parlait trop vite, et pourtant il lui semblait impossible de pouvoir se modérer.

— La vie quotidienne là-bas devait être un défi permanent à votre imagination et à votre courage. Il vous a fallu affronter des situations difficiles, face auxquelles vous deviez inventer des solutions rapides...

Il l'écoutait parler avec un réel amusement.

— Chère Mrs. Pitt... je n'avais pas l'intention de vous faire une réponse uniquement courtoise. À mes yeux, vous n'êtes pas une femme oisive qui se complaît en bavardages inutiles. J'irais jusqu'à dire que vos propos ont sans nul doute un but précis...

Elle se sentit rougir jusqu'aux oreilles.

— Pour répondre à votre question, enchaîna-t-il, bien sûr l'Afrique me manque, et parfois Londres me semble très fade. Mais souvent, lorsque je regarde le vert des jardins, la fraîcheur des fleurs au printemps, les maisons élégantes, je me rends compte que je me plais ici.

Charlotte garda les yeux baissés.

— Retournerez-vous en Afrique, Mr. Mitchell?

— Un jour, j'imagine, répondit-il avec simplicité.

— Mais vous n'avez pas de projets immédiats?

Elle retint son souffle, guettant la réponse.

— Aucun !

— Oh, alors, Mrs. Arledge doit être bien contente. Vous ne l'auriez pas quittée ainsi, cela va de soi...

Elle leva très vite les yeux pour surprendre son expression : elle ne lut sur son visage aucune trace de culpabilité, seulement une totale incompréhension.

— Je vous demande pardon ?

Elle ne s'était jamais sentie aussi idiote. Elle avait flirté de façon indécente avec un homme des plus convenables, jacassé comme une pie, et maintenant elle ne trouvait aucun moyen élégant pour se tirer de ce mauvais pas.

— Oh... Je crains de m'être exprimée à tort et à travers. J'ai dû mal interpréter certains propos. Je vous supplie de me pardonner.

Elle n'osait même plus le regarder !

Mais Bart Mitchell n'était pas décidé à changer de sujet.

— Mrs. Arledge ? Pourquoi me parlez-vous de Mrs. Arledge ?

Que répondre ? Rien ne pouvait expliquer sa remarque.

— Elle m'a paru très digne, continua-t-il. Mais je ne l'ai aperçue qu'une seule fois, lors du service funèbre de son mari. Je lui ai adressé mes condoléances, de façon très formelle.

— Pardonnez-moi. J'avais cru comprendre que... Mais il doit s'agir de quelqu'un d'autre. Je... je n'écoutais pas vraiment ce que l'on me disait, sans doute ai-je mal entendu.

Elle osa enfin soutenir son regard.

— Je vous en prie, oubliez ce que j'ai dit. C'était idiot de ma part.

— Comme vous voudrez.

— Reprenez donc un peu de citronnade, Mrs. Pitt, proposa Mina, ouvrant la bouche pour la première fois depuis que le sujet de l'Afrique avait été abordé.

392

Elle souleva le pichet d'argent en un geste d'invite.

— Non, merci. C'est très gentil à vous, mais je dois partir, dit Charlotte en se levant précipitamment. Merci de m'avoir reçue avec tant de gentillesse alors que je suis venue sans prévenir et sans être invitée. Je tiens à vous dire que vos conseils sur la décoration de ma maison ont été des plus profitables et que je vous en suis très obligée.

— Ce n'était rien, fit Mina avec un petit geste de la main. Je suis ravie que cela ait correspondu à vos goûts.

— Peut-être dans quelque temps... plus tard, serezvous assez aimable pour me rendre visite ?

Charlotte lui offrit une de ses cartes de visite récemment imprimées à sa nouvelle adresse. Ce fut seulement après l'avoir donnée à Mina qu'elle réalisa qu'il y avait de fortes chances que la famille Pitt n'y habite bientôt plus. Sauf à parvenir à résoudre cette affaire.

— Pensez-vous revenir nous voir, Mrs. Pitt ? demanda Bart en souriant.

— Certainement, Mr. Mitchell, dit-elle, en se jurant de ne jamais remettre les pieds dans cette maison. Cela me ferait très plaisir.

Elle fila dans le vestibule, sortit en trombe par la porte que lui ouvrait la soubrette, puis partit en courant vers l'arrêt d'omnibus le plus proche.

Emily, de son côté, n'avait aucune appréhension à l'idée de rencontrer Landon Hurlwood. Elle avait mené sa petite enquête et savait où le trouver. Elle revêtit une ravissante robe de mousseline blanc et bleu, avec des emmanchures en pointe au niveau des épaules et des manches amples, et coiffa un chapeau à fond haut piqué d'une plume d'autruche. Puis elle fit venir son attelage.

Elle savait que Landon Hurlwood se trouvait dans ses bureaux de Whitehall. Restait à attendre qu'il en sortît. L'attelage bloqua la circulation durant quinze bonnes minutes avant qu'elle ne le voie quitter son bureau et prendre la direction de Trafalgar Square. Elle descendit de voiture, sans l'aide du valet de pied, et, sous l'œil sidéré du cocher, se lança à la poursuite de sa proie. Par bonheur, c'était une belle journée de printemps et non un de ces horribles jours pluvieux où marcher devient un calvaire.

— Mr. Hurlwood! s'exclama-t-elle, ravie, quand elle fut à quelques mètres de lui. Quelle surprise!

Il sursauta et se retourna, interdit. Son esprit était sans doute occupé par l'affaire dont il venait de discuter ou dont il allait discuter prochainement. À cette heure de l'après-midi, en plein quartier des affaires, l'on ne s'attend pas à faire des rencontres mondaines. Il s'arrêta donc, étonné, et se poussa pour laisser circuler les passants.

— Bonjour, Mrs. Radley, dit-il en soulevant son chapeau. Comment allez-vous?

Emily sourit.

— Très bien, merci. Belle journée, n'est-ce pas? On se sent rempli d'optimisme, avec ce beau temps!

— En effet. Et vous avez toutes les raisons de l'être. C'était une très belle victoire, et d'autant plus douce qu'elle était inattendue, du moins pour certains.

— Oh, oui! Je vous avoue que je n'y croyais pas moi-même. J'aurais dû être plus confiante, n'est-ce pas?

— Certes, puisque les événements en ont apporté la preuve, mais en politique, il est plus sage de rester modéré dans ses estimations avant les résultats, et de se réjouir ensuite, plutôt que le contraire.

— Vous avez raison. Ce pauvre Mr. Uttley a, je crois, très mal accepté sa défaite. Je pense que la discrétion et la maîtrise de ses émotions sont parmi les clés du succès dans la vie publique... et privée.

Elle le dévisagea avec de grands yeux innocents.

— Vous avez sans doute raison, répondit-il, circonspect, se demandant ce qu'elle voulait dire par là.

— Le succès politique est à mon avis comparable au

succès en amour, expliqua-t-elle d'un air entendu. Les affaires de cœur les plus discrètes sont souvent les plus réussies.

Hurlwood parut un peu mal à l'aise, mais Emily n'aurait pu dire s'il se sentait pris en défaut, ou gêné par une réflexion qu'il jugeait de mauvais goût.

— Je trouve que Mrs. Arledge fait très courageusement face à ce terrible deuil, continua-t-elle sur sa lancée. Je suis sûre que vous saurez la réconforter au mieux et la guider avec discernement et discrétion.

Landon Hurlwood rougit violemment. Sa main se crispa sur le pommeau de sa canne. Il bredouilla d'une voix enrouée :

— Oui... Certes... On fait ce que l'on peut.

Une réponse qui n'avait pas grand sens, tous deux le savaient. Emily avait la réponse qu'elle était venue chercher. Un aveu explicite n'était pas nécessaire.

— Je ne vous retiendrai pas plus longtemps, Mr. Hurlwood, dit-elle avec grâce. Je sais que des affaires importantes vous attendent. Vous avez été très aimable de me consacrer un peu de votre temps. J'ai été ravie de vous rencontrer.

Elle lui adressa son plus charmant et innocent sourire, puis, la tête haute, traversa la rue en direction de son attelage. Le valet de pied, intrigué, se garda bien de poser la moindre question.

— Et maintenant, que faisons-nous ?

Les deux sœurs prenaient le thé dans le boudoir d'Ashworth House. L'endroit était mieux adapté à la circonstance que le petit salon, car bien que Jack fût censé être à la Chambre des communes, il pouvait rentrer d'un moment à l'autre. Mieux valait que ne parvienne pas à ses oreilles, pas plus qu'à celles des domestiques, la conversation qu'elles tenaient à ce moment.

De son côté, Charlotte avait tout expliqué à Gracie. Ne sachant pas à quelle heure elle rentrerait, elle lui avait demandé de faire manger les enfants et de les mettre au lit. Gracie avait également pour consigne de dire à Pitt que Charlotte était partie en visite avec sa sœur et qu'elle dormirait peut-être ensuite chez celle-ci.

— Nous devons trouver des preuves, répondit-elle.

— Il doit bien y en avoir, non?

— Oui, si l'un des deux amants a commis le meurtre. S'ils sont innocents, il n'y en aura aucune.

Emily écarta d'un geste cette hypothèse.

— Comment imagines-tu la scène? Je veux dire, si c'est Dulcie, comment s'y est-elle pris pour se débarrasser de son mari?

Charlotte réfléchit.

— Il n'est pas bien difficile d'assommer quelqu'un qui a confiance en vous, surtout s'il ne s'y attend pas. On commence par être aimable avec lui...

— Il faut d'abord l'attirer là où l'on veut qu'il soit! Un homme adulte, même mince, est difficile à déplacer, une fois inconscient. Comment diable a-t-elle pu le transporter jusqu'au kiosque à musique?

— Chaque chose en son temps, l'arrêta Charlotte. Jusqu'à présent, la victime n'est pas encore assommée.

— Alors, vas-y! Comment procèdes-tu?

— Je cherche un stratagème pour faire venir la victime là où je le souhaite. Le moment aussi est important. Je ne vais pas laisser un cadavre au même endroit pendant des heures!

— Pourquoi pas?

— Voyons, que fais-tu du personnel? Comment expliqueras-tu que ton...

— D'accord, j'ai compris, la coupa Emily. Donc l'affaire doit se régler après le coucher des domestiques, ou alors dans un lieu où ils ne vont pas. Quelque part dans le jardin? Après la tombée de la nuit, on peut être sûr que le jardinier n'y travaille pas. Dans une serre ou un appentis?

— Excellente idée! Comment persuade-t-on son mari de se rendre dans la serre après la tombée de la nuit?

— L'on prétend vouloir lui montrer quelque chose.

— Ou avoir entendu un bruit ?

— Non. Dans ce cas, on envoie un valet.

— Oh oui, c'est vrai. Moi, je n'ai pas de valet.

— Tu n'as pas de serre non plus.

Charlotte poussa un soupir nostalgique. Si seulement ils avaient pu garder la nouvelle maison, peut-être aurait-elle pu avoir une jolie serre, elle aussi. Mais tout cela n'avait plus guère d'importance, désormais.

— Bon, je lui dis de venir dans la serre, car j'ai quelque chose à lui montrer. Par exemple, une fleur qui ne fleurit que la nuit et qui a un parfum remarquable.

Emily fit la grimace.

— Tu crois que l'on a envie de parler d'horticulture avec le mari que l'on va tuer ?

— Alors je ne sais pas, moi... Je veux lui montrer une bêtise qu'a faite le jardinier ? Quelque chose de si grave que je dois demander à mon mari la permission de le renvoyer sur-le-champ, et d'en embaucher un autre ?

— D'accord. Il entre dans la serre. Là, il se penche pour regarder je ne sais quoi. Tu le frappes à la tête aussi fort que tu le peux avec le premier objet qui te tombe sous la main. Une chose est sûre, c'est que dans une serre, il y a des outils. Ensuite ?

— Je le laisse là, en attendant l'heure de revenir lui couper le cou...

— Habillée comme il faut, l'interrompit Emily.

— Comme il faut ?

— Oui, il te faut une tenue sur laquelle le sang ne fasse pas de taches.

Charlotte fronça le nez, dégoûtée, mais se rendit compte que la remarque était d'importance.

— Toi, tu penses à tout ! Oui, il faut un vêtement que je puisse jeter ou alors un tissu imperméable que je puisse laver à grande eau.

— Sur quoi peut-on essuyer des taches de sang sans qu'elles laissent de traces ?

— Des vêtements huilés? Ce n'est pas le genre de tenue que l'on accroche dans son vestibule. Je n'ai rien qui y ressemble, ni de près ni de loin.

Charlotte réfléchissait tout haut.

— Une veste de jardinier? Ainsi, je peux passer pour un jardinier en traversant le parc.

Sa voix monta d'un cran sous l'effet de l'excitation.

— Mais oui! Je me souviens! Thomas m'a dit qu'un jardinier poussant une brouette avait été vu dans Hyde Park! Emily! Peut-être était-ce le meurtrier qui transportait le corps d'Aidan Arledge jusqu'au kiosque à musique!

— Dans ce cas, était-ce Dulcie ou Landon Hurlwood?

— Peu importe! Si c'était Hurlwood, il ne pouvait pas l'avoir fait sans qu'elle soit au courant. D'une manière ou d'une autre, elle est coupable. Arledge doit avoir été tué dans sa propre serre et transporté dans une brouette lui appartenant.

Emily se leva.

— Alors à nous de le prouver. Connaissance n'est pas preuve.

— Attends, nous ne sommes sûres de rien. Ce n'est qu'une hypothèse, dit Charlotte en se levant à son tour. Il faut déjà que nous ayons une preuve de visu. Si nous regardons au bon endroit, nous trouverons bien des taches de sang.

— J'imagine mal Dulcie Arledge nous emmener faire un tour dans sa serre, si c'est là qu'elle a coupé la tête de son mari!

Charlotte prit une profonde inspiration et lâcha :

— Nous irons la nuit. Elle n'en saura rien.

— Tu veux dire... que nous allons entrer par effraction? couina Emily, affolée, avant de s'enthousiasmer, pleine d'audace : Juste nous deux? Alors, allons-y dès ce soir.

— Cette nuit, corrigea Charlotte, la gorge serrée.

Nous partirons d'ici dès... disons vers minuit, qu'en penses-tu ?

— Minuit ? C'est trop tôt. Dulcie Arledge pourrait très bien être encore debout à cette heure-là. Cela m'arrive souvent.

— Oui, mais toi, tu n'es plus en deuil. Une épouse en deuil ne sort pas le soir.

— Tout de même, attendons une heure du matin.

— Dans ce cas, je préfère ne pas rentrer à la maison maintenant. Thomas pourrait...

— Évidemment. Nous ne resterons pas ici. Je me demande comment j'expliquerais cela à Jack. Il aurait une attaque ! Nous quitterons la maison un peu plus tôt et nous attendrons ailleurs jusqu'à une heure.

— Où ? Et comment nous habiller ? Il nous faut des vêtements pratiques. Nous n'allons pas réellement commettre une effraction. Les preuves que nous cherchons doivent se trouver dans la serre ou la remise du jardinier. Mais il nous faut une lampe. Ah, si j'avais une lanterne sourde, comme les agents de police.

— Navrée, mais nous n'avons pas le temps de nous en procurer une. Nous prendrons une lanterne d'attelage, elle devrait suffire.

— Et comment allons-nous nous rendre là-bas ? Nous n'allons pas demander à ton cocher de nous y emmener !

— Il nous déposera un peu plus loin. J'ai une amie qui habite à côté de chez Dulcie. Je dirai que c'est là-bas que nous allons.

Charlotte partit d'un petit rire involontaire.

— À une heure du matin et habillées comme des monte-en-l'air ?

Vexée, Emily se mordilla la lèvre.

— Eh bien, je dirai qu'elle est malade. Je m'enve-lopperai dans un grand châle. Et toi aussi. Je vais t'en trouver un. Nous allons emprunter des vêtements à ma camériste. Elle porte toujours des habits unis et sombres.

Ils feront l'affaire. Bon, tu viens ? Nous avons beaucoup de choses à régler !

Elle lui lança un regard à la fois apeuré et surexcité.

Charlotte la suivit, malade d'inquiétude.


À une heure cinq, nos deux sœurs, vêtues de robes sombres, la tête couverte d'un foulard, marchaient à pas de loup sur le trottoir en direction de l'entrée du jardin de Dulcie Arledge. Elles n'avaient pas allumé la lampe d'attelage. L'éclairage des rues était suffisant et, surtout, elles ne souhaitaient pas se faire remarquer !

— J'ai un couteau et une aiguille, au cas où la porte serait verrouillée, chuchota Charlotte.

— Une aiguille ?

— Une aiguille de cuisine. Tu sais, pour vérifier si les rôtis sont cuits.

— Non, je ne sais pas. Je ne cuisine pas. Tu sais t'en servir ?

— Bien sûr. Il n'y a qu'à l'enfoncer.

— Et la porte s'ouvre ? s'étonna Emily.

— Mais non, bêtasse ! Tu sais si ton rôti est cuit.

Emily se mit à glousser. En l'entendant, Charlotte ne tarda pas à l'imiter.

Arrivées devant le portail, elles constatèrent qu'il était en effet cadenassé. Emily alluma la lanterne, puis tourna le dos à sa sœur pour surveiller la rue tandis que celle-ci, armée de son aiguille, s'occupait du cadenas, qu'elle finit par ouvrir.

Soulagée, Emily éteignit la lanterne.

Elles fermèrent le portail et se glissèrent dans le jardin. Charlotte regarda autour d'elle. Il faisait très sombre. Le mur d'enceinte était si haut qu'il cachait la lumière des réverbères de la rue. De gros nuages noirs masquaient la lune pourtant aux trois quarts pleine.

— On n'y voit goutte ! souffla Emily. Nous ne trouverons jamais la serre, et encore moins une tache de sang.

— Mais si ! Une fois à l'intérieur, nous rallumerons la lanterne.

— Penses-tu qu'il y a encore des gens éveillés dans la maison, à cette heure-ci ?

— Non. Mais ne tentons pas le diable. Si l'on nous découvrait, on nous jetterait dehors avant que nous ayons pu trouver quoi que ce soit. Et comment expliquerions-nous notre présence ici ?

L'argument était convaincant. Emily se tut. L'idée d'être découverte était trop horrible pour qu'elle songe à l'envisager !

Charlotte prit la tête de l'expédition. Elles partirent à pas feutrés sur une étroite allée pavée que la mousse et la rosée rendaient glissante. Emily s'accrochait à la jupe de sa sœur pour être sûre de ne pas la perdre dans le noir. Si elles se retrouvaient toutes deux face à face après s'être cherchées, elle était sûre qu'elle se mettrait à hurler. Un cri, même involontaire, pouvait réveiller tout le voisinage.

À leur gauche, elles distinguèrent la masse noire de la maison dont la silhouette se découpait sur les nuages. Devant elles, apparut le bord dentelé d'une ligne de faîte, dont l'élégant épi pointait vers le ciel, tel un doigt pointu.

— La serre ? demanda doucement Emily.

— Plutôt le jardin d'hiver.

— Comment le sais-tu ?

— L'épi de faîtage, chuchota Charlotte. Il n'y en a pas sur une serre. Elle doit être plus loin.

— Tu es vraiment sûre qu'ils en ont une ?

— Mais oui. Toute maison de cette taille possède une serre ou une serre de bouturages. Une serre, ce serait mieux.

— Pourquoi ?

— Il est plus facile d'y attirer quelqu'un. Comment entraîner son époux dans la serre de bouturages au beau milieu de la nuit ?

Emily pouffa nerveusement.

— Dans le jardin d'hiver, peut-être, pour un rendez-

401

vous amoureux? Avec son plus beau peignoir et une pose alanguie au milieu des lis?

— Difficile, surtout lorsque l'on est marié depuis vingt ans. Et puis Aidan Arledge préférait les hommes... Ouille, ouille, ouille!

— Que se passe-t-il? demanda Emily.

— J'ai buté contre une grosse pierre. Ce n'est rien.

Elles progressèrent en silence, contournèrent le jardin d'hiver, traversèrent sur la pointe des pieds une terrasse ouverte débouchant sur la masse sombre d'un autre bâtiment.

— Ce doit être la serre, murmura Emily, pleine d'espoir.

— Ou plutôt le pavillon d'été.

— Je ne vois pas de verre briller, ajouta Emily, découragée. Les serres sont vitrées! On verrait des reflets.

Charlotte fit halte et se retourna. Emily, qui n'avait pas remarqué son geste, la heurta violemment.

— Aïe! La prochaine fois que tu t'arrêteras, préviens-moi!

— Désolée. Oh, regarde! Une lueur là-bas. Il y a du verre par là. Ce doit être la serre.

Quelques instants plus tard, elles atteignirent le petit bâtiment dont les vitres réfléchissaient la lueur mouvante de la lune. Du plat de la main, Charlotte pesa sur la porte qui s'entrouvrit sous sa poussée avec un affreux grincement de charnières grippées.

Emily étouffa un cri.

Aussitôt entrée, Charlotte souleva la lanterne et Emily la ralluma. À la lumière de son chaud éclat, l'intérieur de la serre leur apparut. C'était l'endroit réservé au forçage des fleurs et des légumes : des semis de salades, de soucis, de delphiniums et de pieds-d'alouette étaient disposés sur des bancs et de nombreux pots de géraniums s'alignaient sur une étagère.

— Ne nous occupons pas des étagères, chuchota Emily avec force. C'est le sol qui nous intéresse.

Charlotte abaissa la lanterne jusqu'à environ cinquante centimètres du sol de terre battue.

— Je ne vois rien, fit Emily déçue. Ça m'a l'air de n'être que de la terre bien tassée. Déplace un peu la lumière, veux-tu ?

Ce faisant, Charlotte renversa un pot de fleurs qui tomba avec un bruit sourd.

Emily poussa un petit cri.

— Chut !

Charlotte fit quelques pas avec la lanterne. C'est alors qu'elle remarqua une longue tache sombre près du mur du fond.

— Viens voir !

Emily se baissa et scruta le sol.

— Ce pourrait être une tache de n'importe quoi, fit-elle, très déçue. Regarde là-haut !

Elle désigna une étagère couverte de boîtes et bouteilles contenant toutes sortes de produits chimiques, de mélanges d'engrais, de désinfectants, de poison contre les guêpes et les fourmis.

— C'est sans doute de la créosote, avança Charlotte. Si du sang s'était répandu dans cet endroit, je l'aurais caché en ajoutant quelque chose de fort comme ça. Passe-moi ce déplantoir.

— Que comptes-tu faire ?

— Creuser, pardi !

Charlotte se mit à genoux et racla le sol durci avec la truelle, retirant la terre imprégnée de créosote pour découvrir au-dessous une autre tache dont l'odeur, quand elle la porta à son nez, était complètement différente : ni violente ni âcre, mais plutôt éventée et douceâtre.

— Du sang ? fit Emily, la gorge serrée.

— Je crois, dit Charlotte en se relevant. À présent, il faut trouver la brouette. Elle doit être dehors, en cette période de l'année. Suis-moi.

Elle couvrit en partie la lanterne avec un pan de son châle et la maintint presque à ras du sol. Toutes deux ressortirent dans le jardin sur la pointe des pieds et Emily ferma la porte de la serre.

— Tiens la lampe plus haut, sinon nous ne trouverons pas la brouette ! chuchota Emily.

— D'accord. Dis-moi, où range-t-on une brouette ? Et des vêtements huilés ? demanda Charlotte.

— Peut-être les a-t-elle brûlés ? suggéra Emily. À sa place, je l'aurais fait.

— À la condition de posséder un incinérateur. Pense un peu à l'odeur ! De toute façon, ces vêtements doivent appartenir au jardinier. Il aurait remarqué leur disparition. Non, elle a dû les laver à grande eau et les remettre à leur place, dans un abri de jardin où sont rangés les pelles, les fourches et les râteaux.

Charlotte haussa la lanterne et la promena tout autour d'elle.

— Là, là, il est là ! fit précipitamment Emily. Baisse la lumière, on va nous voir. Viens, dépêche-toi !

En faisant bien attention où elles mettaient leurs pieds, elles se hâtèrent vers l'abri, qui, Dieu merci, n'était pas fermé à clé. Charlotte posa la lanterne sur un banc. Aussitôt elles virent se profiler la forme de la brouette. Les habits du jardinier étaient accrochés juste au-dessus.

Les deux sœurs furent parcourues d'un frisson, en prenant conscience de ce qu'elles voyaient. Le cœur battant, Charlotte effleura le bois de la brouette.

— C'est humide ? s'enquit Emily d'une voix étranglée.

— Non, mais elle est tachée. Sûrement par de la créosote.

Elle reprit la lanterne et alla examiner le tissu imperméabilisé de la veste du jardinier.

— Regarde là, il y a quelque chose de sombre dans les coutures. Je suis certaine que c'est du sang.

— Alors, viens ! chuchota Emily. Nous en savons assez ! Partons avant de nous faire repérer !

Elles sortirent de l'abri et s'apprêtaient à éteindre la

lanterne avant de rebrousser chemin en direction du mur d'enceinte quand elles aperçurent une lumière, à une dizaine de mètres d'elles.

Elles se figèrent sur place, glacées d'effroi.

— Qui va là? fit une grosse voix masculine. Arrêtez, ou ça va mal aller pour vous!

— Miséricorde! hoqueta Emily. La police!

— Nous allons leur dire la vérité, déclara hardiment Charlotte, l'estomac noué.

Un court instant, elle crut que ses pieds refusaient de lui obéir. Emily ouvrit la bouche, mais aucun son cohérent n'en sortit.

L'agent de police approchait. Sa pèlerine et les boutons de sa tunique étaient clairement visibles. Il souleva sa lanterne et s'exclama, n'en croyant pas ses yeux:

— Qu'est-ce que je vois là? Deux voleuses de salades?

— Certainement pas, monsieur, fit Charlotte avec le peu de dignité qu'il lui restait. Nous sommes...

Emily recouvra ses esprits et lui envoya un coup de pied dans la cheville.

Charlotte poussa un juron.

— Faut pas dire des gros mots, Miss, remarqua l'agent. Je vais m'occuper de votre cas. Vous êtes pas du quartier, toutes les deux. Je connais tout le personnel de Mrs. Arledge, et je vois bien que vous en faites pas partie.

Il était difficile de nier l'évidence.

— En effet, répondit Charlotte, qui avait retrouvé sa voix. Je suis l'épouse du commissaire Thomas Pitt, de Bow Street. Et voici ma... ma femme de chambre.

Inutile de compromettre Emily, du moins pour l'instant. Elle sentit, plus qu'elle n'entendit, le soupir de soulagement que poussa celle-ci.

— Allons, Miss, c'est idiot d'inventer une histoire comme ça, ça mène à rien, dit l'agent, surpris.

— Nous nous trouvons sur le lieu d'un crime, expliqua Charlotte avec force. Il y a des traces de sang dans la serre, là-bas. Si vous n'appelez pas le commissaire Pitt sur-le-champ, vous aurez des ennuis !

— À cette heure-ci, il doit dormir, remarqua l'agent.

— En effet. Il habite au 12, Gordon Square, Bloomsbury. Faites-le venir ! ordonna-t-elle sur un ton impérieux. Et la maison est équipée d'un appareil téléphonique, ajouta-t-elle avec une pointe de fierté.

— Bien, je sais pas si...

Une lumière s'alluma au rez-de-chaussée de la maison et la porte de l'arrière-cuisine s'ouvrit, ce qui évita au policier de chercher un argument pour ne pas appeler le commissaire Pitt.

— Que se passe-t-il ? fit une voix autoritaire. Qui va là ?

— La police, monsieur. Agent Woodrow. Je viens de surprendre deux femmes qui chapardaient dans votre jardin.

— Je vous répète que nous ne sommes pas des voleuses ! s'écria Charlotte.

— Vous, taisez-vous !

L'agent Woodrow se sentait mal à l'aise. Il se trouvait dans une situation ridicule.

— Ne vous inquiétez pas, monsieur, j'ai la situation en main. Dites à Mrs. Arledge de ne pas se faire de soucis. Je m'occupe de tout.

— Vous n'avez rien compris ! s'exclama Charlotte avec l'énergie du désespoir — tout leur avenir était en jeu, la carrière de Pitt, leur maison. Encore une fois, nous ne sommes pas des voleuses ! Faites venir immédiatement le commissaire Pitt ! Un crime a été commis ici !

Le majordome sortit de l'arrière-cuisine, en chemise de nuit.

— Un crime ? Qui est mort ?

— Mr. Arledge, voyons ! s'impatienta Charlotte. Il a été tué dans sa propre serre, puis transporté jusqu'à Hyde Park dans une brouette. S'il vous plaît, appelez la police ! Avez-vous un appareil téléphonique ?

— Oui, madame.

— Eh bien, utilisez-le! Appelez Bloomsbury un, deux, sept, et demandez au commissaire Pitt de venir ici.

— Attendez une minute... commença Woodrow, mais le majordome était déjà rentré dans la maison.

Il préférait obéir à un ordre ferme que de rester en chemise de nuit dans le froid, à discuter avec un agent de police. Il connaissait le commissaire Pitt, sa maîtresse l'avait reçu à plusieurs reprises dans cette maison. À lui de remettre de l'ordre dans tout ça.

— Vous n'auriez pas dû faire ça! grommela l'agent, furieux. Regardez, vous avez réveillé cette pauvre Mrs. Arledge, comme si elle en avait pas assez avec la mort de son mari.

En effet, une lumière s'était allumée à l'étage.

Charlotte ne répondit pas. Elle resserra son châle autour d'elle. À présent qu'elle n'était plus dans le feu de l'action, elle avait froid.

À ses côtés, Emily grelottait. Elle n'osait imaginer la réaction de Jack en apprenant ce qui s'était passé. Il restait une toute petite chance pour que le mensonge de Charlotte tînt bon jusqu'à l'arrivée de Pitt — s'il venait.

Ce mince espoir s'envola quand d'autres lampes s'éclairèrent dans la maison. Il y eut des bruits de pas et un instant plus tard Dulcie Arledge apparut à la porte de l'arrière-cuisine, couverte d'un châle bleu ciel. Sa chevelure retombait en cascade gracieuse sur ses épaules.

— Que se passe-t-il? demanda-t-elle poliment, malgré sa surprise. Avez-vous trouvé des intrus, monsieur l'agent? Ai-je bien compris?

— C'est bien ça, madame.

Woodrow fit un pas en avant, tirant Charlotte et Emily.

Emily se recroquevilla sur elle-même. Pourtant Dulcie pouvait difficilement la reconnaître dans cet accoutrement, et à la faible lueur de la lanterne sourde.

Celle-ci écarquilla les yeux.

— On dirait des femmes...

— Oui, ce sont des femmes, confirma Woodrow. Des chapardeuses de légumes. Vous inquiétez pas, madame. Je les emmène, et vous n'aurez qu'à contresigner mon procès-verbal. Allez, venez, vous deux.

Il tira Charlotte par la manche, sans ménagement. Sa patience était à bout, et l'intervention paisible de Dulcie avait suffi à le convaincre qu'il était dans le vrai.

— Charlotte ! chuchota Emily affolée, trouve quelque chose, sinon, non seulement la carrière de Thomas est ruinée, mais celle de Jack aussi.

L'heure n'était plus aux demi-mesures. Charlotte ouvrit la bouche et poussa un cri si strident que l'agent Woodrow sursauta et laissa tomber sa lanterne. Elle roula sur le sol et finit sa course contre la bordure de pierre de l'allée. Charlotte émit à nouveau un long hurlement et fut récompensée en voyant des lumières s'allumer dans toute la maison.

— Pourquoi cries-tu ? siffla Emily, exaspérée.

— Je veux des témoins, répondit Charlotte, qui se remit à hurler de plus belle.

Woodrow partit ramasser sa lanterne en jurant dans sa barbe.

— Pour l'amour du ciel, arrêtez de crier ! ordonna Dulcie. Vous allez réveiller tout le voisinage.

Charlotte s'avança vers la lumière de l'arrière-cuisine. À ce moment, Landon Hurlwood apparut derrière Dulcie, en robe de chambre, les cheveux en désordre.

— Êtes-vous blessée, ma chère ? demanda-t-il d'un ton inquiet.

Dulcie se figea soudain. Le sang reflua de son visage. Le regard de Hurlwood croisa celui de Charlotte, mais rien dans son expression ne laissa présumer qu'il l'avait reconnue.

— Que se passe-t-il ? s'enquit-il auprès de l'agent. Est-ce sérieux ?

— Per... personne n'est blessé, monsieur, bredouilla Woodrow, complètement désemparé.

Un homme en robe de chambre, en pleine nuit, dans la maison de Mrs. Arledge, qui venait de perdre son mari !

— Elle... — il désigna Charlotte — elle a crié, mais personne l'a touchée, je vous le jure !

Hurlwood la regarda plus attentivement et vit une jeune femme en robe de servante, échevelée, la peau maculée de goudron. Puis son regard se porta au-delà, sur Emily, qui s'était aussi avancée dans la lumière.

— Mrs. Radley...

Il pâlit, comprenant enfin ce dont Dulcie s'était rendu compte depuis le début.

— J'aimerais savoir, Mrs. Radley, ce qui vous a poussée à entrer par effraction, en pleine nuit, dans ma propriété, fit Dulcie d'une voix glacée et tremblante. Je ne peux rien pour vous. Vous avez perdu la tête. La fatigue de l'accouchement, peut-être, puis la campagne électorale, ont ébranlé votre santé mentale. Votre mari...

— La police arrive, l'interrompit Charlotte avec fermeté.

— La police est déjà là, fit remarquer Dulcie.

— Je parle du commissaire Pitt.

Charlotte repoussa une mèche de cheveux qui lui tombait dans les yeux.

— Nous avons trouvé l'endroit où Mr. Arledge a été tué. Il y a encore du sang sur le sol malgré la créosote que vous y avez versée. Et nous avons aussi trouvé la brouette dans laquelle vous l'avez transporté jusqu'à Hyde Park, après l'avoir décapité.

Dulcie ouvrit la bouche pour protester, mais le son de sa voix mourut avant qu'elle ait pu articuler un mot.

Derrière elle, Landon Hurlwood était si pâle que ses orbites semblaient deux trous noirs enfoncés dans son crâne.

— Et nous avons aussi trouvé les vêtements huilés dont vous vous êtes servie pour vous protéger des éclaboussures, poursuivit Charlotte, implacable.

— C'est idiot ! dit Woodrow d'une voix étranglée.

Pourquoi Mrs. Arledge aurait-elle fait une chose pareille ?

— Pour être libre d'épouser Mr. Hurlwood, dont l'épouse est décédée. Et aussi pour échapper à un mariage mort et se venger de vingt années de trahison, expliqua Charlotte. Elle a profité des crimes du Bourreau pour tuer son mari et avoir la voie libre.

Woodrow se tourna vers Dulcie. Landon Hurlwood s'était éloigné d'elle d'un pas, comprenant enfin la terrible vérité.

Dulcie lança à Charlotte un regard de haine si intense qu'Emily recula, avant de pousser un grand cri.

— Landon !

Elle vit l'expression de dégoût, d'horreur sur le visage de son amant et comprit qu'elle l'avait perdu à jamais.

Le portail du jardin s'était ouvert sans que personne l'ait entendu grincer. Thomas Pitt émergea de la pénombre, à un mètre d'eux. Dulcie se tourna vers lui et le regarda en silence.

Une amère désillusion marquait le visage de Pitt, celui d'un homme se réveillant d'un rêve doux et tendre pour basculer dans une effroyable réalité. Charlotte vit s'évanouir lentement l'admiration et la tendresse qu'il avait eues pour cette femme, laissant place à la pitié qu'il éprouvait toujours face à un assassin au moment de son arrestation. Elle se mit à trembler, se rendant compte à quel point Thomas avait été troublé par Dulcie. Pour la première fois depuis leur mariage, elle avait failli le perdre.

Pitt s'adressa à Woodrow.

— Emmenez Mrs. Arledge au commissariat de Bow Street. Elle est arrêtée pour le meurtre de son époux.

— Oui, monsieur, bien, monsieur, balbutia Woodrow. Tout de suite.

Landon Hurlwood demeurait figé sur place, comme halluciné.

Pitt se tourna alors vers les deux sœurs, la mine sévère.

— Votre mari s'occupera de vous, dit-il à Emily. Vous, Dieu merci, n'êtes pas mon souci. Quant à vous, madame, ajouta-t-il à l'adresse de Charlotte, vous me devez certaines explications. Vous méritez d'être poursuivie pour effraction de domicile.

Charlotte se moquait comme d'une guigne de ses remontrances.

— Mais vous l'avez arrêtée ! Vous allez réintégrer votre poste, à présent !

En dépit de tous ses efforts pour rester en colère, Pitt perdit la partie. Un large sourire de soulagement éclaira son visage.

— Oui. Et j'ai aussi attrapé le Bourreau aujourd'hui.

— C'est vrai ?

Sans même lui demander de qui il s'agissait, elle se jeta dans ses bras.

— Thomas, vous êtes formidable ! J'ai toujours su que vous étiez formidable !

Il la serra dans ses bras et embrassa ses cheveux, son front, ses yeux, ses lèvres. Puis il prit Emily par l'épaule.

— Vous allez le dire à Jack ? demanda Emily d'une toute petite voix.

— Non, répondit Pitt avec un rire étouffé. C'est vous qui allez le lui dire !

Cet ouvrage a été imprimé par

**FIRMIN DIDOT**

GROUPE CPI

*Mesnil-sur-l'Estrée*

*vour le compte des Éditions 10/18*
*en mai 2003*

*Imprimé en France*
Dépôt légal : juin 2003
N° d'édition · 3496 - N° d'impression : 64114